S

# Carmen Jiménez

# Madre mía, que estás en los infiernos

Nuevos Tiempos **Ediciones Siruela**

1.ª edición: enero de 2008
2.ª edición: mayo de 2008

Esta obra ha sido galardonada con
el Premio Café Gijón de Novela 2007

En cubierta: *Cabo Finisterre* (1998),
foto de © Harry Gruyaert / Magnum Photos / Contacto
Diseño gráfico: Gloria Gauger
© Carmen Jiménez, 2007
© Ediciones Siruela, S. A., 2008
c/ Almagro 25, ppal. dcha.
28010 Madrid. Tel.: + 34 91 355 57 20
Fax: + 34 91 355 22 01
siruela@siruela.com   www.siruela.com
ISBN: 978-84-9841-162-1
Depósito legal: M-23.777-2008
Impreso en Closas-Orcoyen
Printed and made in Spain

Papel 100% procedente de bosques bien gestionados

Madre mía, que estás en los infiernos

*Para mi madre,*
*porque sin ella no sería,*
*y para Elena,*
*por sus amorosas correcciones*
*literarias y vitales*

# I

El miedo te seca la boca como a un muerto. Lo sé porque a los cinco años mami me convenció para que la acompañara a un velorio prometiéndome que, si lo hacía, me daría pan con café, mi desayuno preferido. Cuando llegamos, me situó delante de la camita donde yacía un niño, vestido con un largo traje blanco y rodeado de adelfas rojas, para que le presentara mis respetos. Yo nunca había visto a un muerto. Curiosa, decidí palparle, y ella aprovechó el movimiento para introducir el dedo índice de mi mano izquierda, que yo siempre andaba succionando, en su boca.

–Si te lo vuelves a chupar, el muertico te lleva –me advirtió cuando yo ya restregaba, asqueada, el dedo contra mi falda.

No sé si alcancé a tocarle la lengua y el paladar, o si su presunta deshidratación fue una recreación postraumática del suceso, pero fue mano de santo. Lo que no logró la caca de gallina ni el amargor de la sábila lo consiguió la boca del muertico y la fantasmal amenaza. No volví a chuparme el dedo jamás en la vida.

Mientras caminaba por el largo pasillo aeroportuario, pensé que esa sequedad de difunto en la boca me delataría. La policía no repararía en el suave tinte rosáceo de mis labios, deliberadamente idéntico al de mi blusa. Tampoco en mi traje de lino blanco, hecho a medida en la mejor casa de modas de Santo Domingo. Ni en el aroma del perfume francés que caminaba conmigo, recordándome a cada paso que debía alzar el mentón, en lugar de proyectarlo hacia el suelo como un reo. Sólo se fijaría en mi voz, pastosa por el miedo. Las venezolanas abrían la marcha del grupo. Yo estaba demasiado ocupada pensando en mi boca y en mi barbilla para fijarme en nada, pero recuerdo que en determinado momento pasamos junto a una sala de embarque repleta de pasajeros de la que sólo nos separaba un cristal. Primero miraron sin interés al guardia civil que abría la curiosa comitiva de mujeres. Luego entreví miradas masculinas apreciativas que las venezolanas, vestidas para matar, recibieron con alegres cacareos. Avergonzada, mi mentón volvió a clavarse en la base del cuello y noté que la sangre me subía a las mejillas. Si fuera blanca, habría enrojecido. Pero como no lo soy, el arrebato sanguíneo sólo destiñó el moreno cacao de mis pómulos que, durante un instante, se tornaron cenizos.

Mis piernas siguieron avanzando, pero mi mente metió la marcha atrás. Viajó de vuelta a República Dominicana. Estaba, de nuevo, en el despacho de la Hermandad de Pensionados de mi ex marido, el general Reinaldo Unzueta, cinco días antes de mi vuelo a Madrid. Cuando entré, se puso de pie como si la silla le ardiera. Todavía lo estaba cuando yo me senté frente a él y crucé las piernas con fuerza, procurando esconderlas bajo la mesa.

–¿Qué haces aquí, mujer? –dijo gagueando, como siempre que se ponía nervioso. Después de lo ocurrido, era obvio que no esperaba mi visita.

–Reinaldo, ve a ver a tus hijos.

–¿Les pasa algo?

–No. Es que yo me voy a España.

–¿Te vas de puta?

El general acompañó la pregunta, formulada esta vez sin tartamudear, con una mueca desdeñosa.

Me tomé mi tiempo antes de responder. Quería asegurarme de que la voz no me temblaría. Respiré, apunté y disparé:

–Como todas tus mujeres, excepto yo, han sido putas, tú te crees que todo el mundo es igual.

Parpadeó varias veces seguidas, tocado por el agravio. Reinaldo sacó de un prostíbulo a su primera mujer, cuando tenía dieciocho años. Luego se casó con una bailarina que vino a España en los sesenta como *vedette* y se quedó como prostituta, dejando a su cargo la crianza de la hija que habían tenido juntos. Cuando logró contener los pestañeos, rematé mi ataque silabeando las palabras, para que le quedaran claritas, con una contundencia serena que todavía hoy me admira:

–Pues que sepas que la única mujer que has tenido que no ha sido un cuerazo soy yo. Y si no he puteado aquí, no voy a putear allá.

–Ya ni siquiera consigo enfadarte –repuso con un nublo nostálgico en la mirada.

–Escúchame. Quiero que vayas a Coa a ver a tus hijos para que nadie piense que son huérfanos. ¿Lo harás?

El rítmico sonido de mis tacones me devolvió a la realidad, aunque no del todo. Quizá me estuviera volviendo loca, pero me pareció percibir el imposible olor de las adelfas, que en mi tierra llamamos rosales. Intenté deshacerme de él, pero me acompañó hasta lo que parecía ser nuestro destino: una sala con tres bancos pegados a las paredes y, al fondo, un despacho. Las venezolanas, hermosas como *misses*, se agruparon en uno de los asientos. Nuestro vuelo había hecho escala en Caracas. Por eso estábamos juntas. El resto éramos dominicanas.

Apenas nos sentamos, se abrió la puerta del despacho y llamaron a la primera. El alegre cloqueo de las venezolanas, que hasta ese momento no habían dejado de intercambiar risas y chanzas, se detuvo. Todo quedó en silencio. Calculé cuántas éramos: once. Doce contando a la mujer que acababa de dejarnos. Una muchacha que tenía sentada enfrente me devolvió una mirada llena de inquietud, buscando mi complicidad. Parecía decir:

–¡Ay, Dios mío! ¿Qué nos preguntarán? ¿Nos devolverán? ¿Qué tú crees?

Tenía el aspecto de una campesina endomingada. Pensé que no tenía ninguna posibilidad por sus ojos culpables. Supe que no conseguiría pisar la calle. Inconscientemente, me erguí en el banco y alcé la barbilla para probar, una vez más, el gesto que adoptaría cuando llegara mi turno. Ella lo entendió mal. Interpretó mi ensayo como altanería y buscó otros ojos más acogedores. Y yo me quedé sin cómplice durante las dos horas largas que duró la espera. Hasta que sólo quedamos ella, una mujerona venezolana con un moñazo que casi pegaba en el techo y yo. Y luego, ella y yo. Y luego, sólo yo.

–Adela Guzmán Santana –llamó un agente de uniforme desde la puerta del despacho.

Mientras me levantaba, pensé que no debería haberme puesto esa blusa rosa de muselina a través de la cual se me adivinaba la piel. ¿Qué pensaría el policía que, sin duda, me esperaba tras esa puerta? No vi desaparecer al hombre que me había nombrado. Supongo que salió por donde yo entré. Sólo tenía ojos para el inspector que estaba sentado detrás de su escritorio revisando papeles. Sin mirarme, señaló una silla frente a él. Rozaba los cincuenta años. Aun sentado, adiviné que era alto. Finos ribetes venosos recorrían sus mejillas vencidas, quién sabe si por la edad o por los excesos. Me mordí los carrillos por dentro intentando activar, sin éxito, las glándulas salivares. Como temía, mi lengua se adhirió al paladar sediento. Estaba segura de que me habían dejado la última para devolverme.

–Usted es dominicana –dijo sin apartar la vista de los papeles en un tono frío, pero educado.

–Sí –respondí, aunque en realidad él lo había afirmado, no preguntado.

–¿Qué viene a hacer a España?

Por primera vez desde que entré levantó los ojos hacia mí, pero su voz seguía helada. Durante el vuelo no había pensado ninguna respuesta a esa pregunta previsible. Se me ocurrió sobre la marcha:

–Soy maestra y vengo a investigar porque quiero escribir un libro sobre la conquista de América, sobre todo lo que tiene que ver con República Dominicana, que en esa época, como sabe, se llamaba Quisqueya.

Temí que el policía me demandara el proyecto de mi supuesto libro o algún documento que acreditara la veracidad de mi investigación. En mi bolsa de viaje no llevaba más que el bolsito de cuerda que había tejido a ganchillo durante el largo vuelo, para distraer los nervios.

Miré la foto del Rey, situada justo sobre la cabeza del policía. Nos observaba con un gesto de soberana distancia. Erguí el mentón e intenté adoptar la misma pose. El policía me acechaba con una concentración inmóvil.

–Tiene usted... –dudó unos segundos antes de concluir–. ¿Treinta y siete años? –su entonación era más cálida que al principio de nuestra entrevista.

–Sí, señor.

–¿Hijos?

–Tres –«¿A qué viene eso?», me pregunté. No parecía relevante en esa situación–. Están con su padre.

No sé por qué necesité justificarme, pero le mentí. Los dejé en mi casa al cuidado de Miguelina, mi chica de servicio de mayor confianza, en Coa. Le dije que, cuando encontrara trabajo en España, le enviaría dinero para que se ocupara de ellos.

–Muy bien. ¿Y de qué piensa usted vivir en España?

–Yo tengo dinero –las piernas comenzaron a temblarme.

–¿Qué cantidad?

–Mil dólares –me sorprendió la firmeza de mi voz, que contrastaba con mis agitadas rodillas.

–Sáquelo –ordenó.

Abrí el bolso. Toda la humedad evaporada de mi boca emigró a mis manos de repente, pero creo que conseguí sacar el dinero sin que me delataran:

–Cuéntelo –le dije.

–No. Está bien.

Tras una última mirada evaluadora, me selló mi pasaporte de entrada y dijo:

–¿Puede esperar un momento ahí fuera?

–¿Por qué no? –respondí simulando una tranquilidad que estaba muy lejos de sentir.

15

Me estaba muriendo por dentro pero, al menos, pensé, ya me ha sellado el pasaporte. Eso significaba que había pasado, ¿no? Salí fuera y volví a sentarme en el banco. Me pregunté qué habría sido de la campesina. La imaginé embarcando, escoltada, en un avión de vuelta a casa. El inspector apareció enseguida. Efectivamente era alto. Me levanté y apenas le llegaba al pecho. Mis rodillas volvieron a tiritar, nerviosas, bajo el pantalón de lino.

–¿Cómo va a marcharse de aquí? –preguntó.

–Bueno, cambiaré dinero en moneda nacional y cogeré un taxi hasta mi lugar de destino.

–¿Le importa que la acompañe? –preguntó con una breve sonrisa que me encendió las alertas.

–No, claro –susurré. Era la tercera vez que mentía a aquel hombre.

Recogimos mi maleta, cambié dinero y salimos al exterior. Nos dirigimos hacia la parada de taxis. El temblor de mis piernas se extendió a todo el cuerpo. Ahora no sólo por el miedo, sino también por el frío. Era primavera en Madrid, pero nada sabía yo, todavía, de su naturaleza caprichosa. El cielo estaba cubierto por una boina gris de nubes panzudas. Un vientecillo tenaz me obligó a cruzar los brazos sobre el pecho para protegerme, siquiera un poco, del frío que se ensañaba con una caribeña desinformada, vestida estúpidamente de lino y muselina. Cuando llegó mi turno, sentía tantas ganas de meterme en el carro y desaparecer que tuve que hacer serios esfuerzos para controlarme. Deseaba deshacerme cuanto antes de mi escolta y pensé, erróneamente según comprobé luego, que el taxista llevaría encendida la calefacción. Pero antes de subir, el inspector me retuvo unos segundos más. Sacó su cartera del bolsillo interior de la americana y me entregó una tarjeta:

–Guárdela. Para lo que necesite, estamos aquí para servirle.

«¿Servirme? ¿En qué quieres servirme?», pensé con desconfianza. Pero logré esbozar una sonrisa que pasó por agradecida. Luego se dirigió al taxista:

–Lleva a esta señora a su lugar de destino y trátala bien.
El auto se puso en marcha. No sólo no había calefacción
sino que, además, tenía los dos vidrios delanteros bajados.
–¿Adónde? –dijo el chofer mirándome con curiosidad
por el espejo retrovisor. Hasta que no avanzamos unos
metros, no le indiqué mi destino. No quería que el inspector
escuchara la dirección.
–A la calle Princesa.
Me recosté sobre el asiento, notando los ojos del policía
fijos en mi nuca. Pero no me volteé. Miré al frente. A la
carretera. Hasta que reparé en una nota que el taxista llevaba escrita a mano sobre el salpicadero. La primera de un
bloc hecho de hojitas irregulares, cortadas todas ellas a
mano. Estaba escrita en grandes letras mayúsculas y decía:
«SÓLO SE VIVE UNA VEZ». Sonreí. Dejé escapar un profundo suspiro con el que comencé a liberarme de las cuatro
horas y media de tensión que había pasado desde que ate-
rricé en Barajas.
–¿A qué número de Princesa? –volvió a preguntar con un
matiz impaciente en su voz.
Consideré que ya estaba a salvo de la mirada policial. Me
descalcé. Primero busqué en el zapato, pero no estaba. La
pequeña funda de plástico en la que había metido un papel
con la dirección exacta de mi prima se me había adherido a
la base del pie por el sudor. La despegué, extraje el papel y le
dije el número al taxista, que había seguido mis evoluciones
con una curiosidad no exenta de cierta desconfianza. Pero
¿a quién le importaba eso? Imaginé a la campesina en el
avión, sacándose del zapato una seña de contacto que ya no
iba a necesitar. Creo que sonreí cuando guardé la fundita.
«Lo has conseguido», pensé. «Has pasado. Ya estás en
Madrid.»

Cuando llegué a la casa donde mi prima Lucecita trabajaba como interna, eran ya las ocho de la tarde. Me abrió la
puerta alborozada y nerviosa:
–¡Eeepa! ¡Muchacha! ¡Estaba ya preocupada pensando

que te habían devuelto a Santo Domingo! –gritó abrazándome.

–¿Es que no me conoces? Cuando decido algo, nada me para –respondí entre risas, dejándome querer y echando breves ojeadas al pasillo: temí que la señora apareciera alarmada por el alboroto que estábamos formando.

–Vente *pa cá*. Déjame la maleta y vamos a mi cuarto. Pasa, pasa. Estaba preparando la cena.

–No, ven acá tú. ¡Mírenla, qué tal! –dije, ironizando sobre su traje de servicio–. Te sienta bien el negro y el blanco, mi prima.

Lucecita se contoneó, avanzó tres pasos por el pasillo, se giró con aires de modelo y volvió hacia donde yo estaba con una sonrisa irónica pintada en la cara:

–Menos guasa, que dentro de poco tú vestirás igual. Cofia incluida.

–¿Yo? Tú sueñas. Si tengo que trabajar en el servicio doméstico, me cojo el primer vuelo de vuelta a casa.

–Ya, claro, la universitaria tiene otro nivel, otro estatus... Pues que sepas que aquí es lo que hay, prima.

Pasamos por la cocina, donde olisqueé como un perro callejero intentando reconocer el contenido del puchero que hervía sobre el fuego. Lo último que había comido era el menú plástico del avión. Me moría de hambre. Mi prima me vio ventear la nariz y sonrió mientras abría la puerta de su cuarto.

–Si te doy eso, te desmayas. Esta gente es vegetariana... –meneó la cabeza como si no pudiera entender que, voluntariamente, alguien pudiera renunciar a comer carne–. Pero no te preocupes, te tengo reservado un locrio con guandules que resucita a un muerto.

Lucecita entró. Yo me quedé en la puerta porque las dos no cabíamos en aquel habitáculo, donde la camita aparecía sitiada por un montón de fundas, encajadas a presión contra la pared. Pensé en cómo nos repartiríamos el diminuto armario empotrado.

–Me dijiste que había mucho trabajo acá. Seguro que

encuentro en alguna tienda, supermercado, fábrica... donde sea, pero no de sirvienta...

Mi prima me miró con extrañeza:

—Adela, el único trabajo que hay acá para la gente como tú y como yo es en el servicio doméstico.

«Gente como tú y como yo. ¿Y qué gente somos nosotras?», pensé irritada.

—¿Y por qué no me lo dijiste cuando me llamaste por teléfono y me animaste a que viniera? —le pregunté con enojo. Ella lo confundió con tristeza y consideró que no era el momento de alarmarme.

—¡Pero si titirimundi lo sabe! El que nació para estropajo, del fregadero no sale. Pero deja eso ahora —dijo apartando un par de bultos situados a los pies de la cama para poder acercarse a ella y dejar mi maleta encima—. Mira, son compras para la familia. En julio iré para allá y he ido comprando regalos para todos.

—¿Podrás llevar algo para mis hijos? —pregunté, animada de nuevo.

—Claro, pero sólo un chin. Con lo que tengo, ya llevo sobrepeso.

—Serán un par de tonterías, no te preocupes. Óyeme. ¿Puedo llamar a mi madre para decirle que he pasado? —de repente caí en que todavía no la había avisado de que ya estaba en Madrid.

—Será mejor que no andes entrando y saliendo del cuarto. A los señores no les gustaría. Ahora llamo yo y se lo digo, ¿ok?

Lucecita salió para que yo pudiera entrar y abrir la maleta. Revolví en busca de algo más cálido y cómodo que ponerme. Ella entrevió los vestidos finos y comenzó a reír, quedo, a mi espalda. Zapatos de tacón, rolos, maquillaje... Lucecita se carcajeó con ganas.

—Hágase a un lado, muchacha.

Saltó a la cama, abrió el armario empotrado de los siete enanitos, de puertas afortunadamente correderas, sacó una ropa deportiva de algodón grueso y me la tendió:

–Mejor guarda tu ropa para mañana, cuando salgamos. Ahora ponte esto y espera aquí a que te traiga el locrio. El cuarto de baño está a la derecha. La primera puerta. Si te da el sueño, te duermes. Yo tengo que servir la cena a los señores y recoger, así que se me hará tarde y tú estarás cansada...
No estaba cansada. Estaba exhausta. Cené, me metí en la cama, deliciosamente sepultada bajo tres mantas, y me dejé vencer por el sueño que tanto me había esquivado en el avión. Apenas oí llegar a mi prima. Sólo noté que gateaba sobre el colchón y levantaba las mantas para meterse dentro. Me costó moverme para hacerle un hueco, pero me esquiné tanto como pude. Sé que me dio un beso y me dijo:
–Buenas noches, *Fifty-Fifty*.
Estaba tan adormecida que no pude responderle.

Mi familia suele llamarme *Fifty-Fifty*. O, más que mi familia, las ocho hijas y los dos hijos de mi querida tía Euduvigis. Aún hoy me sienta a cuerno quemado, pero lo sobrellevo mejor que cuando era pequeña. En aquel entonces, el asunto me encendía y acomplejaba. Cosas de la infancia. No me llamaban así porque creyeran que pertenecía a la clase alta, como sugiere el sobrenombre. Lo hacían porque, según dicen, yo era una niña finolis y extrañamente leída en un pueblo campesino como Coa, donde los libros, si los había, se usaban más para decorar algún estante sobrante o para calzar sofás con la pata quebrada que para cumplir su cultural propósito. Tan redicha dicen que era que todos pensaban que acabaría siendo no maestra, sino abogada.
–Esta niña va para *leyita* –bromeaban al verme pleitear con mis primos o mi tía.
La culpa de que yo sea como soy y me llamen como me llaman tiene nombre y apellidos: José Rafael Salcedo Lantigua, el hombre que me crió. En realidad le decían don Pericles por ser hombre de reconocida erudición, sabiduría y solvencia moral. Apareció una mañana en busca de alojamiento en el hotelito de mi abuela con sus tres accesorios distintivos: chacabana, pipa y un libro bajo el brazo. Todos

pensaron que era un ingeniero destinado a Coa para supervisar el montaje del tendido eléctrico que se estaba levantando en aquel momento, pero resultó ser el nuevo síndico. Mi abuela, que siempre supo estar a bien con el poder, desalojó a uno de los obreros empleados en el tendido que llevaba un par de días retrasado en el pago. Cedió su cama a un capataz, asignó la de éste al ingeniero y la del ingeniero a don Pericles, el alcalde. La mejor de todo el hotel.

Con su llegada nos cambió la suerte. Yo tenía ocho años. Mi padre biológico no me pasaba pensión, así que mes sí, mes también, mi madre me cogía de la mano y nos plantábamos en la Fiscalía para reclamársela. El fiscal, que se alojaba también en casa de mi abuela, era para mí como un mago. No porque nos procurara, más temprano que tarde, los ocho pesos de mi pensión, sino porque en el patio del juzgado tenía una mata de cheles. Cada final de mes, mandaba a buscar a la chiquillería del hotel y rascaba la base del árbol, sacando los centavos ocultos bajo la tierra que luego nos regalaba. Nosotros creíamos que se trataba de una matita mágica que paría dinero. Nunca pensamos que, cada vez que cobraba su sueldo, enterraba algunas monedas con el encantador propósito de desatar nuestro asombro infantil que, sin duda, para él resultaba tan fantástico como para nosotros la singular mata.

Aquello duró hasta que, de repente, lo trasladaron quién sabe dónde sin que le diera tiempo de advertirnos que la planta ya no alumbraría más centavos. Así que seguimos yendo para cosechar cheles. Y, como no los encontrábamos, probamos en otra mata y en otra hasta que, progresivamente, convertimos el patio de la Fiscalía, que antes era un vergel, en un erial más horadado que un yacimiento arqueológico. Cuando nos hartamos de las prospecciones, no había planta que no tuviera a la vista sus descarnadas raíces vegetales. Y acabaron difuntas. Muertas por la codicia, siempre letal aunque la perpetren manos infantiles. Descansen en paz.

Pese a la pensión de mi padre y la mata de cheles del fiscal, lo cierto era que no teníamos cuartos. Mi madre y su segunda pareja, Pinuco, lo habían dejado hacía meses para mi alegría y para disgusto de mamá, que lloraba a cada rato porque no tenía recursos con los que mantenerme. Por eso nos fuimos a vivir con la abuela. Comida y techo no nos faltaban en el hotelito, pero sí todo lo demás. Recuerdo que poco antes de las fiestas de la patrona llegó en su *jeepeta* un vendedor ambulante procedente de la capital. Mi abuela lo invitó a pasar al salón. De rodillas ante ella, como si fuera el rey Baltasar, desató las cajas de cartón en las que traía la ropa de niño, dejando a la vista su preciada mercancía. Mi madre y yo nos prendamos de un pantaloncito corto, rojo, con elástico, como si fuera un calzoncillito, y una blusa roja con la orilla de rayas en blanco y rojo. Mami rogó a la abuela que me lo comprara porque en fiestas hay que estrenar ropa nueva o no eres nadie. Pero mi abuela no me lo compró. Los hijos de mi tía Euduvigis –Lucecita incluida– tuvieron más suerte, porque eran sus favoritos, pero no cogió nada para mí. Y eso que mi madre trabajaba en el hotel como una burra. Pero creo que mi abuela nunca me ha querido. Creo que soy la nieta que nunca quiso.

Don Pericles se apercibió enseguida de los apuros económicos de mi madre y le buscó trabajo, como empleada de la limpieza, en el ayuntamiento. Cobraba nada menos que sesenta pesos. Un dineral. Pero eso fue sólo el principio. Lo mejor estaba aún por llegar. El síndico se enamoró de mi madre. No sé qué vio en ella un hombre como él porque, vista con la perspectiva que dan los años, era una mujer bastante ruda. Mi abuela siempre decía que, en su simplicidad, no valía «ni *pa* puta ni *pa honrá*». Yo no sé. Cierto es que tenía una piel hermosa, unos ojazos que encandilaban y unas espaldas perfectas. A veces jugaba a imitarla y trataba de caminar erguida como una diosa, aunque nunca lo logré, quizá porque tampoco lo intenté demasiado. Pero, como yo, no era el tipo de mujer capaz de enloquecer a un hombre sólo por su aspecto y, a diferencia de mí, tampoco es que le adornara el don de la palabra. Recuerdo que, entonces, mi madre era aún dulce, inocente y buena. Puede que fuera eso.

O quizá sólo fue su lozanía, tan apreciada por los hombres caducos.

El caso es que el alcalde se enamoró como un muchacho. Al principio, ella rechazó sus galanteos. Según supe años más tarde, lo llamaba «vieja hormiga blanca». Vieja porque don Pericles era, pese a su espíritu juvenil, biológicamente mayor. Tendría más de sesenta años y mi madre no había cumplido los veinticuatro. Hormiga, porque tenía una cabeza tan superdotada como menudo era el cuerpo que la sustentaba. Y blanca por su tez, inusualmente clara en Coa.

El caso es que ella contuvo el asedio y reforzó las defensas cuando se enteró de que estaba casado y tenía muchísimos hijos. Incluso nietos y biznietos. Hasta que, pasados tres meses, don Pericles le regaló un libro de poesías dedicadas a ella. Trescientos poemas de amor escritos de su puño y letra que mi madre, casi analfabeta, nunca terminó de leer, pero que sirvieron para romper las defensas de su fortaleza y tender el puente que introdujo al síndico en nuestras vidas.

No sé si mi madre se enamoró, entre endecasílabos y sonetos, de don Pericles. Esto es algo que una niña no sabe. Lo que sé es que mami pasó de no tener nada a tener mucho. De ser una «viudita» –como se suele llamar en República Dominicana a las mujeres jóvenes, de buen ver, separadas y con hijos de una o varias relaciones–, a ser la «señora» del síndico. Todo un salto hacia delante. Y, para mi fortuna, yo entré en el paquete de esa unión.

Una vez consumado el asalto amoroso, don Pericles mandó construir nuestra casa. Era como pocas. Estaba hecha de *blocks* rellenos de concreto. La parte de arriba era de tablas de palma. Cuando regresaba de la escuela, me pasaba horas y horas picando con un cuchillo la costrita de la palma, tabla a tabla, para que quedara bonita y pudiera coger la pintura de aceite, ideal para este tipo de construcciones porque es lavable y resistente al sol como ninguna. La casa tenía galería, comedor y una despensa muy grande, que proveíamos cada fin de mes hasta que rebosaba de sopa Campbell, latas de atún con guisantes y arenques. Tenía tres habitaciones, el baño anexado y una especie de terraza donde comíamos. Era lo más de lo más.

Antes de mudarnos, mi madre quiso bautizarla para quitarle los malos espíritus. Mandó llamar a un cotizado especialista en el arte de tocar los palos. Por lo visto, en aquella época no había fiesta que se preciara donde este mago de los tambores africanos y sus paleros no estuvieran. Animada con esa música, una mujer fea como el demonio golpeó las paredes con ramas de guandules mojadas en agua bendita. Por lo que sé, estas ramas son las mejores para expulsar a los espíritus, pero yo sólo veía a un grillo pegando palos a las paredes al ritmo de los tambores, aderezado con los rezos de las vecinas invitadas al evento. No lo pude evitar. Me entró la risa y mi madre, indignada, me sacó de la casa para que no aguara tan importante ceremonia. Fuera, en el patio, vi a don Pericles que me miraba a través de la ventana. Me guiñó un ojo y sonrió divertido. Creo que él también tenía ganas de reír, pero se contuvo para no molestar a mamá y desbaratar la ceremonia. Porque él no creía en esas cosas. Mami sí. Salvo en la época en que vivimos con don Pericles, siempre tuvo un altar para los santos en su habitación, con estampas y figuras de los más milagreros y conseguidores, parpadeantes a la luz de las velas y siempre agasajados con ofrendas destinadas a estimular su generosidad. Ron, puros y servicios consistentes en platitos de arenques con patatas cocidas que yo a veces saqueaba, porque los santicos nunca han sido tan hambrones como una niña en edad de crecer aunque, como era mi caso, fuera de naturaleza más bien inapetente.

Cuando comencé a vivir en esa casa me metamorfoseé, según mis primos, en *Fifty-Fifty*. Primero porque don Pericles me contagió su amor a la lectura. Parapetado tras los espejuelos de gruesa montura negra, me contaba las historias que narraban los libros que él leía. Lo escuchaba absorta en el movimiento de sus labios finos y la expresión de sus ojos vivaces e inteligentes, que los vidrios ópticos, irisados de miopes círculos concéntricos, reducían al tamaño de una avellana. Una vez encendida mi curiosidad, me los dejaba para que yo los leyera. Al vernos, mi madre meneaba la cabeza, con desaprobación nada disimulada porque, como ya he dicho, era una mujer ruda. Para ella, una niña no necesitaba letras, sino un buen marido. Pero lo dejaba hacer. Y así me convertí en una niña «rara». La única en Coa que siempre se paseaba con un libro en la mano, pavoneándose como si llevara un tesoro o un buen mozo prendido del brazo.

Pero los libros no fueron lo único que me llevaron a ser *Fifty-Fifty*, sino el espíritu que habitaba esa casa. Un espíritu que no podían limpiar las ramas de guandules y que yo absorbí como sólo los niños pueden hacerlo. Don Pericles era hijo de un diplomático que había llegado a ser embajador plenipotenciario en España. Se había criado en los mejores colegios. Había viajado. Así se convirtió en el hombre culto y refinado que era. En toda la comarca se le reconocía por su pensamiento atlético, buen criterio e intachable moral. Por eso recurrían a él hombres de negocios necesitados de consejo y políticos de todo pelo que, día, tarde y noche, pasaban por casa en busca de asesoría. Cuando no tenía una reunión política, era una fiesta o una cena y, si no, misteriosos cónclaves, a los que yo no podía ni asomar la nariz, de la Logia Masónica Fraternidad, que don Pericles lideraba como Paz Noble Padre. Así las cosas, él decidió hacerme un saloncito privado para que, siendo ya adolescente, pudiera recibir a mis amigos mientras él tertuliaba con los suyos. Y si era infrecuente que una niña leyera en Coa, más inaudito era que una jovencita dispusiera de un salón privado para sus visitas, sobre todo si tenía radiocasete, televisor a pilas, librería y chicas de servicio a las que pedir un refresco y sándwiches para mis invitados. Como mi casa, yo era lo más de lo más.

Mi prima, dormida a mi lado, sabía que yo tendría que remangarme para sobrevivir en Madrid y guardar bajo llave en la memoria mis recuerdos de niña bien. Pero yo aún no lo sabía. Pese a que detestara el apodo, me gustaba su significado. De alguna forma, todavía me sentía *Fifty-Fifty*.

Cuando desperté, tuve el sobresalto típico de quien aún no se ha sacudido del todo el sueño y no sabe dónde está ni cómo ha llegado hasta allí. Todavía no había despegado los ojos cuando Lucecita me ubicó:

–Vamos, Adela. ¡Arriba! –dijo mientras gateaba de nuevo por la cama vestida con un albornoz, camino del armario. La viveza de su voz hirió mis oídos amodorrados.

–¿Qué hora es? –pregunté perezosa.

–Hora de levantarse y salir a la calle, muchacha. ¡Hoy es mi día libre!

–¿Hace frío? –pregunté con recelo. Me había hecho muy amiga de las tres mantas que me habían abrigado durante la noche y mi cuerpo se resistía a prescindir de ellas.

–No. Luce un día con mucho sol.

Animada con la idea de salir a caminar Madrid, me duché en un santiamén y me vestí. Me puse uno de mis mo-delazos: un vestido de seda con lunares negros sobre fondo beis. Ceñido como un tango. Me dejé el pelo suelto. No me gusta ocultar lo mejor que tengo. Estaba terminando de pei-narme, cuando mi prima oyó a la señora trastear en alguna habitación contigua.

–Espera, voy a presentártela –dijo desapareciendo en dirección a la cocina, donde la oí hablar con la señora, una psicóloga argentina casada con un economista de altos vue-los políticos, según me contó luego. Al cabo de un segundo, me llamó.

–Hola, buenos días –saludé.

–Doña Laura, ésta es mi prima Adela.

La señora me miró sorprendida. No dejaba de obser-varme. Creí que no iba a decir nada y que era yo quien tenía que hablar, cuando finalmente dijo con un acento bailón, pero congelado:

–Mucho gusto. Bienvenida. Espero que se sienta bien en Madrid.

Se volteó sin esperar mi respuesta, enfiló el pasillo que llevaba al salón y, a mitad de camino, gruñó:

–Joder... ¡Tenemos una modelo en casa!

Al cabo de un segundo, llamó a mi prima:

–Altagracia, ¿puedes venir un momento?

Altagracia es el nombre real de Lucecita, a quien apodamos así por su carácter risueño. Mi prima fue al salón con diligencia y cuando regresó trajo cara de circunstancias:

–Me ha dicho que te saque de la casa hoy mismo. No quiere que su marido te vea.

Así que Madrid tuvo que esperar. Cogí mis cuatro tereques y nos dirigimos caminando a Pintor Rosales, donde trabajaba, también como interna, otra de mis primas: Leo. Casi todas las hijas de mi tía Euduvigis, las favoritas de mi abuela, habían emigrado a Madrid en los años ochenta.

Junto al portal señorial, rematado con brillantes molduras de bronce y enlosado con mármol blanco, había una puerta anexa separada de la principal por un alto seto. Leí con desagrado: «Entrada de servicio». Llamamos al telefonillo. Cuando Leo nos abrió, Lucecita me empujó dentro para que el portero, que ya se había levantado de su puesto de cancerbero, no tuviera tiempo de indagar. Yo no entendía el motivo de tanta prevención, pero tardé poco en averiguarlo.

–¡Rápido! –ordenó Leo cuando nos abrió la puerta de la casa al tiempo que miraba por encima de nosotras para chequear que nadie nos veía entrar. Reconozco que me sentí como una prófuga en tiempos de Trujillo.

–El portero no nos ha visto –explicó en un susurro Lucecita, mientras recorríamos, aprisa, el diminuto recibidor, la cocina y el *office*.

Cuando llegamos al cuarto de Leo, sonrió, con una disculpa en la mirada.

–La señora no quiere extraños en la casa.

–Pero yo no quiero ponerte en apuros. Si me quedo, te comprometo. Y yo no quiero eso –protesté.

–No te preocupes. No se enterará. Te quedarás en mi cuarto hasta que encontremos trabajo para ti.

–¿De interna? –pregunté reticente.

–¿Qué si no? –dijo intercambiado una mirada de extrañeza con Lucecita.

–Leo ya ha hablado de ti en Cáritas. Puede que consigamos algo –me animó Lucecita–. Ya sé que no te gusta el trabajo doméstico, pero es el único empleo que puedes encontrar acá.

–Escuchen: en mi casa de Coa he dejado a tres chicas de servicio al cuidado de mis hijos. Miguelina; Enérsida, la cocinera; y Angelita, la niñera. Yo no voy a trabajar de interna.

–¡Ah, la niña creída! Escucha tú, Flaca. No tienes papeles, así que nadie te dará empleo de otra cosa –argumentó Leo.

–Olvídate, muchacha. Si no eres española no te contratan en ninguna oficina ni despacho –la apoyó su hermana. Aquello parecía una conspiración.

–Además, trabajando como interna tendrás una habitación –añadió Leo.

–Alquilaré un apartamento –repliqué obstinada. Leo rió como si yo hubiera dicho la cosa más disparatada del mundo.

–Óyeme bien: aunque tengas trabajo, nadie te lo alquilará. No alquilan a la gente como nosotras. Sólo a españoles.

–Y en el servicio doméstico no se cobra mal: unas sesenta mil pesetas al mes. ¿Cómo, si no, mandarás dinero a tus hijos? –apostilló mi prima.

–Intentaré conseguir otro empleo –afirmé con determinación.

Me dejé caer sobre la cama. No hacía ni veinticuatro horas que había llegado a Madrid y ya comenzaba a arrepentirme de haber venido. La mención de mis hijos encendió una mecha de nostalgia e inquietud que prendió como trigo seco. ¿Cómo estarían? ¿Se acordaría Miguelina de llevar mañana a Rubén al dentista? ¿Vigilaría Angelita, la niñera, como es debido a Marcia? Esa muchacha estaba ya en edad de preocuparse más de los hombres que de los niños y mi hija era especialista en dañarse haciendo trastadas...

Pasados cuatro días, deseé tanto salir de aquella casa que trabajar como interna dejó de parecerme una pesadilla, aunque no lo suficiente, todavía, para rendirme. Vivía como una secuestrada, recluida en el cuarto de Leo, releyendo una y mil veces viejas revistas del corazón repescadas por mi prima de su señora. Sin hacer ruido. Sin poder salir más que al baño, tres veces al día. Leo aparecía de pronto en la puerta y me hacía, en silencio, una señal con la cabeza para que la siguiera mientras sellaba sus labios con un dedo. Cuando oía a la señora hablar en la cocina, yo debía esconderme bajo la cama. A veces lloraba en silencio, como una niña asustada. *Fifty-Fifty*, la mariposa, se volvió un gusano hambriento siempre a la espera: de la comida que mi prima me traía a hurtadillas y de las palabras de consuelo que, de noche, me susurraba bajo las mantas. Las únicas que había escuchado en todo el largo día.

El jueves por la mañana aproveché que la señora había salido de compras para escapar de la prisión. Me fui con el mismo sigilo con el que entré. Siguiendo las indicaciones de Leo, llegué al metro y me dirigí al hostal de la calle Fuencarral que me había reservado mi prima, quien, sin embargo, censuraba mi fuga y mi rebeldía. No entendía por qué servir me parecía tan terrible. ¿Quizá porque yo soy maestra y tú no? ¿Porque hasta hace sólo un par de años he tenido un chofer al que decirle llévame, déjame aquí, ven a buscarme? ¿Porque estoy acostumbrada a que me traigan las chancletas al baño para tenerlas listas apenas salgo de la ducha? ¿Porque, casi hasta ayer, he tenido una niñera a la que, cuando amamantaba a mi hija en la cama, sólo tenía que llamar cuando terminaba para que se llevara al bebé y yo pudiera seguir descansando? No podía decirle todo esto a Leo. Se habría ofendido. Pero sí podía intentar buscar alternativas, aunque ella no lo entendiera.

El sol y el aire libre me colorearon el ánimo y dibujaron una sonrisa en mi rostro que, sin embargo, se esfumó pronto. Limpia parecía que era, pero mi habitación en el hostal era deprimente. Paredes grises, cortinas grises, cubrecama gris, sanitario gris y una ventana gris que daba a la pared gris del edificio colindante. Bueno, quizá exagero. Las cortinas eran en realidad azul grisáceo. Y los sanitarios, verde grisáceo.

Pero el caso es que me sentí como en una nube inequívocamente gris. Tardé tres minutos en inspeccionarla, dejar mis cosas y salir huyendo camino de un locutorio que había visto antes de llegar a la pensión La Nube para llamar a mis hijos. No había hablado con ellos desde que llegué. Primero telefoneé a mi casa. Nada. Luego, a la de mi madre:

–¿Aló? –chilló, como hacía siempre que hablaba por teléfono. Como si sus pulmones tuvieran que ayudar a la tecnología para hacerse oír.

–Hola, mami.

–¡Qué sorpresa! ¿Todo bien, *m'hija*? Lucecita me contó que habías pasado...

–Sí, mamá. ¿Y por allá? He llamado a mi casa, pero las chicas no responden... ¿Los niños están bien?

–Claro, muchacha. Verás, es que las he despedido. Bueno, a todas menos a Enérsida –su voz sonaba tranquila. Estaba claro que no esperaba ninguna oposición por mi parte.

–¿Qué? –pregunté con incredulidad. Ella lo confundió con sordera.

–Que he despedido a las chicas –gritó.

–¿Por qué, doña mami? –cuando la llamaba así, ella sabía que yo estaba enfadada. Es el único gesto de rebelión que me he permitido con mi madre.

–Era un gasto innecesario, ¿no crees? Además, ¿con quién van a estar mejor que con su abuela?

«Con cualquiera», pensé. El corazón me latió en las sienes.

–Pero ¿y mi casa?

–Bueno, como vas a estar fuera un tiempo he pensado que lo mejor era alquilarla. He vendido los muebles y la línea de teléfono. Para mantener a los niños, ya sabes.

Vieja avara. Sabía que no había asumido de buen grado que dejara a mis hijos bajo la responsabilidad de Miguelina, pero ¿cómo se había atrevido a desmantelar mi casa y llevárselos sin consultar conmigo? La pregunta era obvia, pero la respuesta lo era aún más. Ella sabía que, como siempre, yo no sería capaz de oponerme a sus planes.

–¿Encontraste ya trabajo *m'hija*?

«No sólo quieres quedarte con la renta de mi casa, sino también que te envíe dinero», pensé. Así era mi madre: me das, te quiero; no me das, no te quiero. Un segundo después sentí pánico: ¿Y si no conseguía trabajo? ¿Y si tenía que regresar a Coa? ¿Tendría que volver a vivir en casa de mi madre, ahora que ella había alquilado la mía? El miedo me aflojó los músculos. Tuve que apoyarme en la mampara de la estrecha cabina.

–Todavía no, mamá.

Abrí un poco la puerta. Me faltaba el aire.

–La pensión de Cuchito no alcanzará para tantos... Todo está muy caro aquí, ya tú sabes...

Cuchito era el marido de mamá, un soldado lelo, pero sexualmente mañoso, al que conoció cuando hacía guardias en el ayuntamiento, donde ella trabajó gracias a la influencia conyugal de don Pericles. Una vez muerto éste, mami se quedó sin empleo. Contagiada por el espíritu rapaz de Cuchito, con el que matrimonió sin esperar a que don Pericles se enfriara en su tumba, montó un colmado y luego una casa de empeños, negocios a los que pronto se sumaron otros ingresos. Cuchito cobraba una pensión por invalidez gracias a los oficios desplegados en su día por mi ex marido, el general, quien, afortunadamente, nunca se enteró de que la cojera de ese parásito holgazán era fingida porque, de saberlo, sin duda la habría convertido en real. Pensé en decirle que ya obtenía dinero por el alquiler de mi casa, pero me rendí:

–No se preocupe. Le enviaré dinero pronto. ¿Fue Rubén al dentista el lunes? Tienen que ajustarle los *brackets*, si no, se le dañarán los dientes...

–*M'hija*, apenas te oigo...

–Mamá –dije alzando la voz. El hombre que atendía el locutorio me miró con reproche–. Póngame con Rubén.

Alguien cerró la puerta de mi cabina.

–Lo siento, pero no se oye.

–Mami. Pásele el teléfono a Rubén.

–No te oigo, Flaca. Manda dinero pronto. Cuídate. Besos a las sobrinas...

Me costó separar la espalda de la mampara, cerrar el teléfono y salir de la cabina. Sólo pensaba que ya no tenía una casa a la que volver si las cosas salían mal en España. Y mis niños... Recordé lo que me preguntó mi hija Victoria cuando los senté a todos en el sofá del salón para comunicarles mi viaje:

–No nos dejarás con la abuela, ¿verdad, mami?

–¿Y por qué no? –preguntó, inocente, Marcia.

–A mami no le gusta vivir con la abuela y tampoco querrá que nosotros vivamos con ella, ¿a que no? –intervino, haciéndose el muchachito, Rubén.

Tenía que conseguir un empleo. Pedí una computadora desde la que pudiera imprimir mi currículum. «Si mando dinero a mamá», pensé, «todo irá bien».

Durante los quince días siguientes busqué trabajo con desesperación. Visité mil tiendas. Respondí a todos los anuncios de prensa que tenían algo que ver con mi perfil. Luego a los que no tenían casi nada que ver. Finalmente, a cualquiera, daba igual lo que pidieran. Me presenté en decenas de colegios y acudí a varias ONG. Pero cada noche regresaba al hostal derrotada por la misma frase: «Si no tiene papeles, no hay nada que hacer». ¿Y cómo demonios iba a conseguir los dichosos papeles sin un trabajo?

Mi estado de ánimo se mimetizaba, cada día un poco más, con la decoración del cuarto. Sobre todo cuando recontaba el dinero que me quedaba sobre el cubrecama gris de mi gris habitación. Lucecita me había dejado los mil dólares que mostré al inspector para entrar al país. Apenas la vi intenté devolvérselos, pero ella sólo me aceptó quinientos. «Cuando encuentres empleo, me devuelves el resto», me dijo. Y ese resto estaba menguando de forma alarmante pese a que comía lo imprescindible. Mi dieta diaria consistía en un café con leche, una hamburguesa con patatas fritas y un par de yogures, que liquidaba, exhausta, antes de meterme en la cama, mientras mi estómago maullaba vaciedades con un ronroneo casi olvidado. Pero entre la pensión y el transporte, los ahorros disminuían con una rapidez que me inducía al insomnio. Apenas podía dormir. Me dejaba fagocitar por el colchón, moldeado por el peso atroz de no imagino cuántos cuerpos cansados, y me asaltaban todos los miedos que había conseguido conjurar, manteniéndome activa, durante el día. Analizaba cada negativa para idear nuevas opciones que pudiera utilizar a la mañana siguiente. «Iré al Corazón de María. Se llama igual que mi colegio en Coa. Quizá tenga algo que ver y haya alguien que me conozca...», cavilaba con una brizna de esperanza, aunque las negativas del día, sumadas a las del día anterior y el anterior, hacían que la breve ilusión convexa se desinflara hasta amoldarse perfectamente a mi cuerpo, arqueado como una «u» por las concavidades del viejo colchón cavernario. Nadie me daría trabajo en un colegio hasta que no lograra homologar mi título. Y para eso necesitaba, entre otras cosas, tenerlo. Pero se había quedado en mi casa y mi madre la había vaciado para alojar al inquilino. ¿Cómo se había atrevido? Tenía que reclamárselo cuando antes. ¿Cómo no pensé en traerlo? Menuda estúpida. Y ¿cómo no supuse que arrastraría a los niños consigo para sacarles partido? Conociendo a mami, debería haber previsto que lo haría.

Hundida, con los yogures crepitando en el estómago vacío, me enredaba en siniestros augurios y recuerdos, casi siempre relacionados con Reinaldo y con mi madre. La inquietud que me producía que mis hijos estuvieran con ella despertó un miedo que había guardado durante años en algún lugar escondido y sombrío, donde supongo que se aletargan los recuerdos no deseados de cada uno. Aquellos que nos asustan, amenazan o hacen daño. Recuerdos olvidados que alimentan, como en mi caso, un rencor casi inconsciente, que te cuesta explicar incluso a ti misma porque nace de algo que has sepultado para poder seguir adelante...

Yo era muy pequeña. Tenía cuatro años. Cada noche, mami se iba a casa de mis abuelos para visitarlos y me dejaba con Pinuco, su pareja después de que rompiera con mi padre. No don Pericles –él vino después–, sino mi padre biológico. No sé por qué mi madre no me llevaba con ella. En aquella época, yo era casi una prolongación de su cuerpo. Me acarreaba en brazos a todos lados, hasta que, como ella decía, las piernas comenzaron a arrastrarme por el piso y se vio obligada a dejarme caminar por mi cuenta. Sola, pero siempre de su mano.

El caso es que me dejaba en casa con Pinuco. Él era un hombre alto de verdad. Si no el que más, uno de los más altos de Coa. Y ancho. Muy ancho. Cuando mi madre estaba en casa, parecía que yo no existiera para él. No recuerdo que jugara conmigo, ni que me subiera a sus rodillas. Pero cuando mami se marchaba a casa de mis abuelos, me llevaba a su cama grande, de gigante, y me abrazaba. Me decía que me quería muchísimo. Sé que no me penetraba porque nunca sentí ningún dolor. Sólo me pasaba ese pene inmenso que, según me enteré de mayor, era la causa de su eterno duelo con las mujeres. Oí que hacía daño por su tamaño y por eso lo dejaban. Debía de ser cierto, porque recuerdo que mi madre se aplicaba a cada rato lavativas de hojas de algodón morado. Yo entonces no sabía para qué era ese remedio, pero luego me explicaron que servía para cuando estás enferma vaginal. Así que mami tuvo que estarlo.

Aquello duró mientras vivimos con Pinuco. Hasta que mi madre, no sé por qué, rompió con él, cuando yo tenía siete años. Estoy segura porque recuerdo un episodio que me ocurrió a esa edad y todavía vivíamos en su casa. Un día decidieron matar un cerdo para festejar algo. La cocina estaba fuera, en una caseta pequeña dividida en dos piezas. Mi madre, siempre amante de las rentabilidades, había alquilado la mitad de la cocina a un matrimonio que tenía un hijo. Se llamaba Pedrito y tenía los ojos azules. Me impresionaban tanto que no era capaz de aguantarle la mirada. Éramos prácticamente de la misma edad.

En el centro de la caseta había un fogón –tres piedras y leños– donde mamá había puesto un caldero muy grande, con agua para limpiar los pelos del cerdo. No sé quién nos mandó a la cocina:

–Vayan a ver si el agua está hirviendo –dijeron.

Y, cuando estábamos viéndolo, Pedrito se puso detrás de mí y me empujó. Por suerte no caí dentro del caldero. Le di en el borde, se viró y me cayó toda el agua caliente encima. Me quemé casi entera. Aún hoy tengo cicatrices en los glúteos y en el muslo derecho. Para curarme, me aplicaron tinta de pluma. Creo que recogieron todos los botes de tinta de Coa para echármelos. No me alivió el dolor terrible de las ampollas, pero me tiñó el cuerpo entero de azul, como los ojos de Pedrito. Vista su ineficacia, mi abuela me puso trapos blancos empapados en aloe que me calmaron una barbaridad. Sé que no me llevaron al hospital porque no había y sé, no sé por qué, que cuando todo esto sucedió yo tenía siete años.

Nunca le he contado lo de Pinuco a nadie, ni siquiera a mi madre. Ni siquiera, casi, a mí misma. Pinuco decía que era un secreto entre nosotros, que nos queríamos tanto. Ahora siento angustia al recordarlo, pero no sé qué sentía en aquel momento. Supongo que no lo entendía, porque entonces los niños no eran como ahora, que saben muchas cosas. En mi época no. Ni siquiera teníamos radio. En el hotel de mi abuela sí había, pero los niños apenas la escuchábamos. Sólo la oían los adultos, muchas veces a escondidas: todavía vivía Trujillo, y el miedo es enemigo de las palabras. Incluso de las que sólo se piensan y no se dicen. También de las que sólo se oyen. Mi abuela se enteró por la radio del asesinato del Jefe al día siguiente del atentado. Mami me estaba bañando en el patio con jabón Lavador, el mismo que usaba para la colada. Yo estaba metida en el balde, enjabonada hasta las pestañas cuando mi abuela llegó corriendo, llamándola:

–¡Melania, Melania! ¡Ven, ven!

Mi madre dejó el trapo con el que me estaba lustrando y la miró alarmada.

–¿Qué pasa? –preguntó.

–¡Oye lo que están diciendo! ¡Han matado a Trujillo!

Mami me sacó del agua sin aclararme y me llevó en brazos a la casa, apretándome como si alguien fuera a robarme.

Una vez dentro, mi abuela comenzó a dar órdenes para que las muchachas fueran a comprar comida y gas. No hubo que descolgar ninguna de esas plaquitas que, por aquel entonces, decoraban los hogares dominicanos («En esta casa, Trujillo es el Jefe») para demostrar fidelidades obligadas al tirano. Mi abuela nunca tuvo ninguna. Conociéndola, sé que le costaría admitir que en aquella casa mandara alguien que no fuera ella. En cuanto llegaron los suministros, nos encerramos a cal y canto en el hotel. Yo sentí que se iba a acabar el mundo, pero siguió adelante. Incluso oí la radio, aunque nunca escuché nada que me ayudara a comprender que lo ocurrido con Pinuco no era normal.

Lo descubrí a los doce años, cuando llegó a Coa para remodelar la iglesia el padre Martín, un cura suizo, grandote y blanquísimo, como desleído en lejía, al que pronto el sol tornó coloradote como un tomate granado. Nos ganó con unos caramelos a los que llamábamos «salvavidas» porque tenían un hoyito en el centro y se convirtió en el eje de todas nuestras actividades. Los jueves teníamos clases de sexología. Los chicos, con un pichón de cura americano y las chicas, con el padre Martín. Él nos explicó cómo teníamos que cuidarnos, qué no teníamos que hacer ni aceptar que nos hicieran. Ahí me di cuenta, pero no dije nada.

Hasta los treinta y siete años sólo he almacenado en la memoria de recuerdos utilizables lo que ocurría después, cuando mi madre regresaba a casa después de ver a los abuelos. Sacaba su mecedora de guano a la galería, me aupaba en su regazo y me contaba cuentos. O me cantaba una copla:

La vecina de allá enfrente,
me robó mi gallo blanco
porque le estaba picando
la semilla del culantro...

Me acunaba así, balanceándose en la mecedora crujiente, hasta que me dormía. Es mi recuerdo más grato de la infancia. Supongo que ha solapado al otro, al terrible. El que apenas recordé hasta aquellas noches en La Nube donde, creo que por primera vez, pensé que mi madre, a la que inconscientemente había exculpado hasta ese momento, quizá fuera responsable de lo que pasó. Por marcharse y dejarme cada noche con él. Por no darse cuenta. Por no ver lo que estaba pasando.

Cuando mi prima apareció el primer domingo de mayo en la pensión casi me muero de felicidad: había encontrado un empleo para mí. Una amiga suya, llamada Cándida, se iba de vacaciones a República Dominicana y yo la sustituiría durante los dos meses que estuviera fuera. Trabajaría como empleada doméstica, pero ya me daba igual. A esas alturas, *Fifty-Fifty* estaba en franca retirada. Lo único que me importaba era tener un lugar donde vivir y dinero para enviar a mis hijos. Salí de La Nube como un reactor que rompe la barrera del sonido.

Lucecita me acompañó hasta la calle Serrano. Me presentó a Cándida y me dijo que, mientras, me esperaría en la calle. Entré, dejé mi maleta en la cocina y la amiga de mi prima, vestida de uniforme pese a que en teoría libraba los domingos, me condujo al salón para que conociera a las señoras. La mayor, doña Pilar, superaba con largueza los setenta años. Su cuñada, doña Beatriz, era algo más joven, pero no sabría precisar cuánto. Ambas desprendían un inconfundible aroma a orín rancio mezclado con un olor pesado, de perfume antiguo, que impregnaba toda la casa.

Mi prima me había contado que la bruja más vieja era viuda de un arquitecto y que poseía un edificio de viviendas cuyo alquiler le permitía vivir mejor que bien aunque esa presunta fortuna no se notaba en su piso. Todo en él parecía no haber sido renovado en los últimos cuarenta años, salvo la televisión. Imaginé que, encendida, sería la única nota de color en medio de tanta decrepitud. Puede que los perros se parezcan, como dicen, a sus amos, pero nada se asemeja tanto a una persona como la casa que habita. Sobrios muebles de madera oscura, cuadros melancólicos y objetos difuntos de la alegría que algún día comportó su compra o regalo decoraban aquel piso enorme y sombrío, en el que resultaba difícil imaginar el sonido de una risa, el sol no se atrevía a colarse por no molestar y el aire, viciado por millones de respiraciones, tenía una textura densa, casi hospitalaria.

La entrevista fue breve. Cándida se iba la semana siguiente y les urgía procurarse una sustituta a la que pudiera instruir antes de marcharse. Querían que me enseñara a cocinar sus comidas preferidas y las normas básicas para el correcto gobierno de la casa. Hablamos apenas diez minutos, lo suficiente para saber que tendría problemas con ellas. Sentadas en el borde del sofá, desgranaron entre las dos cuáles serían mis obligaciones, el horario y la paga. Como me recomendó mi prima, hablé lo imprescindible. Sólo para asentir y mostrar mi acuerdo. Luego se levantaron –nosotras no tuvimos que hacerlo porque no nos habían invitado a sentarnos– y me mostraron mi cuarto.

–Empiezas mañana. Desayunamos a las ocho y media en punto –dijo la vieja más vieja, mientras comenzaba a cerrar la puerta.

–Perdón, señora. ¿Le importaría que Adela saliera ahora un poco a conocer Madrid? Su prima la está esperando abajo. Lleva aquí casi un mes y apenas ha visto nada –preguntó Cándida con mansedumbre. Las cejas pintadas a lápiz de mi aristocrática señora se fruncieron, con desagrado, en el entrecejo.

–Está bien. Doña Beatriz le dará una llave. Pero nos acostamos pronto, así que no vengas tarde –concedió mirándome con reserva. Estaba claro que no le parecía una buena idea. Tampoco el vestido con el que salí, pocos minutos después, camino de la calle.

Fuimos a la Plaza Mayor, donde Lucecita había quedado con Manolo, un español que en aquellos tiempos la rondaba con su beneplácito. Pasamos el día caminando y riendo, porque a mí todo me extrañaba. Por ejemplo, que Manolo me saludara con dos besos, en lugar de con uno, como se hace en mi país. O que los madrileños se sentaran plácidamente en terrazas aunque hiciera frío –esto es algo que todavía hoy no he podido entender–. Que siempre corrieran. «¿Adónde van con tanta prisa?», preguntaba. «¿Hay fuego en el metro?» No lo había, pero lo parecía.

Por la tarde, fuimos a buscar el coche de Manolo a Carabanchel y luego a una discoteca de moda entre los dominicanos, llamada Areíto, en Pozuelo. Pocas cosas me impactaron tanto, al principio, como esa discoteca. Estaba abarrotada de gente. Aturdida, me dejé guiar hacia el extremo de la barra:

–El domingo próximo invitaré a venir con nosotros a un amigo mío. Se llama Antonio. Te gustará, ya verás –gritó Manolo para hacerse oír en medio del estruendo.

Lucecita saludó con la mano a alguien. Me giré para ver quién era y lo que vi me dejó helada. La pista estaba llena. Mujeres de la edad de mi madre movían frenéticamente las caderas y las nalgas al ritmo de una bachata. Reconocí a algunas porque eran de Coa, donde siempre las había visto en su casa, trabajando en el campo, en algún velorio o fiesta de palos. Las conocía, pero no las reconocía, convertidas en extrañas por esa música y esa movedera de caderas. Comencé a sentir malestar físico. Mareo. Me costaba respirar. ¿Dónde me habían metido? «Dios mío, ¿qué hago yo aquí?», pensé. Me sentía como si me hubieran arrastrado al mismísimo infierno.

–¿Qué hacen esas mujeres bailando tan descarado esta música? –pregunté, horrorizada, a mi prima.

En aquella época, la bachata era la música de las casas de cueros en República Dominicana. Y esas mujeres, que yo conocía como campesinas, la bailaban como prostitutas.

–Es para desfogarse, *Fifty-Fifty* –me respondió sin prestarme apenas atención.

–¿Desfogarse de qué? Míralas... Jamás he visto a nadie bailar así –repliqué asqueada.

–Piénsalo. Son mujeres que han pasado de la vida que llevaban en República Dominicana, con sus casas siempre abiertas a la familia y a los amigos, el calor, acostumbradas al aire libre... a trabajar como internas.

–¡Pero míralas! Si aquélla es doña Juanita... Allí, sí. Esta gente es de mi pueblo, son como de mi familia y ahora míralas...

–Adela, nos pasamos seis días a la semana en casas de donde apenas podemos salir, ni siquiera a echar una carta, porque no nos dejan. Las señoras todo el día diciéndote haz esto, lo otro, eso está mal...Y sin poder platicar con nadie. Necesitamos desahogarnos.

–¿Aquí? ¿Así?

Aquello me parecía una locura. Eso debía de ser. Me había vuelto loca y estaba en un manicomio, aunque más que casa de locos aquello parecía un burdel. Yo no era así, ¿qué hacía en un lugar como ése? ¿Esto era España? A mí me habían dicho que España era un país lindo, con edificios antiguos y gente culta y educada. ¿Dónde diablos estaba?

–Piénsalo, muchacha. No nos vamos a estar toda la tarde y la noche sentadas en el parque de Aravaca. No tenemos casa propia. Aquí no hace frío, ni llueve. Podemos hablar con gente igual que nosotras...

–Y bailar así, ¿no? –noté que estaba a punto de echarme a llorar.

–Bueno –Lucecita se encogió de hombros–. Es como gritar sin gritar. Un desahogo.

Manolo zanjó la conversación arrastrando a mi prima a la pista. Aparté la mirada para no quemarme con la visión de Lucecita bailando bachata. Mis ojos vagaron por aquel local claustrofóbico y fueron a caer sobre unos hombros, recogidos pero fuertes, que me dejaron sin aliento. Ascendieron por aquel cuello firme y moreno y se quedaron prendidos en la nuca de pelo bueno rasurado a cepillo. Mi corazón dejó de latir. La música, la gente, las luces. Todo desapareció. Sin dejar de mirar, como si así pudiera conseguir que se girara para verle la cara, avancé sin darme cuenta hacia donde él estaba. Cuando estuve justo detrás, le cogí suavemente del codo.

–¿Tato?

Bastó ese roce breve para que supiera, por algún motivo que desconozco, que no era él.

–Me llamo Amable, mi amor, pero si quieres puedes llamarme Tato –respondió aquel hombre con una sonrisa pretendidamente seductora.

El estruendo de la música reapareció, de repente, sacudiéndome como si me hubieran aplicado una descarga. Oí risas, quizá de los amigos que rodeaban a aquel desconocido, señalándome con la boca, animándole, supongo, a continuar el lance.

–¿Bailas conmigo? –propuso extendiendo una mano hacia mí, mientras comenzaba a seguir el ritmo de aquella terrible música.

Le di la espalda y salí corriendo hacia la barra, abrumada por el gentío que me interrumpía el paso, desplazada involuntariamente por el contoneo de una cadera y el codazo no deliberado de algún bailarín demasiado entregado a la música para verme. Iba a beber un trago de refresco cuando noté los ojos inundados. Lentamente, como el agua que brota de un pozo artesiano casi extinguido, se me fueron llenando de lágrimas. Intenté que los párpados las contuvieran. Quise tragármelas. Pero no pude.

–Adela. ¿Qué pasó? –Lucecita había aparecido a mi lado sin que me diera cuenta.

–Demasiado humo –respondí sin mirarla–. Te espero fuera.

# II

–Los inmigrantes les están quitando el trabajo a los españoles.

Casi derramé la leche sobre el mantel cuando escuché aquello. Doña Pilar, la bruja reina, comentaba el noticiario con su cuñada mientras yo les servía el desayuno. Hablé sin pensar:

–Claro. Después de que los españoles se trajeron toda la riqueza de nuestros países, nos tenemos que venir. Porque ustedes fueron a robar y nosotros hemos venido a trabajar.

Me quedé plantada junto a la mesa con una postura de jarra ofendida: un puño apoyado sobre la cadera mientras con la otra mano sostenía en vilo, de forma ligeramente amenazante, lo reconozco, la pequeña vasija de leche. Esperando su respuesta, anticipando ya mi réplica. Como un púgil en medio de un asalto. Doña Beatriz enarcó las cejas. Siempre que le sorprendía algo dibujaba aquellos puentes ofendidos sobre sus ojos de animal prehistórico. Miró a su cuñada aguardando una contestación que no se hizo esperar:

–Adela, no estamos hablando contigo. No te metas en nuestras conversaciones –dijo doña Pilar sin mirarme.

Como si yo no estuviera, siguió hablando con la bruja obrera:

–Si no les frenan, nos van a invadir. ¡Es intolerable!

Y luego, dirigiéndose a mí:

–Falta la sacarina de doña Beatriz. ¿Puedes traerla? –ordenó, apuntándome con la cresta de rolos enmallados en los que cada noche liaba sus escasas briznas de pelo teñido color castaño, supervivientes de una melena que nunca fue demasiado abundante, según delataban las fotos enmarcadas de su juventud.

Salí huracanada hacia la cocina, ondeando mi largo pelo negro, pero alcancé a oír el comentario de su cuñada:

–¿Te imaginas que empiecen a casarse con españoles?

Solté la jarrita de leche con violencia sobre la encimera y me tapé la boca para evitar que las palabras se me escaparan como puñetazos. Las viejas decían que yo era una descarada irrespetuosa. Brujas déspotas. No saben lo dócil que fui mientras estuve en su casa, aunque reconozco que en la calle no lo era tanto. Recuerdo que un día me senté en un banco en Embajadores para hacer tiempo mientras llegaba una conocida. Un hombre entrado en años me soltó con voz áspera:

–¡Eh! ¡Tú! ¡Largo de aquí, negra!

–Trigueña, si no le importa. Y esta trigueña no se va a ir de aquí, así que váyase usted si quiere –lo desafié.

El tipo no movió un músculo. Evidentemente no sabía de qué le hablaba. En mi documento de identidad, igual que en el de todas las mujeres como yo nacidas en mi época, dice eso. «Color: trigueño.» Supongo que será por el color del trigo, pero en todo caso será un trigo tostado, porque mi piel puede que sea de *geisha*, como decía el general, pero, obviamente, no tiene nada de rubia. Finalmente el hombre plegó con aspavientos el periódico que estaba leyendo y se levantó del banco airado, soltándome toda clase de improperios:

–¡Negra asquerosa! ¡Nos estáis echando de nuestra propia casa! –bramó.

–Éste es mi banco y ésta es mi casa también, viejo decrépito –respondí.

Sin embargo, no siempre me mostraba tan combativa. Cuando iba a una cafetería, lo normal es que soportara callada, aunque la ira me palpitara en la sien, que los camareros sirvieran a todo el mundo antes que a mí. Que me ignoraran como si fuera invisible hasta que habían atendido al último cliente que había aparecido por la puerta. Aguantaba la pausa que hacían entonces, como si no tuvieran nada más que hacer. Secándose las manos con un trapo infecto o devolviendo la tapa no consumida de algún cliente a la vitrina de la barra. Hasta que se dignaban voltearse para preguntarme con hostilidad:

–¿Qué quieres?

Me sentía como una visita a la que nadie ha invitado y que incomoda a todos. Sólo el genio, heredado de mi madre, pero casi siempre contenido por la educación que ella no recibió, impedía que me dejara humillar. Porque no sé si lo he dicho, pero mami siempre fue una mujer de carácter. De pequeña, cuando hacía alguna trastada, me mandaba a buscar una ramita del pino que crecía en el patio de mi abuela para darme con ella en las piernas. Las hojas de pino pican como el diablo y te dejan marcada allá donde te caen encima, pero prefería obedecerla porque, así, a veces se le aplacaba el temperamento y me perdonaba.

Mi padre biológico, que no llegó a más consenso con mi madre que el necesario para engendrarme, también sintió en sus carnes las consecuencias de su carácter airado. Todavía recuerda el tablazo que le dio cuando yo tenía apenas tres meses. Resulta que, ya parida, él se iba por ahí, con sus novias y amigotes, y la dejaba sola en la habitación que tenían alquilada. Un día se largó al barcito que había frente al parque, muy frecuentado porque tenía una vellonera que cantaba los últimos boleros y merengues. No es que mi padre fuera muy bailón, pero le gustaba apostarse en una esquina con un ron en la mano para conversar o mirar a las hembras que pasaban por el parque. El caso es que, cuando volvió, mi madre lo reclamó, se pelearon y él le dio una cachetada. Al día siguiente, mi madre me llevó al hotel con la abuela y regresó a la habitación con ánimos de venganza. Mi padre se levantó, se vistió como es él, un dandi, se echó al bolsillo las mentas que siempre lleva consigo y se fue.

Paciente, mi madre esperó a que regresara. Se metió detrás de la puerta y, cuando entró, le dio un tablazo con lo primero que encontró a mano: el tronquito donde van agarrados los racimos de guineos. Y hasta hoy. No volvió a juntarse con él.

Así que, aunque yo lograba refrenar bastante el genio –en este caso más por necesidad que por educación–, doña Pilar supo enseguida que yo no era como mi predecesora. Me negué a usar el uniforme de Cándida. Acepté ponerme un delantal, pero sólo mientras trajinaba limpiando, haciendo la comida o desinfectando las asquerosas bragas de las dos brujas sumergiéndolas en lejía. Obstinada en doblegarme, la bruja reina siempre me seguía los pasos, diciéndome a cada rato cómo tenía que hacer la comida, limpiar o fregar.

–Adela, debes ponerte de rodillas para limpiar el suelo –me ordenó un día.

–¡Pero ustedes sí que están antiguas! ¿Para qué están los suapes? –a veces usaba términos dominicanos no porque no conociera su equivalente español, sino con el deliberado propósito de incordiar. Sabía que les molestaba.

–¿Cómo? –preguntó desdeñosa.

–Las fregonas. ¿Para qué están las fregonas?

–Yo no puedo contigo –respondió resoplando, exasperada.

–Ni yo con usted.

–Un respeto, Adela.

–Cuando usted me respete, yo la respeto, señora.

Así que terminaba limpiando como yo quería, y la vieja, sofocada con mis desaires. Como cuando una vez se obstruyó el desagüe de la lavadora y doña Pilar me pidió que lo limpiara:

–¿Usted me ve cara de fontanero?

–Pues tienes que hacerlo –me ordenó.

–Yo no tengo que hacer nada que no me corresponda.

La vieja salió pitando con la cara enrojecida por el despecho. Otro día, doña Beatriz compró una fruta que yo no había visto jamás: cerezas. Llegó cuando estaba sirviendo la comida. Encorvada como un camarón cocido, alzó la cabeza para ordenarme, desabrida:

–Adela, lávalas un poquito, ponlas en un bol y tráelas.

Tardé un segundo en moverme porque me distraje en una de mis divagaciones. ¿Agitarían las gambas sus largos bigotes como mi señora movía la nariz?

–Venga, ¡que es para hoy! –me espabiló.

Cogí la funda de cerezas, salí disparada, las metí debajo del grifo, les quité todos los cabitos y las llevé a la mesa.

–Adela, ¿qué has hecho? –me dijo.

–Lo que usted me ha dicho, señora.

No sabía cuál era el problema. ¿Había cogido un bol equivocado? Doña Pilar y doña Beatriz tenían sus tazas para el desayuno, sus vasos para la comida, sus cucharillas para el té... A mí también me asignaron, apenas llegué, mi vaso, mis platos, mis cubiertos... En mi casa, de pequeña, sucedía lo mismo porque la vajilla no alcanzaba para repuestos. Recuerdo que un día mi madre sirvió un café en mi jarrita del agua a Mocho, un hombre huérfano de dedos en manos y pies a quien la minusvalía, arrastrada desde su nacimiento, no le impedía ser uno de los mejores albañiles de Coa. Cuando llegué de la escuela, le sorprendí sorbiendo buchitos de café en mi jarra de aluminio y me morí de asco porque tenía los dientes renegridos por su afición a mascar tabaco. Apenas se fue, rompí a llorar enrabietada. Mami intentó calmarme:

–¡Que te calles! ¿No te digo que no te preocupes porque la vamos a lavar bien con jabón?

–No –negué yo, llorando a mares–. Yo no quiero más nunca esa jarra porque ha bebido ese hombre que tiene los dientes podridos.

Y no la utilice más. La machaqué con una piedra desatando la cólera de mami, quien saldó la pataleta con una buena dosis de ramita de pino.

Sin embargo, en aquella casa de viejas supuestamente acomodadas, me extrañaba su cicatería con la loza. No sé para qué querían tanta vajilla y cubertería si hacían un uso tan restringido de ella. Rarezas de vieja, supongo. Así que, como digo, cuando presenté las cerezas en el bol, pensé que había contrariado a la bruja obrera por mi desafortunada elección. Pero me equivoqué:

–A las cerezas no se les quitan los rabillos... –se quejó doña Beatriz.

–¡Ah, yo no sé! En mi país no hay de eso –respondí yo, descarada, volviéndome a la cocina como si no pudiera perder el tiempo con pendejadas.

Resumiendo: nos pasábamos el día enzarzadas en mil y una discusiones. Yo deseaba que la amiga de Lucecita volviera a su puesto y me relevara de aquella pesadilla cuanto antes. Pero, para mi desgracia, la chica había decidido no regresar, cosa que no me extrañó, la verdad sea dicha. Forzada por la huida de Cándida, que de simple demostró no tener más que el nombre, doña Pilar me comunicó que contaban conmigo a primeros de junio:

–Cándida llamó ayer y dijo que no volverá. Se queda en tu país. Si te interesa, el puesto es tuyo –me comunicó, como siempre sin mirarme, mientras revisaba los recibos de sus inquilinos.

Tenía unos espejuelos milagrosamente suspendidos en el extremo de su chata nariz de gata persa. Como yo callaba, alzó la vista sobre los diminutos vidrios y parpadeó como diciéndome:

–¿Y?

La emigración es un camino que, pese a sus dificultades, cuesta menos andar que desandar. Sólo podía decir lo que dije:

–Me interesa. Gracias, señora.

Yo decidí y tramité mi venida a España en apenas cinco días. Fue rápido, pero rápido no es sinónimo de sencillo. Ninguna decisión importante tiene su origen en motivos sencillos. En mi caso fue el resultado de la suma de tres factores sobrevenidos: Reinaldo, mi situación económica y la madre que me parió.

Reinaldo era hombre, dominicano y general. Con esto quiero decir que no aceptó nada bien que yo le dejara dos años antes de mi venida a Madrid. Porque un general, en mi país, aunque esté ya retirado como era el caso de mi marido, es poco menos que un dios. Digo poco menos porque, en tiempos de Trujillo, no había más dios que el Generalísimo. Era él quien decidía sobre la vida y la muerte de todos, incluidos los militares, que se acostumbraron al papel de todopoderosos apóstoles investidos, por su proximidad al Jefe, de poderes más divinos que humanos.

Hoy nadie les reza, pero todos les ruegan en demanda de ayudas y prebendas. Nadie se santigua ante ellos, pero su presencia inspira saludos militares, taconazos y hasta venias. Están muy por encima de las leyes de los hombres y, cuando hablan, todos dicen «amén» o «a sus órdenes», que viene a ser lo mismo. Todos salvo yo, que tuve la osadía de coger a mis hijos y mandar al carajo a todo un general.

Al principio nadie se creía que lo hubiera dejado. Y, menos que nadie, el propio Reinaldo, que tardó meses en asimilar la firmeza de mi decisión. Después me sometió al mismo acoso sin tregua que empleó para rendirme cuando nos conocimos cinco años atrás. Por las noches pasaba con su carro junto a mi casa. Una, dos, tres veces. Para que supiera que era él, aunque no hacía falta. El vello erizado en mi nuca me alertaba incluso antes de que llegara a escuchar el ronroneo meloso del motor de su BMW, que aún me resultaba tan familiar. «¿Qué quieres de mí? Estoy donde me encontraste. En la misma casa. Sólo me has dado dos hijos. ¿Por qué me buscas? Déjame ya. Déjame vivir. Déjame que siga con mi vida», pensaba mordiendo la almohada. Con esa sensación de invasión, ultraje y abuso que sólo Reinaldo me ha hecho sentir. Como un animal herido que se sabe en el punto de mira del cazador, pero desconoce el momento en que recibirá el tiro de gracia.

Afortunadamente, sus asedios nocturnos despertaron los recelos policiales. Comenzó a rumorearse que quizá el general retirado Reinaldo Unzueta estuviera metido en asuntos de

48

droga porque, ¿qué otra cosa, si no, podía traerle desde la capital a Coa cada madrugada? Sé que una autoridad le alertó de los cuchicheos que circulaban y que por eso cambió de estrategia. Optó por enviarme legaciones de amigos y compadres para convencerme de que volviera con él. Pero también fracasó, porque yo siempre lograba que sus embajadores terminaran viendo en mis razones la sinrazón de sus demandas. Constatado el fracaso mediador de los vivos, encomendó el trabajo a los muertos. Solicitó a un brujo que me echara a las ánimas detrás para conseguir así mi regreso. Pagó tres mil pesos por el hechizo, pero mi primo Rafael desbarató su intento. Por casualidad lo vio salir de la consulta y, cuando sonsacó al santero el motivo de su visita, le pagó la misma cantidad que el general por deshacer el trabajo. Así que el brujo hizo la zafra de su vida y yo quedé libre de los muertos que iban a atormentarme hasta conseguir que volviera con él.

A diferencia de mi madre, siempre he sido descreída en lo tocante a brujerías, pero reconozco que en aquel momento el asunto me influyó. Por sí sólo no me hubiera asustado pero, sumado al resto de estratagemas empleadas por el general, hizo que la inquietud se me convirtiera en miedo.

Harto de esperar los resultados del fallido hechizo, supongo que Reinaldo decidió atacarme por otro flanco más práctico y terrenal. El dinero. La separación me había dejado sin nada, salvo unos escuetos ahorros –diez mil pesos apenas– que reservé, lejos de sus manos e influencia, para cubrir imprevistos. Me quedé sin el maravilloso chalecito en el que vivíamos. Sin chicas de servicio. Sin chofer. Sin los regalos que solían traer a casa campesinos o hacendados para estar a bien con el poderoso militar. Sin el prestigio social que adquieres sólo por ser la mujer de un general. Sin nada y con tres hijos. Me apresuré a buscar trabajo para alimentarlos. Pese a mi titulación, descarté la enseñanza porque los maestros llevaban años en huelga. El gobierno no les abonaba sus salarios y se negaban a trabajar gratis. Yo también, claro está.

Fui al ingenio Coa y, como todavía me suponían mujer del general, conseguí que me aceptaran como coordinadora de un proyecto de cooperación al desarrollo que estaban ejecutando el Consejo Estatal del Azúcar, del que Reinaldo había sido jefe, y una ONG americana. Consistía en la construcción de varios acueductos y una clínica rural, así que me pasaba el día en los bateyes supervisando las obras. Pocos meses después, recibí una carta en la que se me comunicaba mi cese. Inmediatamente, acompañada por una amiga, porque me daba miedo salir sola por la calle, fui al ingenio a reclamar explicaciones. En aquella época, pasaba días enteros enclaustrada en mi casa porque me aterraba la idea de tropezarme con Reinaldo. Sentía su amenaza, intuía su presencia y sabía que me había mandado seguir día y noche. Nunca vi a quienquiera que enviara para acecharme, pero mis vecinos sí, así que sólo salía si era imprescindible, como lo era entrevistarme con el administrador, buen amigo mío, pero también del general, quien me recibió consternado:

—Veo que ya te llegó la carta... —musitó con gesto apesadumbrado.

—Sí, pero dime: ¿a qué viene esto? ¿Por qué me cesas sabiendo lo que necesito este empleo y el trabajo que estoy haciendo? —pregunté indignada tirándole la carta sobre el escritorio.

—No te lo puedo decir, Adela —respondió.

Se notaba que estaba pasando un mal trago. Tenía la boca fruncida, como si no quisiera abrirla para no hablar demasiado. Su cuerpo se removía inquieto, tratando de encontrar acomodo en el viejo sillón, ideado para cuerpos más delgados que el del orondo administrador.

—Sí me lo vas a decir. ¿Por qué esto ahora? —la luz de neón que iluminaba el despacho crepitó, contagiada por la tensión que electrizaba el ambiente.

—La orden vino de arriba —me atajó muy serio, mirándome directo a los ojos.

Miré al techo, como si allí pudiera identificar el rostro de quien había emitido esa orden. No vi más que una mancha de humedad con forma de estrella.

—Y tú sabes de dónde vino. ¿Cierto, muchacha? —añadió.

–No lo sé. Dímelo tú.

–Perdona, pero ya tú sabes. Lo único que voy a decirte, como amigo, es que yo en tu lugar me iría de Coa... –me advirtió sin mover un músculo de su cara granujienta.

–¿Qué me dices? ¿Qué me vaya yo? Yo soy de aquí. El que no es de Coa es él. Y yo no voy a irme de mi pueblo.

–Adela, vete. Él te va a matar y se va a ir a Estados Unidos –tal como lo dijo no sonó a hipótesis sino a información revelada quién sabe por quién. ¿Por el propio Reinaldo? Me estremecí.

–¿Qué quieres decir?

–Lo que he dicho –concluyó torciendo la mirada para rehuir mis ojos.

Salí de aquel despacho aterrada. Tenía que hacer algo rápidamente. Decidí jugármela a la carta más alta. Conocía a Enrique García Santana, vicepresidente de la República, porque era el padre de Fello, uno de mis mejores amigos de la capital, y porque había asistido a la inauguración de uno de los acueductos que habíamos construido, en la que alabó públicamente mi trabajo. Llamé a su secretaria y le pedí una entrevista. Iba a ir a la capital y quería saludarle, le dije. Ella me mantuvo a la espera apenas unos segundos y me dio el OK. El vicepresidente me recibiría, pero me advirtió de que sólo dispondría de cinco minutos para hablar con él. No necesité muchos más para lograr lo que quería. Tras los saludos de rigor, fui directa al grano:

–Mire, señor. Usted sabe que fui la mujer del general retirado Reinaldo Unzueta y que yo estaba trabajando en el ingenio.

–Sí; y estamos muy contentos con ese proyecto.

–Hace unos días, el general ordenó mi despido porque no quiero volver con él y yo necesito ese trabajo, señor, porque tengo tres hijos...

Le conté lo que venía ocurriendo desde hacía meses. El hostigamiento nocturno, las embajadas de compadres, los hechizos, el despido. Aderecé mi relato con unas cuantas lágrimas de madre en apuros y al vicepresidente le salió el instinto de macho protector que yo quería provocar. Cogió el teléfono y ordenó a la secretaria que le comunicara con el jefe de personal:

—Mira, tengo aquí a la señora Adela Guzmán, del ingenio Coa. Quiero que la reintegres a su cargo y que le subas el sueldo porque está haciendo un gran trabajo.

Cerró el teléfono sin más explicaciones. Se notaba que era un hombre acostumbrado al mando. Luego me preguntó:

—¿Sabe dónde puedo localizar al general Unzueta?

Le mostré su teléfono y llamó delante de mí:

—¿General? Mire, soy el vicepresidente, don Enrique García Santana. Tengo en mi despacho a la señora Adela Guzmán y yo voy a decirle una cosa: ¿Qué coño es lo que usted se cree? ¿Usted se cree que es un cacique que puede ir avasallando por ahí a las mujeres? —calló durante un segundo. Reinaldo debió intentar su defensa, pero el vicepresidente lo cortó en seco—: Déjese de cuentos. Si yo me entero de que usted vuelve a molestar a la señora Guzmán, que está trabajando para mí, le quito las armas y le meto preso. ¿Lo ha entendido?

Y cerró la comunicación sin aguardar su respuesta. Sin transiciones, rodeó el escritorio, me tomó del brazo y me acompañó hacia la puerta:

—Adela, quédese tranquila y vuélvase a su casa, que él no vuelve a molestarla.

Así fue durante mucho tiempo. Tanto, que bajé la guardia. Nadie es capaz de mantener el brazo en alto, listo para parar un golpe esperado, durante meses. Me relajé. Y él lo aprovechó. Una tarde volví de trabajar y me lo encontré plantado en mitad del saloncito de mi casa, casi una chabola, legada por don Pericles junto a la de mi madre. La misma donde el general se prendó de mí viéndome leer en el patio de mi abuela, a la sombra de un flamboyán de enormes flores rojas.

—¿De dónde vienes? —me preguntó con la voz rajada y los ojos encendidos. Jamás le había visto así. Sentí miedo. Iba a responderle que eso ya no era asunto suyo, pero preferí ser cauta. No quise encenderle más.

—De los bateyes.

—¡Mentira! Le dijiste a la muchacha que no ibas a ir hoy —gritó.

Su bramido liberó una espesa vaharada de alcohol que me preocupó aún más. Reinaldo tomaba, pero de forma moderada. Fui hacia la cocina, simulando que iba a coger zumo de la nevera. Mientras me lo servía, localicé con la vista un cuchillo y me mantuve cerca de él. Por si acaso.

—Claro, pero se presentó un problema y tuve que ir —respondí con un falso tono de tranquilidad.

—¡Seguro que has ido a encamarte con alguien por ahí! —aulló mientras me zarandeaba violentamente por los hombros—. ¿Con quién? —gritó—. ¡Dímelo!

Como no respondí, se enfureció aún más. Me dio una cachetada tan fuerte que me tiró al piso de la cocina. Era la primera vez que me pegaba. Durante un segundo me quedé inmóvil, no sé si por la sorpresa o por el golpe, pero enseguida reaccioné. Instintivamente me levanté, cogí el cuchillo y le di con él en la frente. Sólo le arañé, pero como era tan blanco, la sangre se le notaba muchísimo. Tenía un aspecto feroz. Me miró como si fuera a matarme. Creí que iba a hacerlo, pero dio un paso hacia atrás. Y luego otro. Quizá al valiente general Reinaldo Unzueta le amedrentó el cuchillo. O la determinación que debió ver en mi mirada.

—¡Tú todavía no sabes quién es el general Reinaldo Unzueta!

Me echó una mirada lenta, como para verme por última vez. Me pareció que saboreaba el terror que me inspiraba. Siempre le gustó sentirse poderoso. Las ventanas de su nariz aleteaban. Finalmente salió y yo corrí para colocar, tras la puerta, la inútil piedra que usaba como cerrojo, no para evitar robos, porque entonces no se daban en Coa, sino para que el viento no la abriera. Luego, me senté sobre la piedra porque las piernas no me sujetaban y me prometí comprar un enorme candado que había visto en el colmado de mi madre, aunque de poco valdría cuando él decidiera volver. Porque sabía que había escuchado una sentencia.

Vino a ejecutarla un mes antes de que yo volara a Madrid. Salí indemne de milagro. Pensé que la vida, a veces, te brinda una oportunidad, pero rara vez te ofrece dos, así que, cuando me llamó Lucecita y me animó a ir a España no lo dudé, aunque mi penosa situación económica desaconsejaba no ya aventuras transoceánicas, sino un simple viaje a Santo Domingo. Estaba más pelada que un gallo a punto para el caldo.

Cuando comencé a trabajar en el ingenio, decidí invertir mis ahorros en la compra de un hogar para mis hijos. Como me pasaba el día en los bateyes, tuve que contratar a dos chicas de servicio para que los atendieran en mi ausencia, así que éramos seis, demasiados para la pequeña casa heredada de don Pericles. No es que la nueva fuera mucho mayor. De hecho, todas sus estancias eran pequeñas: los dos cuartos, el salón, la cocina y el baño. Como yo, mis hijos añoraban el espacioso chalecito del general.

—Mami, ¿cómo vamos a vivir todos aquí? —me preguntó Rubén, mirando enfurruñado la casa cuando lo llevé a conocerla.

—Tú dormirás aquí —respondí mostrándole su habitación para animarlo—. Pintaremos la habitación del color que tú quieras. Quedará preciosa, ya verás —añadí acariciándole la cabeza. Era bastante alto para su edad. Desde luego, más que yo a los ocho años. Sin duda había salido a su padre.

—Si se te pasara el enfado con papá, podríamos volver al chalet, ¿no? —Rubén llamaba papá a Reinaldo y papi a su padre biológico, con el que apenas mantenía contacto, aunque sentía devoción por él.

—No, mi amor. Ya no volveremos al chalet. Construiremos un anexo, ¿sí? Así la casa será más grande.

Comenté la idea en el ingenio cuando ya se había regado la voz de mi separación de Reinaldo. Para mi asombro, todos los compañeros me ofrecieron su ayuda. No sabía que, cuando una mujer se separa, todos los hombres quieren ayudarla. Les debe entrar el instinto de macho protector. Como al vicepresidente. El caso es que el administrador me dio doce tablones de doce pies por cuatro pulgadas para los marcos. Un ingeniero, veinte fundas de cemento y el ofrecimiento de emplear a los obreros que trabajaban conmigo en los bateyes para construir el anexo siempre que le avisara previamente. Mi primo me regaló una caja de clavos. Un amigo se presentó una tarde en casa con un camión y me descargó, uno tras otro, tres volteos de arena azul, grava gruesa y esas piedras que se echan dentro del block para darle consistencia.

Gracias a la solidaridad masculina, las paredes del anexo fueron creciendo un chin más cada día. Hasta que llegamos al techo y hubo que parar porque me faltaba el material necesario para terminarlo. Le pedí tres mil pesos fiados a mi madre, pero me los negó. Se excusó diciendo que no los tenía, aunque yo sé que no era cierto. Pero doña mami no sólo me negó el dinero, que finalmente me prestó el ingenio, sino que empezó a rapiñarme materiales para una casita que ella había adquirido, en malas condiciones, con el propósito de alquilarla una vez arreglada.

Raro era el día que no mandaba a buscar algo: dos carreterillas de arena, otras dos de grava, madera... Todo con la promesa, nunca cumplida, de reponérmelo enseguida. Me estaba despojando de todo, así que un día devolví al recadero con las manos vacías y ella se personó en casa para reprochármelo como si yo, que siempre he dado hasta lo que no tengo, fuera una egoísta:

–A ti sólo te gusta que te sirvan y que te den –me enfrentó.

–Lo que pasa es que yo le pedí ayuda y me la negó. Y encima se lleva mi material. Y yo quiero que usted se entere de que yo estoy haciendo una casa para mis hijos que, no sé si se ha dado cuenta, son sus nietos. Y usted quiere mi material para una casa de alquiler.

O sea, que discutimos. Puede que no suene raro, pero lo es. Broncas, lo que se dice broncas, sólo he tenido tres con mi madre. Y ésta fue una de ellas.

Poco después concluyó el proyecto de la ONG americana y su finalización comportó una importante mengua en mi sueldo. Se acabaron los pagos por gasolina, dietas y transporte. Adiós a los guineos, yucas y verduras que me regalaban en el campo. *Bye-bye* a la leche cedida por el ingenio. Raspado y pelado, mi sueldo se quedó en dos mil cuatrocientos pesos, unas veinte mil pesetas, si los cálculos no me fallan.

Reinaldo seguía mandándome dinero, incluso después del episodio del cuchillo, pero yo no le aceptaba ni un centavo aunque sé que, de verdad, quería ayudar a sus hijos. Puedo decir muchas cosas de él. De hecho, me quedan muchas por contar. Pero faltaría a la verdad si dijera que fue un mal padre.

En cualquier caso, yo no quería que nada me vinculara a él, porque es el tipo de hombre que deja un cigarrillo para después venir a buscar la colilla. Sabía que, si yo no rehusaba, pensaría que aún le pertenecía. Y yo, cuando rompo algo, lo hago para siempre. Asumí a mis hijos sola, como tantas dominicanas, porque los parí yo. Un hijo puede ser de cualquier hombre, pero su madre es su madre. Así que no le aceptaba ni un chele a pesar de que hubo meses en los que me costó Dios y ayuda pagar la escuela. Con los colegios públicos no se podía contar, por la huelga de maestros, así que iban al mismo colegio privado al que yo había ido de pequeña. Y, lo que es más grave, también hubo semanas en que tuve dificultades para darles de comer. Recuerdo que, una vez, mandé a buscar al colmado de doña mami libra y media de arroz y algún condimento para improvisar un locrio. La muchacha que envié regresó sin los alimentos. Sólo trajo el recado de los insultos que el haragán de Cuchito, que ejercía de tendero consorte los escasos días en que lograba sobreponerse a su vagancia, le encargó que me transmitiera. Me cuesta explicar cómo me sentí con aquello. Sólo diré que conozco el significado de la palabra odio y que el odio compartido une más –mucho más– que el amor. Atraída por mi evidente aversión hacia Cuchito, mi abuela me buscó una mañana para hablar conmigo. Me contó que la casa que mi madre había reconstruido gracias a mis materiales la había puesto a nombre del patán de su marido. No es que

56

mi abuela me lo contara porque hubiera resucitado viejos afectos hacia su nieta. No se puede resucitar lo que nunca existió. Me lo dijo porque, tras la seducción que sintió por Cuchito cuando lo conoció, que incluso me indujo a pensar que la enamorada del guardia raso era ella y no tanto mami, desarrolló hacia él un odio orgánico, comparable al mío, que se llevó consigo a la tumba.

Lo suyo no fue una transición inmotivada, sino la justa conclusión de sus observaciones cotidianas. Conociéndola, sé que no le importó tanto ver los efectos de las golpizas que le propinaba a mami como sus hurtos. Cuchito le robaba hasta lo que no tenía. En aquel tiempo, mi madre había montado una casa de empeños e hipotecas, oficio que casaba bien, sin duda, con su carácter y tendencias carroñeras. Cuchito hacía desaparecer todo lo que los soldados empeñaban: los relojes Citizen que les regalaba el ejército, botas, chubasqueros... Luego, lo revendía en los bateyes para pagar sus deudas de gallo o buscar mujeres y, cuando los rasos y oficiales venían a recuperar sus prendas u objetos, mi madre tenía que pagárselas por su valor, aceptando las inverosímiles explicaciones de su marido:

—Mujer, esto es cosa de los duendes ladrones —decía mientras simulaba buscar lo que él había robado.

—¡Ay, Dios mío! —respondía mami mientras revolvía la casa para localizar lo sustraído. Luego corría a la gaveta donde guardaba los velones de sus santicos para prenderlos en el altar y reforzar así su protección negligente.

No sé si mamá pensaba que los robos eran producto de los duendes, por su tendencia a creer en brujerías, o si lo fingía para no tener que enfrentarse a su marido, encender su cólera y evitar la paliza subsiguiente. Puede que, como decía mi abuela, creyera lo increíble por el bebedizo que un brujo le hizo tomar como remedio, por el bien de su salud, a instancias del rufián de Cuchito. Consentidos por miedo, superstición o hechizo, lo cierto es que mami adjudicaba a los duendes los hurtos del marido, tantos y tan cuantiosos que habían amenazado muchas veces con arruinar sus negocios, reflotados en más de una ocasión por la generosidad del general, cuyas aportaciones me permitieron poner en la mano de mamá ahora diez mil pesos, luego veinte mil, para sacarla del apuro.

Cuando supe que la noticia que me dio la abuela era cierta porque la contrasté con la abogada a la que mi madre había encomendado la escritura de la casa, se me rompió el alma. No podía creer que la mujer que se decía mi madre me hubiera robado, en la situación en la que me encontraba, para regalar lo que era mío a Cuchito. Sentí como si me arrancaran las entrañas. Quizá, después de todo, fuera cierto lo que me decía cuando yo era pequeña para enrabiarme: que yo no era su hija, que me había encontrado debajo de un puente. Porque una madre de verdad no hace eso a sus hijos. No les roba. Les da. No les niega nada, les ofrece hasta su sangre si es necesario.

Este suceso, unido a la amenaza del general y la falta de recursos que comprometía el bienestar de mis niños, fue la gota que colmó el vaso. Me empantaloné y llamé a mi prima. Lucecita se avino a prestarme los mil dólares que necesitaba para ingresar en España. Renové mi pasaporte. El boleto aéreo costaba quince mil pesos. Usé los ocho mil fiados por el ingenio para concluir el anexo y vendí algunas pulseras de oro, joyas y hasta la vajilla para reunir el resto. Cinco días más tarde, estaba en Madrid. Lejos del general y de mi madre. Intentando ganar el dinero suficiente para mantener a mis hijos.

No. De momento no tenía intención alguna de desandar el camino que me había llevado hasta la casa de las brujas. Pese al suplicio que comportaba trabajar para ellas, acepté, pesarosa pero sin dudas, la oferta de doña Pilar.

Lucecita me llamó por teléfono el domingo siguiente y me propuso quedar en Rosales. Iría Manolo y ese amigo suyo del que me habló en la discoteca, Antonio. La perspectiva no me volvía loca, pero acepté. Era mejor que lo que tenía planeado. Ya lo había visto todo en Madrid. Había agotado las salidas nostálgicas en busca de pequeñas cosas que me recordaran a mi país, a mi gente, a mí misma: la estatua de Colón, la bandera de República Dominicana ondeando en la embajada... Había visitado incluso la tumba de Trujillo, donada por Franco a «la familia», en el cementerio de El Pardo, lamentando no tener un perro que pudiera hacer junto a su mausoleo lo que a mí me habría gustado hacer personalmente si la educación y cierto reparo al qué dirán no me hubieran frenado.

Azuzada por la soledad, últimamente entretenía mis domingos con excursiones callejeras a la caza de conversaciones ajenas. Lo hacía en el metro, por la calle, en cualquier lugar, pero mi sitio preferido eran las cafeterías. Entraba y localizaba a mis víctimas, preferiblemente, por este orden, caribeños o parejas. En su defecto, me valía cualquiera: madres e hijas, grupos de amigos, compañeros de trabajo, señoras con su señorita de compañía... Luego me sentaba lo más cerca posible, en alguna mesa que me permitiera espiar su conversación sin que se dieran cuenta:

–No sé por qué has quedado con Pepe. Es un gilipollas.

–Lo será para ti, pero es mi amigo.

–Pues yo no quedo con mis amigos si a ti no te gustan.

–No te lo crees ni tú.

Me sorprendía la rudeza con la que se expresaban los españoles. La primera vez que entré en una panadería y oí «Dame una pistola» casi me infarto, habituada como estaba a la cordialidad caribeña que, en la misma tesitura, solicita, dulce: «¿Me prestas un pan?».

A veces, cuando la conversación estaba realmente interesante y los escuchados optaban por irse, yo apuraba el café de un trago y pagaba enseguida para seguirles por la calle hasta que consideraba que mi presencia comenzaba a extrañarles. Entonces me paraba delante de algún escaparate o cruzaba un semáforo para alejarme disimuladamente de ellos.

Sin embargo, ese domingo renuncié a mi pasatiempo favorito y me cité con Lucecita y sus amigos en la terraza de la heladería Bruin. Quedaban casi dos semanas para que comenzara el verano, pero hacía un calor seco que ascendía desde el piso, trepaba por los pies y las pantorrillas, y me cuarteaba la piel acostumbrada a la lúbrica climatología caribeña, aunque procedo de un pueblo casi desértico. Coa no está lejos del mar, pero se sitúa en un valle árido, sacudido periódicamente por ventoleras feroces que levantan la tierra y la baten tan fuerte que el pueblo entero desaparece de la vista engullido por el polvo.

Cuando llegué a la terraza del Bruin, ellos ya estaban sentados. Lucecita se había puesto muy guapa. Llevaba un vaporoso vestido rojo de escote sugerente y mangas afaroladas, estremecidas por un airecillo sahariano que ascendía racheado, con aroma a césped recién cortado, desde el cercano Parque del Oeste. Se notaba que Manolo le gustaba de verdad.

–¡Flaca! ¡Por fin llegas! Pídete el de chocolate. Está buenísimo –dijo mientras se levantaba a darme un beso.

Al hacerlo, me di cuenta de que nuestros vecinos de mesa nos observaban. Pensé que estarían acostumbrados a vernos trabajar en sus casas, pero no compartiendo terraza. Don Pericles también nos hubiera examinado con curiosidad. Recordé uno de sus viejos dichos: «Si vieras a un blanco y a un negro sentados a la mesa un día, o el blanco le debe al negro o es del negro la comida». Sonreí.

–No, gracias. Últimamente no me entra bocado –respondí, para luego musitarle, flojito al oído–: La mercancía que no se enseña no se vende, ¿eh, prima?

–¿Qué quieres, muchacha? El que tiene buenas sábanas, las echa al sol. ¿Cierto? –me murmuró ella, acompañando el comentario con un significativo contoneo de ojos que terminaron clavados en Manolo, como quien echa el anzuelo.

–Adela, él es mi amigo Antonio –me presentó Manolo con un brillo cómplice en la mirada. Parecía decirme: «Ya verás como te gusta».

Antonio se inclinó sobre la mesa para darme los dos besos de rigor. Hasta entonces me habían saludado tan poco en España que me retiré cuando me dio el primero. Noté una ligera humedad en la mejilla, como si me hubiera dejado un rastro del helado que estaba comiendo. Manolo y Lucecita rieron al ver que le había dejado colgado con el segundo beso.

–Se lo debes –bromeó Manolo.

Antonio sonrió con desgana. Disimuladamente me pasé los dedos por la mejilla para limpiarme. Cuando volví a mirarle, él observaba, goloso, el contenido de la bandeja del camarero, que culebreaba entre las mesas repartiendo, aquí y allá, grandes copas multicolores de helado. Vestía una camiseta añil algo descolorida que destacaba sobre su piel lechosa, moteada de lunares dispersos. Estaba claro que no había sido bendecida por el sol desde hacía tiempo y estaba claro, también, que Antonio no había puesto especial interés en acicalarse para la ocasión. Su desaliño me molestó, pero no más que escuchar a Manolo y Lucecita enzarzados en uno de sus pulsos:

–Pero ¿por qué no, mujer? –se quejó Manolo con tono cansado; él tampoco se había arreglado para la cita. Llevaba chanclas y una franela deportiva–. ¿Os podéis creer que no quiera ir a la playa conmigo? –preguntó mirándonos alternativamente a Antonio y a mí, como si asistiera a un partido de tenis.

Antonio se incorporó un poco en la silla. Parecía que iba a decir algo, pero sólo cogió una servilleta de papel, se limpió la boca y volvió a escarbar en la copa con la cucharilla en busca de los últimos restos de su helado. Cuando se los llevó a la boca puso especial cuidado en que no gotearan sobre sus inmaculados *jeans*.

–¿Qué te pasa, muchacho? ¿No sabes que trabajo? –respondió Lucecita, negando con la cabeza. Definitivamente, Manolo no tenía remedio.

–Pero es un apartamento precioso... y está al lado del mar. Y son sólo dos días –la animó, con voz melosa. Luego se le abrieron los ojos como si hubiera tenido una revelación–. ¡Ya está! Antonio y Adela vendrán también. ¡Lo pasaremos genial! –exclamó entusiasmado.

Durante un segundo me imaginé hamaqueando mientras

el sol renovaba mis agotadas energías, lejos de esas brujas de carácter hipertiroideo.

—Ese fin de semana trabajo. Tenemos cierre de mes y me toca ir a la empresa —se excusó Antonio.

Tal como lo dijo pareció que consideraba más sugerente trabajar que pasar un fin de semana en la playa con nosotros. Desde que me había sentado a la mesa me había dedicado un par de ojeadas desprovistas no sólo de intención, sino incluso de curiosidad. Estaba claro que los helados le interesaban más que yo, así que decidí castigar su desapego ignorándole el resto de la tarde.

—De acuerdo, de acuerdo. Entonces nos iremos Adela y yo. ¿Te parece? —propuso Manolo. Se le notaba molesto. Desde que lo conocí había intuido que veía en mí algo más que a la prima de su novia. Sabía que le gustaba y a mí me gustaba saberlo. Al menos agradaba a alguien en este dichoso país. Iba a responder cuando Lucecita me pateó la espinilla por debajo de la mesa.

—Adela trabaja también, ¿cierto? —sus labios sonreían, pero en sus ojos brilló una advertencia severa que yo conocía muy bien.

—Claro.

Antonio miró la copa casi vacía de Manolo. Adiviné lo que iba a decir:

—Si no quieres más, me lo tomo yo...

Definitivamente era un patán. Mi prima se dio cuenta de que no me caía bien. Cuando paseábamos por el parque aprovechó un momento en el que Antonio y Manolo caminaban unos pasos por delante de nosotras conversando de fútbol. Me tomó del brazo y me preguntó inquisidora:

—¿No te gusta?

Miré al frente y sopesé aquellas nalgas escurridas, apenas insinuadas bajo los *jeans*. El rastreo de sus pies. Las espaldas fuertes pero vencidas, no por la postura, sino por la actitud.

—Nada es decir mucho.

—A mí tampoco me gustó —confesó pícara.

—¿Qué quieres decir?

–Que si no te ha gustado vertical, menos aún te gustará horizontal...

Manolo y Antonio se giraron, curiosos, al oírnos reír pero volvieron enseguida a sus divagaciones futbolísticas.

–¿Quieres decir...? –susurré.

–¡Huy, sí! Y no me gustó nada –respondió. Luego bajó la voz–. Me confesó que era impotente –al decirlo, puso cara de «así como te lo cuento».

–¿Cómo así? ¿Y quieres que yo...?

–Sólo como amigo, muchacha... Como amigo no está mal. Recuerda que a mediados de julio me voy a República Dominicana y te dejo solita un mes. Puede que dos. Así tendrías a alguien con quien salir. Toma su teléfono por si acaso –dijo anotándomelo en una servilleta de la heladería. Hice con ella una bolita y estaba a punto de arrojarla al piso cuando Lucecita me agarró la mano, abrió mi bolso y la echó dentro–. No seas cabezota, *Fifty-Fifty*.

Después de mis últimas experiencias con los hombres, quería darme unas vacaciones sexuales para ver si me reposaba. Venía del vértigo de la montaña rusa que había sido mi vida en los últimos años y quería un poco de tranquilidad. Pero la supuesta impotencia de Antonio me picó. Será porque siempre me han gustado los retos. Por eso dejé que mi prima colara la bolita en mi bolso. ¿Y si añoraba la adrenalina? Al fin y al cabo, nunca se sabe.

Yo siempre he sido una mujer muy sexual. No es que sea como las maeñas, de quien se dice, exagerando, que donde mean no crece hierba más nunca por su esencia ardiente y apasionada. Lo mío no llega a tanto, pero reconozco que soy apasionada.

No es cierto que todas las caribeñas lo sean, como se cree estúpidamente en Europa. Mi madre, por ejemplo, no se aficionó hasta que, muerto mi papá, descubrió con Cuchito que el sexo era mucho más que los brutales empellones del ariete Pinuco y que los tímidos brocheos del prostático don Pericles. Tampoco es verdad que los españoles sean tan fríos en la cama y poco aseados como se dice en mi país. Me contaron que por eso son tan aficionados a las toallitas pequeñas de bidé, para pasárselas húmedas y evitar la ducha. Eso era cierto en el caso de las brujas, pero Lucecita y Leo me dijeron que en las casas donde ellas trabajaban eran meros accesorios decorativos en los baños: viajaban a la lavadora tan limpias como las habían puesto.

En cuestión de sexo yo salí a mi padre biológico. Cuentan que cuando nací tenía siete novias en Coa, que entonces era un pueblo pequeñísimo. No sé cuántas habría llegado a tener si hubiera vivido en una ciudad. El hecho es que cambiaba tanto de hembra que, cuando me marché a estudiar magisterio a la capital y volvía de vacaciones o de fin de semana al pueblo, tenía que preguntar con qué mujer estaba para saber a qué conuco debía ir a verle. Pero no podía llegar de improviso. Mis hermanos de padre me habían advertido que debía anunciar mi visita antes de entrar en su casa, no fuera a ser que le sorprendiera en pleno divertimento:

–¡Papá! ¡Que soy Adela!... –gritaba a quinientos metros de la casa–. ¡Que voy! –seguía chillando a medida que me acercaba.

Viéndolo, la gente no se explicaba su magnetismo con las mujeres, porque no era buen mozo. Era moreno, pequeñito, pero muy pulcro. Nunca le sorprendí un olor desagradable, aunque era jornalero y faenaba duro. Podía llevar alguna mancha de plátano en el pantalón, pero siempre iba planchado como un señor, con los filos bien marcados.

El general Unzueta solía preguntarle, curioso, cuando íbamos a verle:

–Vamos a ver, don Julio. ¿Qué es lo que usted tiene? Tiene que contarme a mí su secreto.

Papá sonreía ladino y nunca respondía, así que se lo terminé contando yo. Según se decía, era sabito o, lo que es lo mismo, tenía el pene grande. Y esto, sumado a que hablaba dulce y bonito, aunque sólo era un tercer grado y nunca pasó de primaria, rendía hasta a la mujer más renuente. Y yo debo haber heredado ese gen suyo, el de la conversación estimulosa, me refiero. También un ronroneo seductor que me sale hasta cuando no quiero desde que tenía quince años. A esa edad, descubrí los efectos de mi tono de voz con Roberto, al que todos en mi clase, salvo yo, llamaban Robertico o Tico. Noté que mis compañeros de escuela se morían de risa cuando me oían llamarle, así que un día le pregunté:

–Oye, ¿por qué cuando te digo Roberto todo el mundo se ríe?

–Porque cuando tú me dices Roberto yo siento como si me estuvieras acariciando.

Pensé que se trataba de una respuesta metafórica, pero días después me di cuenta de que, cuando lo llamaba, su compañero siempre se agachaba bajo el pupitre. Intrigada, me incliné también yo y descubrí –horrizada, pero también algo halagada, he de reconocerlo– que el condiscípulo situado junto al moreno lindo se dedicaba a medirle el pene con una regla y comunicaba sus dimensiones a los alumnos que, uno tras otro, iban estallando en risas apenas reprimidas a medida que se enteraban de su magnitud.

Las erecciones de Roberto murieron, en lo que a mí se refiere, con el hallazgo. No se le volvió a parar el huevo a mi costa porque, a partir de ese momento, dejé de llamarle. Ni Roberto, ni Robertico, ni Tico. No podía verle sin morirme de vergüenza, así que no volví a cambiar palabra con él.

Papá me dejó además en herencia su expresividad porque, como él, no sólo hablo con la boca, sino también con los ojos, con las manos y con todo el cuerpo. Y yo tampoco he necesitado una estampa espectacular para atraer a los hombres. De jovencita era delgada como palo de escoba. Por eso me llaman Flaca, pero, ventajas de *Fifty-Fifty*, tenía cosas muy atractivas para los muchachos que no poseía ninguna otra chica de mi edad: un parchís chino, regalo del padre Martín; un juego de damas; radiocasete; discos...

De mayor compensé mi delgadez con la conversación y el arreglo. A los hombres dominicanos les gustan las mujeres con carne, buenas piernas, pelo largo, cintura estrecha y caderas generosas. Yo era recogida, pero siempre iba muy puesta para remediar con mi pericia lo que la naturaleza me había negado. Además, tenía el pelo bueno, bonitas piernas y unas nalgas caprichosas, que no sólo desafiaban la ley de la gravedad, sino que apuntaban ligeramente hacia el cielo. Aunque de naturaleza sexual, como mi padre, mi iniciación carnal había sido tardía porque, en mi época, la virginidad era imprescindible para casarte como es debido. Mi prima Leo había tenido su primer niño a los quince años, pero para las muchachas como yo, las *Fifty-Fifty*, la cosa era bien distinta. Corrían tremendas historias sobre lo que les pasaba a las chicas que se embarazaban prematuramente o no llegaban bien al matrimonio. Como el escándalo que se organizó cuando las monjas botaron de mi colegio a la hija del doctor Hernando, toda una institución en Coa. Ni su prestigio ni su poder consiguieron que las religiosas reconsideraran la decisión de expulsar a la muchacha cuando advirtieron su embarazo. Porque, en aquella época, los preservativos eran como los duendes de Cuchito: todas hablábamos de ellos, pero nadie los había visto jamás, mientras que todas conocíamos a alguna chica que había muerto desangrada en un aborto clandestino. «El que aquí cayó, aquí se quedó», pensaba entonces asociando irremediablemente sexo, embarazo y desgracia.

Pero la historia que me metió, de verdad, el miedo en el cuerpo fue la que les oí contar una tarde a mami y a tía Euduvigis mientras jugaban al *wari*. Yo estaba esperando a que dejaran los hoyitos libres para avisar a mis primas y jugar con ellas. Los adultos suelen conversar delante de los niños como si fueran invisibles, como si no estuvieran. Gracias a ello, te enteras de muchas cosas que no terminas de entender muy bien a veces, pero que resultan interesantes. Como lo que mi madre y mi tía charlaron ese día. Les oí decir que Francia, la hija de un amigo de mi abuela que solía visitarla cada tarde, fue devuelta por su primer y único marido la misma noche de bodas. Por lo visto, Francia era muy jovencita. Celebraron los esponsales y, tras el banquete, su marido se la llevó a casa. Esa misma noche le rapó la cabeza y la echó a la calle desnuda porque, según dijo, no era virgen. Aquello se me grabó a fuego. Cuando lo oí, yo todavía no sabía que los abusos de Pinuco no habían comprometido mi virginidad, así que pensé que quizá mi futuro marido se daría cuenta y me echaría de casa, calva y en cueros, cuando me casara.

Años después supe que, pese a lo sucedido, yo seguía oficialmente intacta y me tranquilicé, pero conservé la aprensión a las terribles consecuencias que podía comportar su pérdida hasta que fui a la universidad. Recuerdo que a los dieciséis años me contaron que la señora Ana Marina, la estricta directora de una escuela privada de la capital de mi provincia, le metía los dedos a su hija cada vez que salía con su novio, para comprobar si había hecho algo. También decían que la policía se llevaba presas a las parejas que se citaban en el malecón, aunque no estuvieran haciendo nada, y les obligaba a casarse.

Con el miedo a verme rapada, repudiada, inspeccionada por mami, expulsada del colegio, fallecida en un aborto o presa, lo cierto es que opté por el –para mí– difícil camino de la castidad hasta que las caricias de Tato me descubrieron placeres que exorcizaron todas las aprensiones coleccionadas en mi infancia y adolescencia. Desde entonces, sobrellevo mal la abstinencia hasta tal punto que, urgida por el deseo no satisfecho, puedo sentir atracción por hombres como Antonio que, en un estado más pleno y conforme con mi naturaleza, no habría merecido de mí ni una simple mirada.

Algunos domingos eludí el cuestionable divertimento de salir con Lucecita y sus amigos. Me aficioné a rebuscar libros de saldo en la Cuesta de Moyano y a devorarlos encerrada en mi habitación. Daba igual de qué fueran. Los elegía en función de su precio, porque de las sesenta mil pesetas que ganaba al mes trabajando para las brujas mandaba cincuenta y cinco mil a mi madre. Es decir, unos cinco mil quinientos pesos que, sumados a los mil quinientos que doña mami obtenía del alquiler de mi casa, sumaban siete mil. Casi el triple de lo que yo ganaba como técnico en el ingenio Coa. Más que suficiente para cuidar bien de mis hijos, pensaba para tranquilizarme. Me daba igual quedarme sólo con cinco mil pesetas para mis gastos de los que, por supuesto, quedaron excluidos todos los caprichos, incluidos los literarios.

Compré *Una mujer en la tormenta*, de una escritora norteamericana cuyo nombre he olvidado, sólo porque me identifiqué plenamente con el título. Y *Fouché: el genio tenebroso*, el libro de cabecera de los generales dominicanos. Reinaldo siempre se mostró fascinado por él y quería saber si imitaba las intrigas y estrategias del siniestro ministro de la policía de Napoleón. Incluso releí *El gran Gatsby*. La historia me había dejado fría la primera vez, pese a que figuraba entre los libros preferidos de don Pericles. Mi papá intentó inculcarme su pasión por él, pero no lo logró. Imaginaba a ese tipo engominado, como si le hubiera lamido una vaca, y no me sentía el pulso del aburrimiento que me entraba. Cuando lo releí en Madrid, me sucedió lo mismo, aunque me identifiqué bastante con una frase de Fitzgerald: «No existe fuego ni lozanía capaz de competir con lo que un hombre atesora en el fantasmagórico mundo de su corazón». Yo, que he visto y soñado mil fantasmas, he guardado siempre uno en esa gaveta del alma que rara vez se muestra a nadie, vinculado más al mundo de los vivos que al de los muertos. Tato. Ningún hombre real ha podido competir con su recuerdo.

Lo conocí un año antes de que muriera don Pericles, cuando estudiaba para maestra normal de primaria en la capital. Un sábado llamé por teléfono a una amiga desde el internado donde vivía, justo detrás del Alma Máter de la Universidad Autónoma de Santo Domingo (UASD), porque no tenía familiares ni casa en la ciudad. Para mi sorpresa respondió un muchacho, no mi amiga. Me dijo que me había equivocado. Volví a marcar y salió el mismo chico:

—Está equivocada.

Me disculpé y volví a intentarlo:

–Es la tercera vez que llamas equivocada.

Pese a la recriminación, no parecía en absoluto molesto.

–Pues perdóname. Es que quiero llamar a una amiga, pero debo tener mal el teléfono.

–No eres capitaleña, ¿verdad? –preguntó entonces.

–No, ¿por qué?

–Tu acento.

Me extrañó su respuesta. No era consciente de que se me notara tanto.

–Estoy estudiando en la UASD –le expliqué.

–No me digas... Pero si yo estudio medicina ahí mismo. Si quieres un día nos conocemos. ¿Dónde estás viviendo?

–En el internado de las Carmelitas.

–¿Eres una de esas que van rezando el rosario por las tardes caminando alrededor del colegio? –se burló. Era algo que nos avergonzaba a todas. Mujeres hechas y derechas dando vueltas por un patio, rosario en mano, rezando como viejas.

–¿Y tú no serás de esos que vienen a vernos y a tocarse? Porque si es así, seguro que alguna vez te he acertado con una piedra –le respondí picada. Para distraernos, apedreábamos a los numerosos merodeadores que se acercaban al internado, imantados por tanto mujerío.

Tato se presentó pocos días después en mi internado. Vestía un pantalón verde y una camisa morada. Un desastre, sobre todo para alguien como yo, tan mirada para esas cosas. Cuenta mami que, cuando de pequeña me vestía de promesa, pasaba el día sin sentarme siquiera por no arrugar la ropa. Yo no lo recuerdo, pero sí los vestidos que me ponía: blanco los sábados, cuando había hecho la promesa a la Virgen, y los domingos de cuadritos morados –de tela de promesa, se llamaba–, cuando mi madre andaba en deuda con Nuestro Señor Jesucristo. Y también sé que las gracias que solicitaba en mi nombre, a cambio de trajearme de aquella guisa, siempre estaban relacionadas con mi salud, porque siempre fui débil y enfermiza hasta que dejé atrás la infancia. Y que a mí me gustaban esos vestidos obligados, no en sí mismos, sino por comparación, porque tía Euduvigis echó promesa por un primo mío, de apenas siete años, y lo tuvo hasta los ocho caminándose la comarca, vestido de diablo cojuelo, algo de lo que yo habría renegado por exótico y cansado.

Dejando a un lado su predisposición a la indumentaria abigarrada, Tato era, por lo demás, idéntico a mí: tenía mi estatura, pecas similares a las mías, mi color de piel, pelo bueno... Nos parecíamos tanto que, cuando se convirtió en mi novio, la gente no creía que lo fuera. Todos pensaban que era mi hermano. Tan bello.

Cuando llegó, el internado ya estaba cerrado. Las Carmelitas trancaban las puertas después de la cena para evitar las tentaciones propias de la edad, así que hablamos a través de la verja. Estaba prohibido pero, por eso mismo, nos gustaba más. Desde el principio me gustó su conversación, detalle importante para una cotorra confesa como yo. Pero también me agradó su sencillez, su humildad:

–Estoy estudiando para ayudar a los pobres, no para trabajar en esas clínicas privadas sólo para ganar dinero. Cuando me gradúe, tú verás. Me voy a ir a un pueblo pequeño para atender a la gente. La medicina es un acto social.

Me quedé fascinada con aquel muchacho de mirada transparente. Tras una breve amistad, comenzamos un noviazgo de tres años en los que corregí bastante esa tendencia suya a las mezclas altisonantes en el vestuario y –reconozco que algo menos– sus continuos disparates ortográficos, por otro lado disculpables en un futuro cirujano, en quien importa más la destreza de sus manos –y de esa doy fe– que sus faltas porque, que yo sepa, a los anestesiados que tienden en las camillas de los quirófanos antes de abrirles en canal no se les habla y menos se les escribe.

Recuerdo que una vez fuimos juntos a una feria ganadera en la que hacían un pase de perros de raza. A ninguno nos gustaban los perros, pero era gratis, un detalle significativo cuando eres estudiante. Sentados en el graderío del estadio, observábamos las evoluciones de los canes cuando él me dijo:

–Lástima no haber traído a mi perra BL. Hubiera ganado a todos esos que están ahí.

–¿Cuál perra, si tú no tienes perra?

–La Bira-Latas, mujer. BL –contestó bromeando.

Tato se refería a la perra callejera que merodeaba por su internado en busca de estudiantes caritativos que le dieran algo de comer o zafacones que voltear para saborear su contenido.

–¿Be alta o baja? –le pregunté.

–Alta, ¿cómo si no?

Me reí con ganas. Viralatas, como todo el mundo sabe, excepto entonces mi dulce proyecto de cirujano, se pone con uve. Por lo demás, Tato era perfecto. Con él sentía que podía hablar de todo. Contar con él para todo. Y así fue durante años.

Una noche estaba durmiendo en mi habitación, que compartía con otras diez o doce chicas. Soñé que don Pericles estaba mirándome. Digo que estaba soñando porque prefiero pensar que fue un sueño y no otra cosa. Me sorprendió verle a los pies de mi cama:

–¡Huy! Pero ¿qué hace usted ahí?

–Tú siempre destapada. Te vas a resfriar –me respondió. Luego me tapó y me dio la espalda, camino de la puerta.

–¡Ay, no se vaya! –lo llamé.

–Tengo que irme. Es la última vez que vengo a taparte.

Tenía los ojos tristes y no llevaba espejuelos. En ese momento desperté o dejé de verle, según se mire, y corrí a contárselo a una amiga que dormía en la cama de al lado:

–¡Teresa, Teresa! He soñado que mi papá venía a taparme y me decía que no volvería.

–¡Ay, tonta! ¡Cállate! –me dijo en un susurro.

–No, Teresa. Tengo mucho miedo. Mi papá se murió.

–¡Que no! ¡Que te calles! –me contestó y siguió durmiendo.

Yo no pude pegar ojo. Cuando amaneció salté de la cama y me fui en busca de la directora, una española con mirada y hocico de miura enfurecido y alma de madre.

–Mire, mi papá acaba de morir. Mándeme a Coa –le rogué.

El internado no nos permitía viajar solas, así que mi única opción era que aceptara avisar a la línea de carros para que me vinieran a buscar y me llevaran a mi pueblo. –No digas tonterías, muchacha. Si tu padre hubiese muerto, te habrían llamado o mandado a alguien para avisarte.

–Pues déjeme llamar a mi hermano –insistí.

Accedió a regañadientes. Sin embargo, no pude telefonear. No había línea. «Por eso nadie me ha avisado», pensé cada vez más inquieta. Cuando finalmente se restableció el servicio, rogué entre llantos, a Tato que buscara un auto y me llevara a casa. Visto nuestro parecido, la directora se tragó el engaño del hermano y me dejó marchar con él. Fui llorando todo el camino. Cuando llegamos al pueblo nos topamos con un entierro. Entre los deudos distinguí a mi tía Euduvigis y temblé. Mi madre no estaba. Enloquecida, paré el cortejo y corrí hacia el ataúd. Hice que lo destaparan. Quería verle. Despedirme. El terrible sufrimiento que le provocó el cáncer que lo mató no consiguió desfigurarle. Tenía el mismo gesto sabio y tranquilo de siempre. Y le habían vestido con su chacabana favorita. Pero le faltaba algo. Mandé a buscar sus espejuelos y uno de sus libros favoritos. El primero que me leyó: *Las mil y una noches*. Se lo puse bajo el brazo, le coloqué los anteojos y, entonces sí, permití que cerraran el ataúd.

Apenas recuerdo nada más. Sólo que Tato me sostenía por la cintura camino de la casa de mami. A partir de ese momento, se convirtió en mi mundo. El otro, el que había tenido hasta entonces, se murió con don Pericles. Estaba sola. Como en Madrid. Sólo que entonces Tato no era un fantasma.

Las brujas me sorprendieron, a primeros de julio, con el anuncio de que nos marchábamos a El Escorial, donde tenían un piso que sólo frecuentaban en verano para huir del calor de Madrid. Un calor al que yo regresaba cada domingo para salir de la rutina de la semana y desahogar mis penas, trifulcas y nostalgias. Lucecita se había marchado y entre mi otra prima, Leo, y yo nunca ha habido más querencia que la obligada por el parentesco, así que rescaté la bolita de papel del fondo de mi bolso no con el hormonal propósito –al menos consciente en ese momento– de liberar la adrenalina contenida, sino para procurarme un apoyo.

Antonio resultó ser un moquero encantador y un bastón estupendo, ideal para alguien como yo, necesitada siempre de apoyos. Hablar no hablaba mucho, pero eso era precisamente lo que yo necesitaba en esos momentos. Una boca cerrada y un buen par de orejas con una capacidad de escucha casi ilimitada y una también casi ilimitada capacidad para decirme justo aquello que yo quería oír y darme la razón.

–Antonio, la bruja reina me ha dicho que ellas se van en agosto a su casa de León y me ha pedido que me quede en El Escorial trabajando para su nuera, doña Laura. ¿Qué hago? –le preguntaba.

–¿Qué has pensado?

–Aceptar, ¿qué, si no?

–Claro. Será lo mejor.

Así que dejé que las viejas me prestaran como un paraguas. Total, lo mismo me daba limpiar su baño que el de la nuera. Incluso diría –no sé por qué– que era una experiencia menos miserable, aunque el sentimiento de soledad se acrecentó. Doña Pilar y doña Beatriz eran lo malo conocido. Me había hecho a sus desaires por esa capacidad humana que tenemos para acostumbrarnos a todo. No es que las echara de menos; no me había vuelto loca. Pero su ausencia, sumada a la de Lucecita y a la de Antonio, que a principios de agosto se marchó también de vacaciones, me dejó en una soledad total que incrementó la nostalgia de mis hijos: Victoria cumplió cinco añitos ese mes.

La inmigración me estaba instalando en una sensación de duelo permanente. Duelo por haber dejado a mis hijos.

Duelo por el estatus social perdido. Duelo por el tipo de trabajo que tenía que hacer. Tanto duelo minó mi autoestima y me generó una ansiedad que se tradujo en algunos síntomas preocupantes: insomnio, dolor de cabeza, fatiga... Perdí las ganas de comer, de trabajar, el sueño.

Lo único que se me mantuvo vivo fue el apetito sexual. Si no lo satisfice entonces fue porque no tenía con quién. Un bombero que conocí en el tren de cercanías camino de El Escorial se ofreció voluntario para la tarea, pero aunque activa, soy selectiva. Necesito saber que mi contraparte siente algo más que deseo, que de alguna forma me quiere, aunque sólo sea en ese momento. Así que decidí esperar el regreso de Antonio, quien había demostrado un creciente interés por mí, no correspondido hasta el momento en justa represalia por su inicial frialdad. En la distancia, con esas llamadas suyas en las que decía echarme tanto de menos, se convirtió para mí, lo que son las cosas, en un hombre deseado. Hasta su presunta impotencia me enternecía y excitaba, con ensueños sobre lo que haría para remediarla apenas lo viera, casi siempre aderezadas con sabrosas bolas de helado. En contraste con Reinaldo, siempre arrecho, la dudosa disposición de Antonio me avivó las ganas.

Creo que lo que más me gustaba de él, en aquellos días, era su apariencia inofensiva. Había algo blando en sus rasgos, en su forma de moverse, de hablar, que me reconfortaba. La inseguridad de Antonio contrastaba tanto con el aplomo y la varonil resolución de Reinaldo que me resultaba balsámica. Dicen que la vida es como la escalera de un gallinero: corta, empinada y llena de mierda. Así había sido durante el periodo en el que había convivido con Reinaldo, gallo entre los gallos, y estaba harta de testosterona. El carácter estrógeno de Antonio me atraía. Nunca había conocido a un hombre así. Con él no sentía ese pulso, esa competencia que siempre había establecido con los hombres, como quien tira del extremo de una cuerda, tensada también por el otro lado por alguien más fuerte, hasta que el esfuerzo te rinde.

Cuando regresó de vacaciones, a finales de agosto, me llevó un día a su casa. Aún vivía con sus padres, pero estaban fuera, en la costa. Se le ocurrió que podíamos ir al embalse de San Pedro, para aliviarnos del calor, y pasamos para recoger las llaves de su coche, el traje de baño y la toalla. Creí que me había llevado para acostarse conmigo, pero no hizo ningún amago. Se limitó a recoger sus cosas y enseñarme su habitación, inusualmente llena de aparatos: la computadora, una televisión, video, equipo musical... Le faltaba sólo la nevera y un baño para no tener que salir de ella.

Sobre la cama tenía un gran marco con fotos en blanco y negro de diferentes escenas familiares. Señalé una, en la que un niño de mirada traslúcida miraba a la cámara con expresión aburrida.

—¿Este marinerito eres tú? —le pregunté.

—Sí, de comunión —dijo metiendo en la mochila el *Marca*.

El cuarto no tenía estanterías ni libros. Sólo prensa deportiva, ordenadamente apilada sobre la mesilla de noche, y un montón de cedés: Bruce Springsteen, Mike Odlfield, U2...

—Tienes cara de bueno. ¿Tu papá? —pregunté señalando a un hombre con doble papada, labios filosos y ojos saltones. Parecía muy severo.

—Sí. Y ésta de aquí es mi madre. Y éstos, mis hermanos.

Miré a los niños. Él vestía un gracioso pantalón acampanado y una franela ajustada con cuello. Sonriente y repeinado, tenía cogida de la mano a la hermanita, vestida con una falda muy cortita, medias altas y una blusa estampada. No pude evitar asociarlos con mis niños, cuyo recuerdo siempre me sacudía como una tremenda cachetada.

—¿Te he dicho que tengo tres hijos?

Mi pregunta lo dejó congelado; durante un segundo, Antonio dejó de estirar el cubrecama para alisar las arrugas formadas al arrodillarnos para ver el marco.

—No, no lo sabía —ni lo sabía ni, según me pareció, lo quería saber—. ¿Y hermanos?

—De madre, soy sola. De padre, somos treinta y dos medio hermanos contando conmigo.

–Joder con tu padre –rió nervioso–. ¿Con cuántas mujeres? Antonio se colgó la mochila al hombro, listo ya para salir.

–Que yo sepa, con veintiséis –respondí cuando me disponía a seguirle, pero la foto de una joven teñida de rubio posando con gesto desenfadado ante la Torre Eiffel me detuvo–. ¿Y ésta?

–Nadie. Una novia que tuve.

Ese domingo, Antonio me hizo fotos en el pantano. Dos días después, la rubia desapareció del marco, dejando su lugar a una morena de pómulos marcados, menuda y flaca como un palo de escoba.

Aquella mañana me despertó el agudo sonido del celular de Antonio. Él descansaba ajeno a todo, con el brazo agradablemente abandonado sobre mi vientre. Quien fuera cerró el teléfono, pero al cabo de un minuto volvió a insistir. Me desprendí perezosa del calor que me brindaba su pecho, apoyado contra mi espalda, y salí de la cama para acallar el molesto timbrazo. Era temprano y no teníamos que dejar la habitación del hotel hasta las doce, lo que nos dejaba margen para un rato más de sueño o de amor.

Amodorrada aún, traté de localizar de dónde procedía el sonido. Rebusqué entre su ropa, esparcida por la habitación en el desorden que propicia la urgencia. Por un momento recordé la meticulosidad con la que Reinaldo solía colocar su ropa, sobre el butacón de nuestro dormitorio, cuando se desvestía para cambiarse o acostarse. Sonreí. El móvil seguía sonando. Al fin, lo localicé. La pantalla anunciaba la identidad del impertinente: Lucecita. Traté de descolgar, animada con la idea de comunicar a mi prima su error de diagnóstico, en lo que a Antonio concernía, pero no supe hacerlo. Quería decirle que resultó ser de gasoil. Lento, pero no impotente, así que volví a la cama y lo desperté:

–Antonio. Te llaman –le dije animándole a reaccionar con un beso de buenos días.

–¿Qué? –balbuceó.

–Te llaman. Es Lucecita.

Apenas entreabrió los ojos para descolgar. Parecía contrariado por la interrupción:

–¿Sí? –hizo apenas una pausa y me pasó el teléfono–. Pregunta por ti.

Mi prima estaba tremendamente agitada. Tan nerviosa que al principio me costó entenderla.

–Muchacha, ¡llevo una semana llamándote a casa de las viejas!

–Es que he estado trabajando para la nuera... –de repente me asaltó la inquietud–. ¿Le ha pasado algo a mis hijos?

Antonio abrió los ojos, alarmado por la pregunta y mi tono preocupado. Tenía el cabello revuelto y una sombra de inquietud oscurecía su mirada parda.

–No. Tus hijos están bien, pero escucha.

–¿Dónde estás? –del otro lado me llegó un sonido de altavoces que me resultó familiar.

–En Barajas. Acabo de llegar. Óyeme. Reinaldo viene a matarte.

Me quedé muda. Antonio adivinó que algo grave ocurría. «¿Qué pasa?», preguntó alarmado. Agradecí el calor de su mano, posada sobre mi muslo. Supongo que me notó helada porque corrió a apagar el aire acondicionado. Cuando volvió a mi lado, me preguntó de nuevo. Negué con la cabeza e intenté concentrarme en lo que Lucecita decía:

–Quizá ya esté aquí. No sé. Pero me dijeron en Coa que anda loco y que va a venir a matarte.

–Pero ¿quién te dijo eso?

–Tu primo Rafael. Se enteró por el administrador del ingenio, ese amigo vuestro, ¿cómo se llama? –fui incapaz de responder. Estaba paralizada. Otra vez, no. Por favor, Dios mío, no–. ¿Aló?

–Sí, estoy aquí.

–Que Antonio no se separe de ti.

# III

Cuando conocí a Reinaldo yo tenía treinta años y él cuarenta y cuatro. En aquellos tiempos era todavía coronel y yo trabajaba como maestra en La Loma, un minúsculo núcleo poblacional en la zona caficultora. En la escuela normalizada, el periodo escolar iba de septiembre a junio, pero en La Loma se prolongaba desde finales de enero o principios de febrero hasta septiembre, para adecuarse a los ciclos de recolección del café. Era octubre y por eso estaba de vacaciones en Coa.

Él pasó con su *jeep* y me vio leyendo en el patio de mi abuela. Estaba haciendo tiempo antes de ir a buscar a mi hijo Rubén a la escuela. Parqueó enfrente, junto a la casa de doña América, una vecina aficionada al trago a la que, según mami, no convenía dar la espalda nunca. Trabajaba para el ejército. Su oficio consistía en hacer la comida, lavar y planchar la ropa del comandante de turno. Su beneficio, en chismearles las murmuraciones que circulaban por el campamento y oficiar de celestina para ellos. Transcurridos apenas diez minutos desde la llegada del coronel, la doña vino en mi busca.

–Oye, Adela. Ven, que el coronel te quiere conocer. Es simpático, cachondo, guapo... Un machazo –me tentó con alcahuetería.

–¿Que vaya a conocerle yo? Si el que quiere conocerme es él, que venga él –contesté tan resuelta que la celestina, aficionada a réplicas y contrarréplicas, se marchó sin rechistar.

Reinaldo avanzó erguido, con trancos resueltos. Reconozco que era un tipazo de hombre. Muy alto. Pelo crespo muy corto. No era guapo, pero tenía una presencia imponente. Demasiado, quizá. Puede que su enorme fortaleza física me alertara sobre mi propia menudencia, aunque nunca me han achicado los hombres grandes. Todo lo contrario. Siempre me han gustado especialmente. Pero había algo en él que me desasosegaba. Su mirada de percutor. Ese porte, propio de los militares de carrera, de persona acostumbrada al mando. No lo sé.

Saludó educado y me dijo, con voz bien calibrada, que estaba en Coa de puesto. No conocía a nadie y le gustaría tener amigos, aunque de lejos se adivinaba que su interés era más carnal que amistoso. Años después me confesó que doña América le había informado de que yo era una viudita y que, por tanto, muy probablemente me mostraría propicia a sus requerimientos. Esperaba una conquista fácil y se encontró con una mujer difícil. Sé que no es un hombre acostumbrado a que nadie tuerza sus deseos y que, lejos de desalentarlo, mi indiferencia a sus galanteos lo espoleó.

Lo que la recadista beoda no le dijo, porque sus antenas se limitaban al barrio y el campamento militar, es que yo mantenía entonces una relación con Héctor Sepúlveda, un morenazo alto, más corpulento que el coronel, con unos ojazos negros como café tostado y vuelto a tostar. Lo nuestro no era amor. Era sexo. Héctor era profesor de la universidad provincial donde, años después de concluir la carrera de maestra en la capital, me inscribí en Psicología para satisfacer esa necesidad de aprender que don Pericles me había inoculado como un virus y para averiguar las razones de mi peculiar forma de ser y de sentir, como sucedía con al menos el cincuenta por ciento de mis compañeros.

Cada viernes bajaba de La Loma a Coa para ver a mi hijo, que había dejado con mi madre para alejarlo de los peligros de la montaña, encontrarme con el hermoso profesor y seguir las clases nocturnas que se impartían en la universidad. Y ahí fue, precisamente, donde Reinaldo se me apareció por segunda vez. Yo estaba sentada en la escalinata de la facultad, hablando despreocupadamente con un grupo de amigos, cuando él detuvo su *jeep* para saludarme. No dijo nada especial, pero a partir de entonces comenzó la persecución. Porque nuestra historia no es la historia de un amor, como dice el bolero, sino la de un asedio sin tregua.

El coronel frecuentaba mi casa para invitarme –a almorzar, a la playa, al cine– pero yo siempre me negaba sin que él mostrara signo alguno de desaliento. Reinaldo siempre fue más maratoniano que velocista y aplicó sus estrategias de corredor de fondo para conseguirme, colándose poco a poco en mi vida, como un intruso que te entra en casa sin violencias, tan educado y aparentemente amigable, al principio, que cuesta botarle. A menudo traía algún juguete para Rubén, aunque yo se lo rechazaba pese a que mi hijo se disgustara por ello, y siempre un ramillete de lisonjas listo para encandilar a mi madre o a mi abuela, si andaban por allí. Así estuvo meses. Hasta que el instinto le pudo más que la estrategia y decidió pasar al ataque.

Concluidas mis vacaciones, volví a La Loma, pero continuaba con mis visitas de fin de semana a Coa por motivos maternales, pero también eróticos y educativos.

Un día ocurrió algo.

Fui a la capital de compras. Cuando regresé, de noche, Rubén ya estaba dormido en casa de mami y preferí no despertarlo. Me marché a mi casa que, como ya dije, no tenía candado. Era vecina de mamá y de mi abuela. ¿Quién me iba a robar? Despreocupada, abrí la puerta, encendí la luz, dejé los paquetes en el salón, me serví un vaso de leche y me fui quitando la ropa. Caminé hacia la habitación, que no tenía puerta, y de repente vi a Reinaldo tirado en pantaloncillos en mi cama, con las manos trenzadas bajo la nuca para auparla, mirándome sonriente, como si fuera mi cumpleaños y él mi regalo. ¡Dios! Me sentí humillada, invadida, pisoteada. No podía creer lo que estaba viendo.

–¿Qué coño haces tú acostado en mi cama? ¡Te levantas de ahí ahora mismo! ¡No eres más que un abusador! –le grité mientras, azogada, intentaba abrocharme los botones de la blusa. La cara me ardía de indignación.

–Vengo a quedarme contigo –me comunicó irguiéndose apenas. No puedo estar segura, pero creo que al hacerlo intentó siluetear sus músculos para impresionarme, como un pavo real que despliega las plumas de su cola en señal de cortejo.

–Usted no se va a quedar. ¡Yo vivo aquí con mi hijo y usted a mí me respeta! Usted será coronel o lo que diablos sea, pero en mi casa mando yo. Y a usted no lo quiero en mi casa, así que se levanta ahora mismo –repliqué furiosa, pero mi discurso no le afectó en absoluto. No sólo no saltó de la cama, como yo esperaba, sino que se acodó y me hizo una señal con el dedo para que fuera con él.

–Ven negrita...

No es cierto que la ira te ciegue. A mí, por lo menos, me aviva y tensa los sentidos. Se diría que veo más, huelo mejor, escucho hasta el silencio... Esa noche sucedió así. Vi que Reinaldo había puesto su 45 encima de la mesita de noche. Me acerqué a él. Por un momento sonrió satisfecho. Creyó que había ganado la partida. Luego, cuando cogí su pistola y le apunté con ella, fui yo quien sonreí, creo, al ver su cara, de la que se había borrado todo gesto de suficiencia y aplomo.

–Por favor, por favor, ¿qué es lo que tú vas a hacer? –tartamudeó. La situación había dado un giro sin duda inesperado para él–. Cuidado con lo que tú vas a hacer, mujer. Suelta la pistola.

Sus ojos, redondos por la sorpresa, nos miraban alternativamente a mí y al cañón del arma.

–¡O te levantas de mi cama, desgraciado, o te mato!

–¿Tú te das cuenta de con quién estás hablando? Yo soy el coronel. Si tú me disparas, se te acaba el mundo.

–Me da igual quién seas. Pero te levantas ya de mi cama.

Él se incorporó despacito y empezó a hablar y hablar para tranquilizarme. Se vistió deprisa y siguió hablando y hablando, sin perderme la cara, intentando no gaguear, aunque los nervios, a veces, lo traicionaban. Luego fue hasta la puerta y salió. Yo arrojé la pistola todo lo lejos que pude y cerré. Corrí a la ventana y abrí un chin la persiana para observarle. Recuerdo que al hacerlo se coló dentro el olor de las adelfas, que me persigue cada vez que siento miedo. Un olor recreado, inventado por mí, porque las adelfas no huelen apenas, pero real como su esencia venenosa. Siempre he evitado rozarlas, olerlas, tocarlas. No porque sean ponzoñosas, sino porque para mí representan la muerte. Cuando era pequeña, siempre que moría un niño nos mandaban a buscarlas:

–¡Vayan a buscar flores para el muertico!

Obedientes, Lucecita y yo corríamos en busca de las únicas flores que brotaban en Coa porque resisten el calor. Pedíamos permiso a sus propietarios y las cortábamos sin tijeras ni nada, troceando con las manos las pobres plantas que acababan sus días decorando a los pequeños difuntos expuestos en sus camas chiquitas o encima de una mesa cubierta con una sábana blanca.

Con el olor de las adelfas punzándome la nariz, vi que Reinaldo buscaba su arma entre las matas y arbustos, hasta que al final la localizó. Se agachó para recuperarla, se montó en su *jeep* y lo arrancó con furia, desatando un eco de ladridos encadenados.

Esa noche no dormí, soliviantada por los perros que le aullaban a la noche por otros carros, otros acelerones, otros extraños, quizá. Pensaba que cada ladrido anunciaba su regreso, aunque no se había marchado del todo. Reinaldo había dejado en mis sábanas el aroma de su perfume. Las cambié, pero su olor dulzón y pesado parecía haber impregnado el colchón, la almohada, toda la cama, aunque lo más probable es que fuera yo quien lo llevara dentro.

No había pasado nada, pero me sentía ultrajada. ¿Qué le indujo a pensar a ese hombre que podía colarse así en mi casa, en mi cama y en mi vida? La ira y el miedo me mantuvieron en vela y alerta toda la noche y la noche siguiente y la siguiente. No recuerdo cuántas.

Cuando amaneció le conté lo ocurrido a Rosario, una vecina amiga de infancia. Me dijo algo sorprendente: había visto a Reinaldo lavarse los dientes en mi patio muchas mañanas. Yo no entendía nada. ¿Qué significaba aquello?

–Es una manera de comprometerte. Quien lo vea pensará que ha dormido contigo –me aclaró con el tono que los adultos emplean a veces con los niños para explicarles lo que para ellos es evidente.

–Pero si nunca lo ha hecho –repliqué ofendida. Antes muerta, pensaba entonces, que entregarme a ese abusador.

–Ya lo sé, Flaca. Es sólo una estrategia que usan los hombres para conseguir a una mujer, para que no tengan más remedio que aceptarlo por vergüenza.

No transigí por vergüenza, como pretendía el coronel, que, a partir de ese momento, estrechó su cerco. Cuando sabía que yo estaba en Coa, pasaba por las noches con su carro junto a mi casa, tal como hizo también después, cuando nos separamos. El pánico me aceleraba el corazón y me impedía conciliar el sueño. Por lo que luego me contó, sé que entonces se enteró de la relación que yo mantenía con Héctor e inició una rivalidad infantil que les llevó, incluso, a disputarme como si fuera un trofeo. El coronel retó al profesor, que era, además, director del centro regional de la UASD, a enfrentar a su equipo de béisbol con el del ejército. Yo estaba en La Loma y no me enteré de nada. Del partido, sí. De que ganó el equipo de la universidad, también. Pero de por qué se había montado el desafío no me enteré hasta que Reinaldo me lo confesó, poco después de que naciera nuestra primera hija, Victoria.

Héctor no me dijo nada. Nuestra relación se había enfriado en los últimos tiempos, no por culpa de Reinaldo, sino por las elecciones convocadas en la universidad. Él optaba a su reelección como director, pero sus oponentes sacaron ventaja de nuestro trato. Estaba prohibido que un profesor, y menos un aspirante a la dirección, tuviera amoríos con una alumna. Durante la campaña guardamos las formas y dejamos de vernos, pero nuestro romance, que antes era ya un secreto a voces, se convirtió entonces en comidilla electoral que su oponente, reconocido líder estudiantil en su juventud y reputado docente, supo manejar como un arma certera para acabar con las aspiraciones de mi bello profesor. Finalmente, Héctor perdió las elecciones y no asumió bien la derrota. Creo que le nació cierto resentimiento y me culpó por ello, como si lo nuestro hubiera sido cosa de uno y no de dos. Lo cierto es que poco a poco nos distanciamos hasta que, sin necesidad de que mediara una declaración expresa, lo dejamos. Hay amores, normalmente aquellos que no suelen dejar rescoldos, que se extinguen así. Suavecito, sin aspavientos, como una vela asfixiada por el matacandelas.

Anulado su contrincante, el coronel llevó su acoso hasta La Loma. Una mañana de primavera estaba dando clase en mi escuelita, un bohío destartalado sin puertas ni suelo que antes fue vivienda de haitianos contratados por los caficultores para la recolección, cuando vi subir a los campesinos asustados:

–¡Por ahí viene un ejército! –gritaban unos, alarmados.

–¡Seguro que algún desgraciado ha sembrado droga! –aventuraban otros, iracundos.

–¡Ay, Dios! –se lamentaban todos llevándose las manos a la cabeza.

Mis alumnos, un puñado de muchachitos de primer grado, se agitaron inquietos, tratando de contener las ganas de correr a casa para vocear la noticia o quién sabe si para buscar refugio en brazos de sus madres. Nunca se había visto a los soldados en esa montaña, donde no llegaban ni el agua ni la luz y menos aún la autoridad. De ahí su miedo.

La Loma está a setenta kilómetros de Coa y a quince de Edén, el pueblo más cercano. Sin duda estaba pasando algo muy grave para que el ejército subiera hasta las plantaciones, que ni siquiera pisaron cuando, el verano anterior, un huracán asoló las montañas, arrebatando los techos de zinc de las casas, arrancando árboles, dejándonos aislados durante días. Entonces decidí dejar a Rubén con mami.

Cuando la radio anunció que el huracán había pasado, los hombres limpiaron el camino y busqué transporte para Coa, suponiendo que mi madre estaría preocupada por nosotros. El mar se había comido varias carreteras, así que tuvimos que viajar por las colinas, pero al final conseguimos llegar. Eran las tres o las cuatro de la tarde. Toqué su puerta como loca, pero nadie salió. Me decidí a entrar y allí estaba, desparramada en su butacón favorito. Ajena a todo. Dormida.

El alborotado grupo de campesinos, inquietos por el ascenso de los soldados, se congregó ante la escuela, en el lugar donde, por las noches, prendíamos la fogata para distraer las horas previas al sueño contando cuentos de miedo o tocando música con instrumentos improvisados: un recipiente plástico de cinco litros de aceite cortado en dos partes que los muchachos encajaban, una sobre la otra, para usarlas como tambora y latas de tomate frito rellenas de piedrecitas y abolladas por uno de los lados, que hacían las veces de maracas.

Dentro de la escuelita, los niños miraban lo que para ellos era un gentío con caritas alarmadas, sin atender la lección, así que decidí liberarlos:

—Pueden marcharse a sus casas —ordené.

No había acabado de decirlo, cuando salían ya en desbandada, con la velocidad de hormigas amenazadas por pisadas humanas, abandonando en su apresurada fuga las sillitas que debían traer cada mañana desde casa para sentarse.

Preocupada, caminé hacia los campesinos para averiguar qué estaba ocurriendo. Una nube de mariposas amarillas avanzó racheada hacia el grupo, como si la empujaran inexistentes ráfagas de viento. Envolviéndolo primero. Luego, sobrevolándolo. Como si alguien les hubiera puesto encima una corona dorada. Hasta que los manoteos —decenas de manos encallecidas abanicando el aire por encima de las cabezas— consiguieron dispersarla, disgregando a las mariposas como a soldados en retirada. Sólo un segundo, porque después volvieron a reagruparse, hicieron un quiebro con su vuelo trotón y desaparecieron tras las matas.

De repente apareció un jeep y reconocí al copiloto. Reinaldo se apeó de un salto antes de que frenara, a escasos metros de donde me encontraba, clavada al piso por el asombro:

–¿Usted qué hace aquí? –le pregunté ofendida, con la nuca erizada por un súbito escalofrío. ¿Es que aquel demonio de hombre no iba a dejarme nunca en paz?

–Vengo a verte –respondió tranquilamente, como si fuéramos compadres. Luego se viró para transmitir una orden por el *walkie-talkie*. Creo que, de nuevo, pretendía impresionarme–. Cacique uno a Cacique dos. Acampamos.

Respetuosos, o quizá precavidos, los campesinos habían retrocedido algunos pasos. Los suficientes para permitirles oír nuestra conversación y admirar, sin molestar, al soberbio coronel y su *jeep* con un pasmo que no habría desmerecido del que les hubiera suscitado un alienígena descendiendo de su nave espacial.

–¿Con el ejército? –repliqué, señalando la formación de cuarenta soldados, perfectamente pertrechados por lo poco que yo sabía de milicias, que ascendía escoltada por dos carros. Lo nunca visto en mi apacible montaña.

–¿El ejército? –Reinaldo pareció no entender lo que decía; a diferencia de nosotros, la soldadesca que lo acompañaba debía parecerle escasa–. ¡Ah, los muchachos! Me los he traído de maniobras. ¿Puedo pasar a tu casa?

–No es mi casa, sino la de esta señora. La señora María –dije presentándoles.

La doña se deshizo en reverencias. Parecía que estaba no ante un coronel, sino ante la mismísima Virgen de Altagracia. Yo vivía con ella en una habitación cedida y, en reciprocidad, colaboraba con la economía familiar aportando comida –un pollo, aceite, azúcar, carne, latas– que subía a lomos de burro desde Edén, aunque para comer en casa de la señora María sólo hacía falta sal y ganas, porque su finca era una generosa despensa.

–Tanto gusto, señora. ¿Puedo comer aquí? –interrogó Reinaldo a la señora María con esa capacidad suya de convertir en afirmaciones aquello que, en teoría, eran preguntas. No le estaba consultando a la doña si podía comer, se limitaba a comunicárselo.

–¿Cómo no, señor? Un honor para esta casa.

Su respuesta se fundió con el canto prolongado y descendente de un pájaro bobo.

Reinaldo contribuyó con unas latas de rancho, cuyo exotismo deslumbró a la señora María. Las recibió como si fueran el más delicioso manjar. Inmediatamente después, el coronel se marchó de maniobras hasta la hora del almuerzo, dejando a mi amiga sumida en una febril actividad para complacer a su invitado.

–Muchacho, mátame esa gallina –ordenó a uno de sus hijos–. Maestra, coge este canasto –añadió obligándome a acompañarla a la finca.

Aunque traté de disuadirla, aduciendo que el coronel no merecía tantos esfuerzos y viandas, regresamos a la casa cargadas de guandules, ají dulce, guineos... A falta del típico dulce de coco, hasta recogió miel para prepararle un pancito de abeja como postre.

Cuando terminó de almorzar, Reinaldo festejó con justicia a la cocinera, utilizando con ella las seducciones que ya le había visto emplear con mi madre y mi abuela. Luego volvió a marcharse y reapareció al atardecer. Preguntó a la señora María si podía dormir en su casa, afirmándolo, según su costumbre y, cuando ella aceptó encantada, me dijo:

–Adela, que voy a dormir contigo.

–¡Eh, eh! –lo frené–. Conmigo, no. No soy su mujer y usted no puede venir a casa ajena a dar órdenes. Yo soy la maestra aquí.

La advertencia sonó presuntuosa, lo sé, como si fuera el síndico o el general al mando, pero es que yo, en La Loma, era mucho más importante que un alcalde o un comandante. Era quien escribía las cartas de amor a las enamoradas de mis chicos. La que le echaba las cuentas a los campesinos, para que supieran cuánto obtendrían por sus sacos de café. La farmacéutica, porque cada vez que regresaba de Coa volvía cargada de medicamentos de encargo...

Por su cara entendí que a Reinaldo le pareció increíble mi negativa. Supongo que llegó a asumirla en la larga y solitaria noche que pasó en el cobertizo que le cedió la señora María, del que desalojó a sus hijos para dar cobijo al imperativo coronel, quien, transcurridos dos días sin conseguir su propósito, bajó de La Loma por donde había venido. Con sus plumas de pavo real replegadas en señal de derrota.

Pero no se dio por vencido. Siguió visitando mi casa de Coa tanto si yo estaba como si no, ganándose, cada día un poco más, la voluntad de mami y de mi abuela. Supongo que Cuchito vio en el coronel la oportunidad de librarse del oficio de raso e influyó en ambas para que, a su vez, me influenciaran a mí. El caso es que iniciaron una guerra psicológica que progresivamente hizo mella en mis defensas:

—Pero vamos a ver, ¿quién te crees tú que eres para estar despreciando a ese hombrote, buen mozo y guapo coronel? —me enfrentó mi abuela un día.

—¿Que quién me creo que soy yo? Mejor que él, porque yo tengo lo que él no tiene: juventud.

Poco después, mami volvió al ataque:

—Ven acá, Adela. Mira, *m'hija*. Tú eres una mujer joven, con muchos enamorados. Pero ya tienes un hijo y tienes que formar un hogar de verdad con un hombre que te quiera. Y ese hombre te quiere porque lleva dos años detrás de ti. Mira, yo te voy a dar un consejo. Lo peor que le puede pasar a una mujer es tener un hijo de cada padre.

Y luego, de nuevo, mi abuela:

—Si tú te casas con ese hombre, Rubén será su hijo y tanto él como los hijos que tengas con el coronel, donde quiera que digan «soy hijo de fulano de tal», les van a abrir todas las puertas.

Y mi madre:

—¿Cómo vas a despreciar así a ese hombre guapo, grandón, con ese rango? ¿Es que quieres ser de esas mujeres que tienen de cada perro un perrito?

Se turnaban, así, en la ofensiva. Palabra sobre palabra fueron socavando mi resistencia, pero no fueron ellas quienes me determinaron.

Rubén se puso malito una noche. Me despertó su llanto y, cuando lo toqué, estaba ardiendo en fiebre. Me vestí y salí con él al hombro en pura madrugada hacia el centro médico. Bajé corriendo la cuesta que muere en el muelle, tan pronunciada que, desde arriba, tienes la sensación de que los barcos no están atracados en el mar, sino anclados en la misma calle. De pronto vi a Reinaldo aparecer en su carro. Se brindó a llevarme y no se separó de mí hasta que, ya amanecido, la fiebre de Rubén cedió. Y con ella cedí yo. Como mami con don Pericles, pero sin poesías de por medio.

Antonio hizo caso a Lucecita. No se separó de mí en todo el día. Cuando colgué a mi prima, me dejó hablar durante horas, tumbados en la cama del hotel, sin interrupciones ni preguntas a destiempo como si, en lugar de contarle la historia de Reinaldo a él, me la relatara a mí misma. Sonaba extraña dicha en voz alta. Dudo que Antonio llegara a asimilar todo tal como yo lo había vivido. Además, aún no nos conocíamos lo suficiente para que él supiera interpretarme.

–Lástima que los informáticos no hayáis descubierto aún un *driver* para las personas. Hay programas para que la computadora se entienda con la impresora. ¿Por qué no para las personas? –le pregunté mientras me esforzaba por tragar un trocito de queso en la taberna donde Antonio me había llevado para reponer fuerzas y pensar soluciones tras la inquietante llamada de mi prima.

Él se limitó a asentir y a esbozar esa sonrisa oblicua que empleaba para casi todo: para solicitar la cuenta en el hotel; dar los buenos días a un extraño que bajó con nosotros en el ascensor; agradecer al camarero que trajera el menú... No conozco a nadie que rentabilice tanto un solo gesto. Lo miré, evaluándolo. Parecía que Antonio no me iba a servir de gran ayuda. Tendría que ser yo quien decidiera qué hacer.

Tenía que escapar, eso estaba claro. Pero, ¿adónde? No tenía ni una peseta. La nuera de doña Pilar todavía no me había pagado mi sueldo. Sorprendentemente, Antonio se ofreció a acompañarme a El Escorial, por la tarde, para reclamárselo. La señora me entregó un cheque y, aunque era innecesario, me pidió que recogiera mis cosas porque ese mismo día volvía a Madrid. Lo habría hecho en cualquier caso, aunque no me lo hubiera sugerido. Si Reinaldo tenía algún indicio para localizarme, éste le llevaría directamente hasta las viejas y de ellas a la nuera sólo había un paso. Tenía que desaparecer sin dejar rastro.

Antonio volvió a asombrarme cuando se empeñó en quedarse conmigo esa noche y acompañarme a la mañana siguiente a cobrar el cheque. Me propuso volver al hotel, pero era demasiado caro. Fuimos a la pensión La Nube, a una habitación que yo esperaba gris, como la primera en la que me alojé, pero que resultó roja como el infierno. Supongo que pensaron que era más adecuada para una pareja, aunque Antonio y yo no estábamos para bachatas.

Una vez instalados, él telefoneó a su madre, para avisarla de que esa noche no dormiría en casa, y luego me animó a bajar al locutorio para corroborar la noticia de Lucecita:

—Quizá todo sea un malentendido. A veces decimos cosas delante de la gente para hacernos los machos, pero luego, nada de nada —intentó tranquilizarme.

Antonio tenía razón. Debía confirmar lo que me había contado mi prima. ¿Y si todo era sólo un cuento? La mejor forma de saber si Reinaldo estaba en República Dominicana era llamarle. Tenía su teléfono. Marqué con dedos temblorosos, pero le pedí a Antonio que hablara él y, si lo cogía, respondiera que se había confundido. No fue necesario porque nadie descolgó, así que llamé a mi madre:

—¡M'hija! ¿Estás bien? —gritó.

—Sí, mami. ¿Y los niños?

—Bien, gracias a Dios. Óyeme muchacha: ¿te enteraste de lo del general?

El corazón empezó a latirme con fuerza en la diminuta cabina del locutorio.

—No. ¿Qué pasó?

Me separé el auricular del oído para que Antonio pudiera escuchar también.

—Le pegó dos tiros a Hilma.

Reinaldo se había ido a vivir con ella cuando comprendió que mi abandono era cosa decidida y que no daría marcha atrás.

—¿Cómo así? —alcancé a preguntar con un hilo de voz.

Noté un reguero de sudor descendiéndome desde las axilas. Miré a Antonio. Transpiraba también. Tenía una gotita prendida de su patilla. ¿Resbalaría finalmente? Es increíble cómo puede una reparar en las cosas más tontas en los momentos más terribles.

—Se iba a los moteles para ponerle los cuernos con ese capitán que fue novio suyo antes de casarse con el general. Reinaldo se enteró y les esperó a la salida del motel. Por lo visto le dio dos tiros. Uno en el hombro y otro en el estómago.

Imaginé el cuerpo de Hilma ensangrentado, tirado sobre el piso, tratando de hablar, cuando de repente su cara se borró y, en su lugar, vi la mía. Yo podía haber sido ella.

—¿Está muerta? —musité.

—No, está en el hospital de las Fuerzas Armadas. Muchos amigos tuyos llamaron a casa preguntando por ti. En la televisión dijeron que había pegado dos tiros a su mujer y creían que eras tú.

—Pero mami, ¿es que salió por televisión?

La gotita de sudor de Antonio se había liberado finalmente de la patilla y había iniciado un veloz descenso por su cuello.

—Me llamó tía Euduvigis para avisarme. Llegué a tiempo para ver cómo la policía lo sacaba esposado para llevárselo a prisión.

—¿Y lo han visto los niños? —no quería que mis hijos se enteraran.

–No, los mandé para el patio con la niñera. No se han enterado de nada, tranquila.

–¿Así que está preso? –al menos aquello parecía una buena noticia. Si lo estaba, no me andaría buscando en Madrid.

–No, *m'hija*. A las veinticuatro horas ya estaba fuera.

Reinaldo podía haber perdido todo su dinero y su posición, pero mantenía influencias y tenía muchos amigos importantes que le debían favores y silencios.

–¿Y dónde está ahora?

–No lo sé, muchacha, pero espero que no vuelva por aquí.

Recordé que yo misma le había pedido que fuera a ver a los niños para que mis hijos no se sintieran abandonados tras mi marcha a Madrid. Pero ¿cómo iba a imaginar que Reinaldo perdería así la cabeza? ¿Y si, en su locura, se llevaba a mis hijos?

–Mami, ¿es que ha ido por casa?

No, con los niños no se atrevería. «Los quiere demasiado», pensé.

–Desde que te fuiste pasó varias veces, pero no dejé que los viera. Si no se preocupa por ellos, ¿para qué quiere verlos?

Negué con la cabeza. Preocuparse, para mamá, es dar dinero. Por eso había negado la visita a Reinaldo, cuya situación económica, entonces, no estaba para andar sobornando a su suegra.

–Bueno, tengo que dejarla. Esto es muy caro, ya sabe. Pero páseme antes con Marcia, que hace mucho tiempo que no hablo con ella.

Mami obedeció a regañadientes. Mi niña se enzarzó en un monólogo del que sólo alcancé a comprender que andaba en pleitos con Victoria quien, según parece, le quitó los cacharritos de su cocina. Cuando se desahogó, me sorprendió con una petición que solía hacerme a menudo cuando estábamos juntas en casa:

–Mami, cántame...

Tarareé una nana que me enseñó tía Euduvigis hasta que la emoción me pudo. Disimulando las lágrimas que me trababan la voz, le pedí que volviera a ponerme con su abuela sólo para evitar que se diera cuenta de mi tristeza. Apenas recobró el teléfono, doña mami fue derecha al grano:

–Adela, este mes no has mandado ni un chele...

Su comentario me provocó un sofoco de ira que acentuó la sudoración. Iba a derretirme en aquella diminuta cabina.

–Es que no he cobrado aún, pero se lo envío en cuanto pueda, no se preocupe.

Me fijé en el cuello de Antonio. La gotita se había evaporado. Ya no estaba.

–¿Sigues en esa casa, en Madrid? –preguntó.

–No, mamá. Ahora tengo un trabajo mejor, en Barcelona –no sabría decir por qué, pero no quería que mi madre supiera mi paradero–. Escuche. Tengo que dejarla. Dele un beso a los niños, ¿lo hará?

–Claro, muchacha. Y tú recuerda lo que te dicho.

Cuando cerré, busqué instintivamente refugio en el pecho de Antonio. A la vista de lo sucedido, lo más probable era que Reinaldo hubiera salido de República Dominicana para esperar, en un lugar seguro, hasta que las cosas se calmaran. ¿Por qué no España? No lo dijo, pero adiviné que Antonio compartía mi inquietud. Preocupado, sacó su cartera y buscó un número.

–Voy a llamar a mi jefe. Se jubiló hace poco y se ha marchado a vivir a un cortijo que tiene en su tierra. Hace unos días hablé con él y me dijo que su mujer no se hacía a la nueva casa, porque es muy grande, y que se sentía muy sola. Quizá les interese tu ayuda.

Salí de la cabina y me senté, sorprendida de nuevo por su inesperada resolución. Tenía el cuerpo pesado y la cabeza nublada. No me sentía capaz de hacer nada ni de decidir nada, así que lo dejé hacer. Antonio apareció al cabo de algunos minutos, no sé cuántos, con una sonrisa de triunfo.

–Ha dicho que sí. Mañana a primera hora vamos al banco a cobrar tu cheque y salimos de viaje.

–¿Adónde?

–A Jaén.

Antonio leyó en mi cara que no tenía la menor idea sobre dónde estaba ese lugar, así que intentó ubicarme:

–Está en Andalucía, al sur –me aclaró, aunque en realidad me daba igual dónde estuviera con tal de que fuera lo suficientemente lejos.

–Pero ya se te han acabado las vacaciones –repuse–. Mañana es lunes y tú tienes que trabajar.

–Me deben nueve días por los fines de semana trabajados. No hay problema.

Cuando volvimos a la pensión no pude evitar mirar, de vez en cuando, hacía atrás para chequear que Reinaldo no me seguía los pasos. El miedo no necesita visa. Es una sombra que viaja con nosotros donde quiera que vayamos. Me siguió desde Coa a la calle Fuencarral. Y a nuestra roja habitación y su colchón cóncavo, donde Antonio siguió oficiando de oyente hasta que el sueño me rindió.

Durante nuestro primer año de relación, el coronel se esforzó en hacerme sentir como a una reina. Me hizo regalos. Me compró perfumes. Me llevó a los mejores modistos de la capital, en la avenida Independencia, para hacerme ropa nueva. A diferencia de Reinaldo, yo adoraba las pruebas. El revoloteo de la cinta métrica, el aroma del lino, los alfileres correctores, la elección de los colores, la pleitesía del modisto más afamado de la República, el elegido de las primeras damas y la gente bien de Santo Domingo, rendido a mis pies. Reconozco que todo aquello me encantaba.

Inmediatamente nos instalamos en un chalet que eligió no porque le entrara por los ojos, sino más bien por la nariz: tenía el patio sembrado de putas de noche, unas plantas que las Antillas exportó a España, donde las ascendieron a damas. Reinaldo adoraba su aroma invasor cuando florecían al anochecer. Yo, en cambio, lo encontraba excesivo. Siempre me han gustado más las fragancias frutales.

Una vez elegida la casa, contrató servicio: una niñera para Rubén; mi fiel Miguelina y Enérsida, la cocinera, cuya cicatriz en la cara despertaba en el coronel una prevención que no se esforzaba en disimular.

—Enérsida es puta —decía.

—Será un cuero, pero es la mejor cocinera del mundo, así que la dejas en paz porque a nosotros nos importan sus platos, no su cama —replicaba yo.

Día sí, día también, me dejaba notitas en cada una de las piezas de la casa, declarándome su amor y pidiéndome que me quedara embarazada. Reinaldo decía que deseaba una niña para que se pareciera a mí, pero en realidad sospecho que quería un niño. Era hijo y nieto de general y ambicionaba un varoncito que continuara la saga aunque adoraba a Rubén y mi hijo, que entonces tenía tan sólo cinco años, le correspondía. Cuando despertaba corría a nuestra cama y el coronel saludaba su asalto con cosquillas y piruetas que le enloquecían.

—Papá, hágame el astronauta —le pedía.

Reinaldo se extendía sobre la cama, ponía sus pies de elefante sobre el vientre de Rubén y lo izaba, sujetándolo también con las manos para que guardara el equilibrio. De esta forma, mi niño quedaba suspendido en el aire como una chichigua hasta que se desestabilizaba y terminaba derrumbándose, entre carcajadas, sobre el colchón.

Tras los juegos matutinos, Reinaldo tomaba un complejo vitamínico y un batido y me obligaba a hacer *footing* con él, aunque yo, que no llegaba a las cien libras de peso, apenas podía seguir el ritmo de aquel hombrón durante quinientos metros. Sin embargo, el intento me procuraba una deliciosa sesión de masajista, algo que yo no había gozado hasta el momento, así que me aficioné a los trotes mañaneros más por mi espíritu hedonista que deportivo.

En aquel entonces apenas tuve indicios que me alertaran sobre los desórdenes celopáticos de Reinaldo. Era celoso, pero no más que cualquier otro hombre que yo hubiera conocido. Sí noté que cuando íbamos en coche y alguien me saludaba se enojaba:

—¿Quién es ése? —preguntaba mirando de reojo al osado.

–Pedro, el de Mamá Rosa.

–¿Por qué te saludó? –insistía con ese timbre de voz que me alertaba sobre su enfado.

–Porque me conoce.

–¿Y tú por qué tienes que contestar?

–Porque es mi amigo. Éste es mi pueblo. La gente me conoce. ¿Qué quieres? ¿Que me esconda?

Cuando llevábamos once meses juntos, le mandaron a hacer un curso a California. Cada vez que le iban a subir de rango le enviaban fuera para estudiar, así que no pudo asistir al alumbramiento que tanto deseaba. Parí a nuestra hija Victoria sola. Cuando regresó, le ascendieron a coronel full y le destinaron a la 40, en Santo Domingo. Estando allí de puesto, ocurrió otro detalle que me solivió, pero al que no concedí mayor importancia. Iba caminando por la calle para reunirme con él. Recuerdo que llevaba una blusa de seda natural amarillo claro, un color que siempre me ha sentado especialmente bien. De repente, un muchacho que venía detrás me dio un azote en las nalgas. Lo incrépe, pero seguí andando. Al momento, Reinaldo pasó manejando con el chico dentro de un carro. Se metió en el campamento de la policía y corrí tras él.

–Deja al muchacho. ¿No ves que es una tontería?

–Mujer, sólo quiero asustarle.

–Pues con estas cosas a quien asustas es a mí.

Le rogué que lo soltara y lo hizo. Aún tenía el poder de conseguir de él lo que quisiera. Incluso que me dejara seguir viviendo en mi pueblo cuando le destinaron a Santo Domingo. Compramos un apartamento en la capital, porque Reinaldo no podía viajar cada día hasta Coa. Yo sólo iba los fines de semana o en vacaciones. No quise dejar mi pueblo. Hoy creo que fue un error, pero entonces todavía estaba muy apegada a mi madre y deseaba más que nada proseguir mis estudios de Psicología. La gente tiene aficiones. La mía, desde siempre, ha sido estudiar. Además, en cierto modo pienso que agradecí la distancia que el nuevo puesto ponía entre Reinaldo y yo. Él seguía produciéndome esa sensación desagradable que me intranquilizó siempre y que se acentuaba cuando manteníamos relaciones sexuales. Durante mucho tiempo, cuando lo hacíamos, pensaba: «Ábrete, tierra y trágame a mí sola». De alguna forma desarrollé una especie de habilidad para desdoblarme. Estaba con él, pero en realidad no estaba.

Con Reinaldo se me murieron la sensualidad y las ganas. A mí, que después de mi primer beso en los labios, con un pelotero adolescente llegado de Puerto Rico cuando tenía quince años, tuve que encamarme para aquietar una fiebre que me duró tres días. A mí, que fui capaz de llegar al orgasmo mientras bailaba, apretadita, un bolero con Tato, el día antes de su viaje a la frontera con Haití para hacer su pasantía. Yo, que era la sexualidad encarnada, pasé a no sentir nada. Como una muerta.

Dudo que él no lo percibiera, aunque simulaba no darse cuenta. En cualquier caso, supongo que añoraría las habilidades prostibularias de sus dos ex mujeres, quienes, además de ser más competentes, eran también más bellas que yo. Por eso, quizá, intentaba aderezar nuestros encuentros con una puesta en escena sugerente, destinada a abrirme las ganas. Me llevaba a moteles para hacerme el amor. Llegábamos a escondidas y subíamos a la habitación como novios en fuga, aunque yo encontraba más placer en el morbo sugerido por el juego –tanto es así que luego lo repetí con otros hombres– que en su cama, siempre desangelada e inhóspita, aunque a él no parecía importarle.

Reinaldo compensaba mi falta de deseo con el suyo, siempre exuberante y acrecentado, en progresión geométrica conforme al número de días que lleváramos sin vernos, aunque él intentaba que no fueran muchos. A veces venía a Coa de madrugada sólo para acostarse conmigo y hablar. Le encantaba charlar y quizá fue eso lo que, poco a poco, me fue acercando a él. Podíamos pasarnos la noche entera hablando y riendo porque ciertamente era un hombre gracioso. Reinaldo me contaba todo: su trabajo, sus lecturas, hasta sus conquistas. Cuando se nos agotaba la conversación, cantábamos, aunque lo hacíamos malísimo, hasta que amanecía y tomaba apresurado su batido y sus vitaminas antes de salir corriendo en su *jeep* de vuelta a la capital. Otras veces se presentaba a la hora de almorzar y me pedía que le llevara a la cabaña de la playa para probarme con sabor a sal.

Creo que él me quería. Yo nunca lo amé, pero supongo que en aquella época aprendí a quererlo como se quiere, quizá, a un amigo. O ni siquiera eso. Simplemente me dejé querer. Y de tanto dejarme querer me quedé de nuevo embarazada, y de nuevo, cuando llegó el día del parto, siendo ya general, tampoco estaba conmigo. Cuando comenzaron los dolores, me encontraba en casa, viendo la televisión. De pronto salió él en la pantalla. Vestido de blanco, con el uniforme de gala, impresionante. Asistía a una graduación de cadetes de los tres cuerpos armados.

–¿Otra vez voy a dar a luz yo sola? ¡Ay, qué va! Yo no paro sola. Tú vienes porque vienes –le dije a su imagen televisiva.

Llamé a su campamento militar, les comuniqué que estaba de parto y les rogué que lo avisaran. Sólo entonces accedí a ir a la clínica, acompañada por mi madre y mis dos hijos. Ingresé sobre las cinco de la tarde y di a luz en torno a las siete. Reinaldo seguía sin aparecer. Finalmente llegó de madrugada, disculpándose por no haber acudido antes.

–He venido en cuanto me ha sido posible, Flaca. Tenía que dejar organizadas unas cosas para poder pasar unos días contigo. ¿Dónde está tu niña?

–Nuestra niña.

–Sí. ¿Dónde está?

–Ahí –dije señalando su cunita, iluminada apenas por la luz que se colaba desde la calle. Reinaldo encendió una lamparilla, se aproximó a la cuna y sacó a la niña.

–Adela. ¿Ésta es la hija de nosotros? –preguntó receloso.

–Claro.

–Pero ¿tú estás segura? –insistió.

–Que sí.

—Pues te la dejaron pasar de candela —bromeó.

Pese a los dolores del parto, reí con ganas la ocurrencia. Era cierto. Los dos éramos color cacao. Marcia, en cambio, era negrita como carbón.

—Tienes que dar tu permiso para la ligadura de trompas —le recordé cuando conseguimos acallar las carcajadas. Le había pedido a mi ginecólogo que me sacara todo lo que sirviera para parir.

—¿Seguro que no quieres otro?

Reinaldo se había sentado en una butaca, junto a mi cama, y se había colocado a la niña sobre el pecho. Parecía una ranita diminuta en medio de aquel torso inmenso.

—Ya tenemos a Rubén y dos muchachitas. ¿Para qué más?

La operación fue sencilla y la recuperación rápida. Reinaldo desapareció de nuevo, reclamado por sus obligaciones y yo me quedé en casa, abrumada con los regalos enviados por sus amigos y conocidos: una cabra, un saco de arroz, una caja de bacalao... Todo por haber dado a luz a la hija del general.

Me sentía aliviada. Saber que no me iba a quedar de nuevo embarazada era un descanso. Después, cuando lo dejé con Reinaldo, fue más que eso. Si él hubiera sabido la tranquilidad fornicadora que la ligadura de trompas proporciona a la mujer, no hubiera firmado la autorización para operarme ni muerto y enterrado.

Antonio me despertó a las ocho colocándome bajo la nariz un café y un pastel. No sólo me trajo el desayuno, sino que había traído su coche, comprobado el aire de las gomas y los niveles de agua y aceite, repostado combustible y pagado la habitación. Lo tenía todo listo para huir, pero antes debíamos ir a cobrar mi cheque y girar dinero a mami. No era buen momento para tenerla descontenta.

Llegamos al banco a las nueve y salimos cinco minutos después. El cheque no tenía fondos. Antonio se ofreció a adelantarme el dinero, pero me negué. Estaba indignada. Quería mis sesenta mil pesetas de forma que, pese a la prevención que tenía a regresar a la calle Serrano, nos dirigimos hacia allí. La nuera de doña Pilar vivía en el mismo edificio que las brujas. Cuando llegamos, Antonio quiso subir conmigo, pero lo convencí para que se quedara esperándome en el coche.

–¿Está doña Laura? –le pregunté al portero.

–Está, pero me ha dicho que si vienes buscándola te diga que sigue en El Escorial.

–¿Me deja pasar?

–Yo me voy para el jardín. Tú sube, pero no se te ocurra decirle que te he dejado pasar porque esa mujer me come –me advirtió.

Subí, llamé e intuí que alguien me observaba, en silencio, desde el otro lado de la mirilla. Volví a tocar el timbre, pero no me abrió, así que comencé a aporrear la puerta y a gritar:

–¡Ladrona, ábreme!

Mano de santo. Tardó menos de un segundo.

–Adela, ¿qué escándalo es éste? –dijo, apurada, obligándome a entrar. Me sorprendió ver a doña Pilar en el *hall*. A esa hora solía asistir a su misa diaria.

–Eso digo yo, señora, ¿qué escándalo es éste? ¿Por qué no me paga? Yo he hecho mi trabajo y usted no me ha pagado.

–Bueno, por lo menos has comido –me retó la bruja reina.

–Déjame, Pilar, que yo me entiendo con ella –le dijo a su suegra. Luego, dirigiéndose a mí, con aires de gran señora, atacó–. Eres muy altanera, ¿sabes? ¿Es que no puedes esperar? Yo te di ayer un cheque.

–Sí, pero no tiene fondos –respondí avanzando lentamente hacia ella.

–¡Qué cosas tienes! ¡Claro que tiene fondos! –se defendió mientras retrocedía, hasta que topó con la pared y quedamos a menos de un metro la una de la otra.

–He estado esta mañana en el banco y no los tiene. Y yo le digo una cosa: o me paga ahora mismo o yo no sé lo que va a salir de aquí.

Iba a sacar de la cartera el talón para tirárselo a la cara, pero el movimiento le asustó.

–Está bien, está bien. Espera aquí –dijo zafándose de mi proximidad. Regresó enseguida–. Toma y no vuelvas –añadió alargando el brazo cuanto pudo para entregarme el dinero, como si yo fuera a agredirla, retirándolo apenas cogí mis sesenta mil pesetas como si mi cercanía la quemara.

Reconozco que su miedo me divirtió. No soy una mujer dada a la violencia, aunque tampoco la descarto cuando debo emplearla para defenderme.

–Hoy me marcho a Barcelona, así que quédese tranquila –le mentí. No sé por qué, pero pensé que era buena idea. Si Reinaldo venía preguntando por mí, le darían una pista equivocada.

El viaje a Jaén se me hizo largo y pesado, aunque paramos un par de veces para tomar café, estirar las piernas y pausar el monólogo en el que me había enfrascado desde que salimos de Madrid.

Antonio manejaba con una prudencia a la que yo no estaba acostumbrada. Ponía la luz direccional. Facilitaba la incorporación de los carros que avanzaban por el carril de aceleración, cediéndoles el paso. Pisaba el freno cada vez que una señal le advertía que debía reducir la velocidad.

–¿Tú nunca te saltas las reglas? –le embromé.

–¿Cómo? –preguntó sin mirarme. La autovía estaba limpia de coches, pero ni aun así relajaba su atención.

–Que si siempre haces lo que debes.

–¡Qué va! A veces hago pellas en el trabajo para fugarme con chicas en apuros –rió. Diminutas púas blancas despuntaban en su cara, que esa mañana no había podido rasurar por falta de tiempo, endureciéndole el aspecto. Miré su pelo para comprobar si tenía canas. No había ninguna a la vista.

–Óyeme, Antonio. ¿Cuántos años tienes?

–Treinta y tres. Los cumplí en mayo. ¿Y tú?

–¡Huy! Mucho más joven. Treinta y dos –le mentí–. Y dime, ¿cómo es que un muchachón como tú no se ha casado?

–No es fácil encontrar a la chica de tu vida. Creí haberla

encontrado, pero yo no era el hombre de su vida. En realidad tenía varios hombres en su vida –confesó echándome una breve ojeada parda en la que entreví luto.

–Bueno, quizá yo sí lo sea –repliqué, no sé por qué, con voz melosa. Antonio estaba lejos de ser el tipo de hombre que siempre me ha gustado. No destacaba por nada.

–¿Y a ti? ¿Te puso a ti los cuernos el general? –preguntó curioso.

Desde que comencé a relatarle mi historia con Reinaldo era la primera vez que me preguntaba algo al respecto. La respuesta me llevó todo el viaje.

Reinaldo siempre tuvo líos con otras mujeres. A mí no me importaba. «¿Que se quiere encamar con otra? Que lo haga. Así me lo evito yo.» Pero yo siempre le fui fiel. Cuando me zafé de él, o mejor, cuando zanjé nuestra relación porque de él no había conseguido librarme ni en Madrid, me resarcí de esos tres años de fidelidad incondicional. Al menos de cuerpo, porque mi mente y mi corazón seguían apegados a Tato, como siempre.

Una vez vi a mi fantasma en la capital, donde había ido para reunirme con Reinaldo. Yo iba con el chofer, sentada en el asiento de atrás de su BMW color verde monte. Me encantaba ese coche. A él le volvía literalmente loco. Todavía recuerdo su cara cuando Rubén vomitó dentro en una de nuestras excursiones familiares por la costa, poco después de que se lo adquiriera al ejército, que los importaba exclusivamente para los generales por treinta mil pesos.

Iba al encuentro con Reinaldo, cuando el chofer detuvo el auto en un semáforo en rojo. Miré, distraída, por el vidrio y vi a Tato, al volante de un Honda Civic chiquitico, situado junto a nosotros. No le veía desde hacía cinco años. Sabía que se había casado poco después de que yo iniciara mi relación con el general, porque días antes de la ceremonia, Alfredo, uno de sus compañeros de residencia en la época estudiantil, me llamó. Tato le había pedido que fuera su padrino, pero quería mi permiso. Extraño, ¿no? Quizá

Alfredo pensó, con razón, que Tato estaba en deuda conmigo y de alguna forma censuraba su matrimonio. No me lo dijo, pero intenté tranquilizarle:

—Cada quien hace lo que quiere. No me importa lo que haga Tato. Yo también estoy casada —le dije, aunque la noticia me dejó sumida en una tristeza que me duró meses.

Y, de repente, ahí estaba Tato. Aguardando, como nosotros, a que el semáforo se pusiera en verde. Parecía distraído. ¿Qué estaría pensando? No puedo saberlo. Sólo sé que, en determinado momento, me miró. Y me reconoció. Yo le devolví la mirada, sin poder reprimir cierta soberbia:

—Mira dónde estoy yo y dónde te has quedado tú —pensé.

Fue sólo un segundo, porque mi chofer arrancó enseguida y dejó atrás su carro. Y dentro de él me quedé yo, o parte de mí, o mis entrañas. El amor suele pesar más que el resentimiento. Quise estar en ese Honda Civic, diminuto y destartalado, con Tato sentado a mi lado y no en el lujoso coche del general, como he deseado pocas cosas en mi vida.

Reinaldo nunca supo nada de Tato ni de los ensueños que me provocaban otros hombres más corpóreos que mi particular fantasma. Él, en cambio, me informaba puntualmente de sus conquistas. A veces llegaba a casa retrasado y yo le preguntaba:

—¿Por qué has tardado tanto?

—¡Ay, Flaca! Había una chica en la carretera haciendo autostop. Ya era tarde, no había transporte y la traje. Bueno... y he tenido que hacerle un chin.

—¿Y por qué te pones a hacer el amor con esa chica en la carretera? —le preguntaba con falsos aires de ofensa, agradeciendo íntimamente la excusa que me brindaba esa noche para botarle de mi cama.

—¿Y qué podía hacer si ella me buscó? —se exculpaba poniendo cara de inocente y encogiéndose de hombros como si no entendiera mi enojo.

Doña mami me inculcó desde pequeña que el hombre es de la mujer de puertas hacia dentro; de puertas hacia fuera —decía— es de quien lo quiera. Y así fue con el general. Mío, en mi casa. De quien lo quisiera –y eran muchas–, fuera de ella. Si los galones eran un poderoso estimulante para las mujeres, ¿qué podía hacer yo al respecto? En mi país, si tienes un marido importante como Reinaldo Unzueta, con el enganche que tenía como hombre, debes aceptar que otras mujeres vayan detrás de él porque, si no, tendrías que separarte todos los días. O asumes que es un hombre casi público o te divorcias cada vez que te pone los cuernos. Además, ¿qué iba a hacer? ¿Sufrir por lo que él estaba gozando? Eso no va conmigo.

Yo siempre he tenido una concepción muy personal de las relaciones de pareja. Me siento libre para mantener la relación que quiera, con quien quiera y cuando quiera. Sé que esto suena raro a los españoles. Antonio me miró de reojo, desconfiado, cuando se lo conté en el coche. Pero es que aquí se tiene un sentido de pertenencia, de las personas pero también de las cosas, exagerado. Se acuestan un día con alguien y, sólo por eso, ya lo consideran suyo.

Yo, en cambio, creo que nadie es de nadie. Yo no siento que nadie me pertenezca. Ni siquiera mis hijos. Tampoco que yo pertenezca a nadie. Bueno, a mi madre sí. Pero sólo a ella. Reinaldo decía que no había logrado cortarme el ombligo y tenía razón. Todavía lo llevo colgando.

Cuando mi madre me dio a luz casi me muero porque tenía el cordón umbilical atado al cuello. Ella tenía quince años y mi parto fue tan difícil que nunca más pudo parir. Cuando asomé, me dieron por muerta. Me salvé porque llegó tía Euduvigis y adivinó que respiraba, dándome los masajes y el calor que me revivieron. Así que sobreviví a mi nacimiento de milagro, aunque durante toda mi vida me ha acompañado esa sensación de ahogo y pertenencia en lo que a mi madre se refiere.

Pero a Reinaldo no. A él no le pertenecía, ni sentía que él me perteneciera. Por eso me daba igual lo que hiciera. Y por eso, quizá, él no me ocultaba sus relaciones con otras mujeres.

Una mañana, cuándo él estaba ya viviendo en Santo

Domingo, le pedí un día, poco antes de San Valentín, que me mandara el coche con el chofer a Coa para recogerme e ir a la capital.

–Pero es que esta noche yo estoy invitado a una cena –trató de excusarse.

–Bueno, pues vamos los dos.

–Es que si te llevo, tengo un lío.

–Pues si tienes un lío, lo desbaratas, pero yo voy. Porque vamos a ver una cosa: ¿adónde tú vas?

–Me ha invitado una mujer que se llama Nereida Silfa. Y esa señora está por mí –admitió.

–Pues dile a esa señora que vas a ir conmigo.

Reinaldo telefoneó para avisarla de que iría acompañado, pero no le dijo que yo era su mujer, sino su sobrina. Le seguí el juego y fuimos a la cena. Cuando llegamos al coqueto hotel para turistas de la «señora», situado en pleno centro de la capital, casi me caigo. Nereida era una morenaza bien rellena, de caderas espléndidas, pelo afro y cadenas de oro cuyo centelleo atraía deliberadamente las miradas hacia unos senos macizos como rocas. Me sentí más menuda que nunca a su lado. Otra vez ese dichoso complejo de patito feo. Otra vez la Flaca.

Hechas las presentaciones, nos hizo pasar a la enramada del patio donde había dispuesto la cena. Me senté frente a Reinaldo y ella se colocó a su lado para tenerlo más a mano, supongo.

–General, como sabe fui a los Estados Unidos y le he traído un regalo –dijo contoneando hasta las pestañas.

–No tenía por qué molestarse, Nereida.

–No es molestia. Mire –añadió mostrándole un bolígrafo y una pluma Cross, que en Santo Domingo eran por aquel entonces carísimas. Luego desenvolvió una franela con un ochenta y nueve en la espalda–. Ay, lo siento muchísimo pero no he traído nada para su familia. Es que yo no sabía que iba a venir nadie más –se disculpó. Desde ese momento «nadie más» desapareció de la mesa para ella.

Al cabo de un segundo, volvió a la carga:

–General, he visto su carro. Tiene usted un BMW. ¡Huy! ¿No cree que una mujer como yo necesita un auto como ése?

Y después otra vez:

–Me compré un arma de fuego para protegerme. Porque una mujer como yo necesita estar protegida si no tiene un hombre como usted, ¿no cree?

Y otra:

–¿A que una mujer como yo necesita un hombre como usted, general?

Divertido, Reinaldo me daba pataditas con la punta del zapato por debajo de la mesa, conteniendo a duras penas la risa, desatada a dúo apenas salimos por la puerta.

Su atractivo creció con su rango. Cuando, tras el preceptivo curso, esta vez en Taiwán, le hicieron general, el gallinero se le alborotó con decenas de gallinas que hacían cola para gozar de sus favores. Hilma, la mujer que Reinaldo había tiroteado a la salida del motel, era una de ellas. Trabajaba enfrente de la Secretaría de Estado de las Fuerzas Armadas donde él tenía su despacho. La conoció cuando era novia de un alférez. Entonces, Hilma daba clase a la hija que le dejó tirada la segunda mujer del general, la bailarina emigrada a España. Luego, cuando Hilma se reencontró con él, se enamoró. No del hombre, sino de sus estrellas y galones.

Un fin de semana fui a verle a la capital y, cuando estábamos en nuestro apartamento, ella llamó al telefonillo:

–¿Está Reinaldito? –preguntó con voz cantarina.

–¿Quién es Reinaldito? –contesté yo, molesta por la confianza.

–El general Unzueta.

–Está de guardia.

Dos horas más tarde probó de nuevo:

–¿Está el general?

–No está. ¿Con quién hablo?

–Soy una amiga de él.

El salón del apartamento daba al *parking*. Me asomé a la ventana y la vi. Cuando llamó por tercera vez, la hice pasar.

Quería saber quién era y por qué se sentía con la libertad de insistir, de buscar así a Reinaldo.

–Siéntate. ¿Te ofrezco algo?

Esa mujer había girado a la izquierda en el *hall* cuando la hice pasar. Había enfilado el pequeño pasillo, camino del salón como si conociera la casa, pensé mientras repasaba su provocativa forma de vestir.

–No. ¿Tú quien eres? –preguntó descarada.

–Yo soy la señora de Reinaldo Unzueta ¿y tú? –esa muchachita estaba empezando a irritarme de verdad.

–¡Ah! Tú eres Adela. Yo soy Hilma.

–Pues sí, soy Adela. ¿Y quién es Hilma?

–¡Ah! Una amiga de él –replicó pasándose la mano por su larga melena negra, suavizada acertadamente con reflejos cobrizos que ayudaban a limarle los rasgos. ¿A qué peluquería iría?

–¿Y qué tanto buscas tú a un hombre que no es nada tuyo y que tiene su mujer y sus hijos? ¿Es que no te da vergüenza?

–¿Y tú? ¿Qué tienes que decirme a mí si Reinaldo te lleva y te trae como un racimo de plátanos? –me desafió poniéndose de pie.

–Pues Reinaldo se ha pasado el fin de semana singando con este racimo de plátanos mientras que tú andas detrás de él, buscándole como perra en celo –repliqué levantándome también del sofá.

–Bueno, eso lo veremos –contestó. Deseé borrarle la sonrisa de una cachetada, pero me frené.

–¿Lo veremos? Mira, cállate la boca y aléjate de él. Tú estás enamorada de un rango y un rango no es un hombre. No te metas en su vida o te pesará. Y no le llames Reinaldito porque a la única persona a la que Reinaldo Unzueta permite que le llame Reinaldito es a mí.

Nos dijimos hasta berenjena y se marchó. Reinaldo regresó y le conté lo ocurrido. De nuevo saludó lo sucedido con carcajadas:

–Adela, tú no le hagas caso –dijo mientras se desnudaba

para ducharse. Siempre me llamó la atención esa manía suya de dejar su ropa perfectamente doblada y colgada apenas se desprendía de ella.

–¡Ah!, pero ¿te has acostado con ella?

–Le eché un chin, pero ¿qué? Yo no tengo nada con esa mujer. Hilma tiene el culo frío –añadió antes de desaparecer, guiñándome el ojo, camino del baño.

Quizá lo tuviera entonces, pero el sexo debió templársele cuando nos separamos porque se fueron a vivir juntos y se casaron. El «racimo de plátanos» fue más lista. Huyó a Madrid. Hilma se quedó y acabó con dos tiros en el cuerpo.

Salvamos los últimos kilómetros de viaje en silencio. Creo que Antonio estaba cansado y a mí se me había instalado una inquietud cuyo origen vegetal me dio vergüenza compartir. La mediana de la autopista estaba sembrada de adelfas multicolores: blanco hueso, rosadas como lenguas, rojo sangre. Se sucedieron durante kilómetros, causándome una desazón silenciosa. Evité mirarlas, como si así pudiera conjurar el infortunio asociado a estas plantas de mal agüero, pero no pude evitar que me inspiraran siniestros presagios.

Cuando llegamos al cortijo de Anselmo, el jefe de Antonio, el sol plateaba los olivos, derramándose sin piedad sobre los campos en los que mi vista no alcanzaba a ver más que extensiones sin fin de esos árboles que yo, hasta entonces, sólo había visto –apenas una docena– en la Plaza de España. Allí había un océano de olivos plantados en hileras que trenzaban el campo en todas direcciones.

Apenas bajamos del coche busqué con la vista algún pueblo, pero no lo había. Sólo campo. Inspiré hondo con la esperanza de que la bocanada me trajera el aroma salobre del mar.

–¿Dónde queda la playa? –pregunté, inocente, a Antonio.

Él estalló en su primera carcajada. Al menos, la primera que yo le escuchaba.

–Flaca, Jaén no tiene mar –contestó caminando hacia una pareja que asomaba ya por la puerta de entrada a la casa, seguida por una niña pequeña, de cuatro o cinco años.

—¡Mira a quién tenemos aquí! –saludó Anselmo estrechando, con fuerza, la mano de Antonio–. ¡Ya era hora de que te decidieras a hacernos una visita! –añadió palmoteándole ligeramente la espalda.

—Antoñito, dichosos los ojos que te ven –saludó Paca, su mujer.

Se acercó a él y le cubrió de besos sonoros como disparos. Apenas concluyó la salva, Antonio me presentó:

—Ella es Adela.

Anselmo me prodigó la misma sucesión de rotundos cariños. Paca, sin embargo, se mostró más fría. Acercó sus mejillas a las mías pero, en lugar de estallidos, sus besos sonaron como tibias salvas al viento.

—¿Y esta niña tan guapa? ¿Es Paula? No me lo puedo creer. ¡Cuánto ha crecido! –dijo, sonriendo, Antonio.

—¿A que está preciosa mi nieta? –preguntó Paca. La niña sonrío con timidez, apretó la muñeca que tenía contra el pecho y se apresuró a buscar la mano de su abuela–. Vamos adentro, que nos vamos a freír como los pajarillos.

Me sorprendió el fresco que hacía en el interior de la casa, que mantenían en penumbra, con las persianas bajadas, para que el calor no se colara dentro. Anselmo nos condujo a la cocina, donde nos obsequió con un par de cervezas heladas y un plato de aceitunas de sabor tan amargo que, cuando mordí la primera, de buena gana la hubiera devuelto al plato. Tuve que tragarla rápido para librarme de su gusto que, aun así, siguió raspándome el paladar durante un buen rato. Sin nada con qué acompañarla, la cerveza comenzó a bailarme merengue en la cabeza. Menos mal que mi silencioso Antonio había asumido el protagonismo de la conversación, resumiendo a sus amigos mis desventuras, aunque, entre giro cerebral y volteo estomacal, alcancé a entender que les escatimaba, con delicadeza, los detalles que podían contrariarme.

Cuando terminó, Paca suspendió la picadura del pepino que estaba incorporando al gazpacho. Desde que habíamos llegado no había dejado de trajinar en la cocina. Me miró de refilón. Fue sólo un momento, pero me pareció que desconfiaba.

–¿De verdad que ese hombre ha venido a matarte? –preguntó.

–Eso me han dicho –respondí avergonzada.

Intenté, no sé si con éxito, que mi respuesta, deliberadamente escueta, no revelara el centrifugado neuronal originado por la dichosa cerveza. No suelo tomar, pero me prometí que no volvería a hacerlo nunca más. Ni para celebrar la detención de Reinaldo, si es que se producía.

–¡Ea, pues no se hable más! Mañana vienes conmigo a Jaén para arreglar el papeleo y te quedas con nosotros. ¿Setenta mil pesetas al mes te parece bien? –me preguntó Anselmo.

–Claro que sí –atiné a responder.

–Te ayudará con la cocina –dijo dirigiéndose a su mujer.

–En mi cocina sólo entro yo –se defendió ella blandiendo en el aire el cucharón con el que estaba removiendo el gazpacho, liberando con el movimiento un aroma vegetal y avinagrado.

–Bueno, pues con la niña; y te acompañará de vez en cuando a Jaén para ir de tiendas. ¡Así me lo ahorro yo! –exclamó aliviado.

–¡O a tomar un café al quiosco del parque! –terció súbitamente animada Paca, como si la perspectiva de salir de aquel cortijo para entregarse a tan cuestionable divertimento fuera lo más de lo más.

Antonio, sentado junto a mí, me guiñó un ojo y me rodeó con el brazo, estrechándome contra él. Independientemente de lo que ocurrió después, en ese momento sentí que lo quería. Supongo que el amor es así a veces, aunque no soy una experta. En mi vida ha habido muchos hombres, pero en treinta y siete años sólo me había enamorado una vez. Sólo había existido Tato. Reinaldo fue un mal sueño convertido en pesadilla cuando el ejército y yo le pusimos en retiro.

Año y medio antes de mi huida a Madrid, Reinaldo cayó en desgracia. Le destinaron a un cementerio de generales ubicado en una remota región militar situada al noroeste, a un día de viaje desde Coa, si hacías los setecientos kilómetros de golpe, y a día y medio si parabas a dormir en algún punto intermedio.

Pese a mi resistencia a salir de Coa, fui a verle enseguida, llevándome conmigo a Marcia, que tenía año y medio y una naturaleza quebradiza y debilucha como la mía de pequeña. Reinaldo nos alojó en el mejor hotel de la ciudad porque la casa del general, llamada del agua por su situación, junto a la desembocadura de un río frecuentado por parejas y suicidas, estaba en reparación. Además, contrató a una niñera y me dejó asignado a un soldado para que nos hiciera de chofer y nos asistiera en cuanto necesitáramos. Un chico guapísimo. El más guapo que he visto en mi vida. Cuando llevaba una semana allí me preguntó qué deseaba hacer:

–Me voy a dar una ducha y luego bajaré al centro para comprar algunas cosas porque probablemente me vaya mañana –le respondí.

Mi estancia se iba a alargar y había decidido traer con nosotros a Rubén y a Victoria. Me puse a ordenar algunas cosas y, cuando fui al baño, envuelta sólo en una bata, me lo encontré dentro colocándome las chancletas y la toalla para que las tuviera listas cuando saliera de la ducha.

–Pero muchacho, ¿tú que haces aquí? ¿Tú eres loco? ¿Cómo se te ocurre?

–Sólo le estaba colocando las chancletas –alcanzó a responder, atolondrado, mientras retrocedía hacia la puerta.

–¡Ay, mira, vete! Si el general te encuentra aquí, te mata.

El soldado se asustó tanto que no sólo salió del cuarto de baño sino también de la habitación, pretextando que iba a buscar el carro. Luego, en el viaje a Coa, se esforzó por no mirarme. Ni siquiera a través del espejo retrovisor. Y menos de frente. Hicimos juntos el viaje de vuelta pero no volví a verle más gracias a Dios, porque era una tentación de muchacho.

111

Pasé dos meses yendo y viniendo desde Coa al nuevo puesto de Reinaldo, que asumió bien su nuevo destino. El exilio forzado no había cambiado su carácter fiestero. Seguía gustándole salir a cenar y explorar nuevos moteles. Nos hicimos clientes fijos del Club Náutico e incluso se aficionó a navegar, él que siempre había sido hombre de pies en tierra. Un día me llamó al hotel para que me preparara:

–Oye, Adela. Ha llegado un coronel de puesto aquí, a la comandancia. Es nuevo y tenemos que darle la bienvenida.

–OK. ¿Qué hacemos?

–Mira, vamos a buscarnos un perico ripiao, que nos hagan un chivo bien guisado y nos vamos de parranda.

La bienvenida se prolongó hasta la madrugada. Pese a la fiesta, Reinaldo se levantó, como siempre, a las seis, se fue a correr y luego a la comandancia. Yo me preparé para viajar a Coa, porque Victoria, que en esa ocasión dejé en casa con mi madre, estaba con vómitos y diarrea. Salimos en cuanto me mandó un *jeep* con el nuevo chofer y, cuando íbamos por la mitad de camino, pensando en detenernos para descansar, oímos por la radio la noticia del decreto por el que cesaban a Reinaldo. Su sustituto era el coronel con el que habíamos pasado la noche celebrando. Pensé en regresar, pero reconozco que me importó más la enfermedad de Victoria que la puesta en retiro del general, aun cuando intuía lo que esto representaba para él. Reinaldo no conocía más vida que la militar. Su padre lo crió con él, en un campamento, porque la mujer por la que sustituyó a su madre, dedicada a leer la taza y la baraja, rechazó al niño. No lo quería en casa. Y él convirtió el campamento en su hogar. El único que había conocido en su vida.

Una vez confirmado su cese, Reinaldo se replegó, herido, a nuestro apartamento de Santo Domingo. Cuando Victoria se repuso, viajé para verle. Esperaba encontrármelo hundido, pero parecía exultante. Se había encargado diez trajes en su sastrería favorita, la mejor de Santo Domingo, supongo que para demostrar a todo el mundo que no estaba afectado, que seguía siendo el mismo de siempre. Lo acompañé a probárselos, advirtiéndole que no podía hacer locuras con su sueldo de pensionado. Luego, cuando le entregaron el primero, se presentó en Coa para invitarme a cenar al Hotel Cibao, donde nos topamos con una recepción. En ello se encontraba el obispo, con quien Reinaldo siempre había mantenido una estrecha relación de amistad. Hasta ese día.

En su época de general en activo siempre sirvió al prelado en cuantos favores le demandó, poniendo los camiones del ejército a su servicio para realizar transportes y a la tropa para llevar a cabo trabajos pesados. Cada vez que se encontraban se saludaban calurosamente, con abrazos y palmotadas de compadres. Cuando le vio en el hotel, Reinaldo se acercó a cumplimentarle con la efusividad de siempre:

–Buenas noches, ¿cómo estamos? –dijo amagando el inicio de un abrazo que nunca fue.

–Hola, ¿qué tal? –respondió con seriedad el obispo extendiendo la mano para estrechar la de Reinaldo, congelando así su intención de abrazarle.

El prelado ni siquiera se levantó de su asiento. Miré a Reinaldo y le vi sudar, lívido como la muerte, ante el desaire. Creo que en ese momento comenzó a darse cuenta de lo que comportaba su condición de general retirado e inició, de verdad, su declive. Pese a ello, no me mudé a la capital con él. No es que me culpe, pero creo que, por inmadurez o por lo que sea, no supe ayudarlo en ese momento clave para él. Sé que Reinaldo también lo pensó, pero eso no justifica lo que vino después.

Seguí en Coa, donde sus cada vez más espaciadas visitas me dejaban entrever su progresiva decadencia. Primero vendió la *jeepeta* Toyota. Luego el Celica. Sólo conservó el BMW, porque para él ese coche era como un hijo. Después saldó nuestro apartamento para invertir en una constructora que quebró pocos meses más tarde. Y dejó de venir por casa. Aparecía de vez en cuando, siempre con algún regalo para mí o para los niños. Una cocina nueva. Un perfume llamado Orgía que odio, como odio el recuerdo de ese día, el de mi cumpleaños.

–Voy a cambiar, Adela. La cosa está jodona, pero va a mejorar –me dijo, cogiéndome de las manos, como si intuyera mi fuga e intentara evitarla sujetándome–. Estoy negociando unas cosas. Compré unos camiones de esos que sirven para transportar material y debo atender el negocio. Hablamos durante horas y nos arreglamos. Pero luego desapareció de nuevo durante meses. No llamó y yo no sabía dónde localizarle. Me enteré por terceros de que su último negocio también había fracasado. Me dijeron que andaba con otras mujeres. Una amiga de la capital me contó que le había visto en una estación gasolinera con una mujer. Me la describió y supe que era Hilma. Cuando apareció por casa, le dije que se había acabado. Estaba furibunda. No sé por qué entonces me afectó su infidelidad y antes no. Pero por primera vez la sentí como una falta de respeto. Nunca antes lo había visto así. De hecho, sólo empecé a pensar que la infidelidad era algo serio de verdad cuando llegué a España y vi que aquí las parejas tienen otra forma de relacionarse. Ningún español le dice a su mujer:

–Mira, he tardado en llegar a casa porque me acosté con fulanita por el camino.

En cualquier caso, Reinaldo no se creyó mi decisión de ruptura. Ni entonces, ni las veces siguientes. Hasta que un día fue a Coa a llevarme dinero para sus hijos y no se lo acepté. Ahí fue cuando entendió, de verdad, que mi decisión era firme. Y comenzó el acoso para propiciar mi regreso. Afortunadamente, mientras duró nunca supo, o eso creo, que me había liado con un muchachito, hijo de unos vecinos, propietarios de algún ganado, con los que tenía comprometida la leche diaria. Tenía sólo diecisiete o dieciocho años. Muy blanco, altísimo, fuerte, con unas manos enormes y vocación de odontólogo.

Me di cuenta de que le gustaba por su forma de mirarme, de querer tocarme. Cualquier ocasión era buena para rozarse conmigo. A veces con la cadera remolona que no se viraba a tiempo para dejarme pasar. Otras, con un brazo que rompía esa frontera intangible que marca la distancia entre cuerpos socialmente aceptable. Un simple roce bastaba para acalambrarme el vello. No le di importancia, pero reconozco que le dejaba hacer, halagada por el interés que despertaba en el muchachón.

Una noche, me desperté y sentí que alguien me miraba desde la puerta de mi cuarto. Al principio fue sólo una sensación, pero la descarté. ¿Quién iba a estar en mi dormitorio mirándome? Entreabrí los ojos y vi una sombra que se acercaba a la cama. Despacio. Sin hacer ruido. Cada músculo de mi cuerpo, hasta hacía un segundo relajado, se tensó por el terror. Sí, había alguien que podía haberse colado en casa: Reinaldo.

La sombra, velada por el mosquitero y la oscuridad de la noche, siguió avanzando, sigilosa como un gato. Grande. Ya estaba casi a los pies de mi cama. El miedo me entrecortaba la respiración. La de la sombra, en cambio, era profunda y espesa. La oía. Estaba cada vez más cerca. ¿Tenía algo sobre la mesita de noche con lo que defenderme? No. El despertador a pilas no servía. Tampoco el libro. Ni la lamparilla. Me incorporé bruscamente, con un grito que me nació de las entrañas y ascendió por la tráquea reseca listo para atronar la noche. Pero una voz susurrante, más asustada que la mía, me detuvo:

–¡Que soy yo, doña! ¡Que soy yo!

No era Reinaldo. Era el hijo del lechero.

–¿Qué tú haces aquí? –alcancé a decir con el corazón desbocado.

Él cogió delicadamente la orilla de satén rojo del mosquitero para apartarlo y que lo viera. Tenía el mohín de un niño ante un escaparate repleto de dulces. Se pasó el labio inferior, joven y carnoso, por el superior, fino y determinado, como un gato que se relame ante su presa.

–Me quiero quedar contigo.

–Pero ¿por dónde has entrado?

–Me he saltado todas las vallas para venir. ¿Me meto contigo en la cama? –dijo avanzando un milímetro, expectante.

Dudé apenas un segundo antes de asentir.

Ahí comencé a rentabilizar mi ligadura de trompas y seguí haciéndolo hasta que mi muchachote, como le decía en la intimidad, terminó su bachillerato y el colegio universitario:

–La doña, felicíteme. Voy a estudiar a la capital –me anunció, exultante, un día.

–Ah, muy bien. ¡Felicidades!

–Voy a ser dentista.

–Yo no sé cómo tú quieres ser odontólogo. Vas a matar a la gente con esas manos –me burlé.

–De verdad, doña. Voy a ser dentista.

–Pues cuando te matricules te voy a regalar tu primer libro de carrera y tu primera bata.

Cumplí mi promesa. Le compré su bata y mandé grabar su nombre. Y dos libros como premio a sus destrezas, que no pude seguir disfrutando por miedo a que Reinaldo me sorprendiera en el trasiego de viajes que habría supuesto ir a verlo a la capital.

Como ocurrió con Tato, la medicina nos separó. Y, como sucedió con mi novio, lloré su ausencia durante noches. Pero en esta ocasión no fue por amor, sino porque pasé por un síndrome de abstinencia sexual del carajo que se tradujo en un cuadro clínico típico: llantinas desconsoladas e insomnio. Como si fuera una niña y alguien me hubiera robado mi juguete favorito. Aunque me quedó un consuelo. No he vuelto a verle más pero sé, por su hermana, que se casó con una mujer idéntica a mí.

# IV

El cortijo donde me escondía de Reinaldo estaba a quince kilómetros de Jaén capital. En el camino, los olivos se sucedían a sí mismos como una letanía vegetal retorcida y obstinada en esa tierra previsible, donde al remontar una loma aprendí a esperar un valle, sembrado también de olivos y coronado por otro cerro romo, cuadriculado igualmente por aquellos árboles perpetuos.

Durante el recorrido observé que Antonio echaba breves ojeadas al espejo retrovisor. Aunque lo hacía con disimulo, me contagió su recelo. Cada minuto me volteaba para comprobar que detrás sólo nos seguían, en su carro, Anselmo, Paca y la niña. La tramitación de mis papeles había servido de excusa para esta excursión colectiva que iniciamos temprano, para evitar el calor que anunciaba el canto estridente de algunas chicharras madrugadoras o noctívagas, como borrachos que se niegan a cancelar la noche, llamando a las hembras con sus vibrantes timbales.

Primero nos detuvimos en el despacho de abogados de un amigo de Anselmo para formalizar mi contrato de trabajo:

–Está de suerte –me dijo sonriente, recostándose en su mullido sillón–. El gobierno ha promulgado una ley que permite la regularización de todos los inmigrantes llegados antes de junio de 1991, siempre que dispongan de un contrato de trabajo. Usted llegó en abril, ¿no?

–Sí señor, hace casi cinco meses ya –respondí observando la estantería situada tras él.

Pensé que su ubicación tenía el deliberado propósito de transmitir confianza a los menesterosos clientes del bufete. Los libros, aunque sean de leyes, tienen ese don: hablan incluso cerrados, sugiriéndonos que sus dueños deben ser tan sabios como ellos.

–Entonces conseguirá fácilmente la tarjeta de residencia –asintió el abogado incorporándose ligeramente para mirar a Anselmo, a quien se dirigió a continuación–. Si esperas una hora, te devuelvo el contrato sellado para que vayáis a la delegación de Trabajo –de repente pareció acordarse de algo–. Mi primo Andrés trabaja allí. Pregunta por él para que os agilice la gestión.

–Si me dan el permiso de trabajo y residencia, ¿podré traer a mis hijos? –dije con una voz que me sonó palpitante, sincronizada con los latidos que me bombeaban en el pecho, como pequeñas descargas.

–Claro que sí, señora, aunque el procedimiento lleva algún tiempo.

Cuando salimos apenas podía contener la alegría. ¿De verdad podría traer a mis hijos? En aquellos momentos estaba tan contenta por la noticia que no percibí la frialdad con la que la recibió Antonio. Lo pensé días después, cuando recordaba el momento. Mientras que yo flotaba, improvisando incluso algunos pasos de merengue por la calle –saludados con risas por Paula y con gestos desaprobatorios por dos señoras que, carrito en mano, parecían dirigirse a la compra–, él se limitó a mirarme, esbozando esa sonrisa multiusos que me enfermaba. Imposible saber qué pensó exactamente. ¿Merece la pena que me meta en tantos líos por esta mujer? ¿Que le busque refugio para huir de un general tarado? ¿Y si descubre que estoy con ella y me pega dos tiros como a Hilma? ¿Y si trae a sus hijos? ¿Qué hago yo con tres niños extraños?

Quizá Antonio caviló todo eso escudado tras su sonrisa de Gioconda o puede que fueran imaginaciones mías, por esa tendencia que tengo a darle vueltas a todo. Si hubiera hablado, habría sido más fácil interpretarle, pero con sus silencios sólo podía divariar hasta que hacía algo que me servía de pista.

Esa mañana, mientras esperábamos a que el abogado sellara el contrato, decidió que quería regalarme un celular.

—Así te tendré localizada —declaró con un brillo indescifrable en esos ojos pardos que tanto me costaba leer.

—OK, pero no le des mi número a nadie. Ni siquiera a Lucecita. Tú eres el único que sabe dónde estoy, y yo no quiero que nadie más pueda ubicarme, ¿me entiendes?

Pareció confuso, como un niño sorprendido en falta que no sabe qué responder. Pagó el móvil y salimos de la tienda. Sólo entonces se explicó, con los ojos enterrados en el piso:

—Me temo que no soy el único que sabe dónde estás. Manolo es hijo de Anselmo y Paca. ¿No te lo había dicho?

—¿El novio de Lucecita?

—Claro, ¿qué Manolo va a ser? Conseguí mi trabajo por él. Bueno, por su padre. Antes de jubilarse era el responsable de la división de informática de mi empresa. Manolo y yo somos amigos desde niños.

—¿Paula es su hija?

—Sí.

Me costaba imaginar que Manolo hubiera tenido una niña. Un hijo es algo serio y Manolo no lo era. Más bien todo lo contrario. Tenía un aire informal, desenfadado, una actitud aniñada y su indumentaria parecía la de un adolescente: casi siempre bermudas playeras, camisetas de surfista y chanclas multicolores. Supongo que vistiendo así trataba de enmascarar su edad, aunque la barriga y la papada, ambas incipientes pero rotundas, lo delataban. Hay fenómenos corporales cuya entidad —y ése era el caso de los promontorios de Manolo— revela que son estructurales, no coyunturales. Curvas indeseadas cuyo volumen y textura dejan bien a las claras que son inmunes a las dietas. Que han llegado, o crecido, para quedarse.

Aunque, bien pensado, si Reinaldo había sido padre, si

yo era madre, ¿por qué no Manolo? Una idea loca se me coló en la cabeza. Hasta el momento no me lo había planteado, pero reconozco que entonces sí. ¿Y Antonio? ¿Sería Antonio un buen padre? Que a su edad viviera aún con papi y mami no parecía un signo de madurez. Pero, ¡qué tontería! Acababa de conocerle. ¿Cómo podía plantearme algo así?

Ajeno a mis divagaciones, Antonio, inusualmente locuaz, seguía hablando. Me reincorporé a su charla justo cuando decía:

–Entonces Manolo conoció a Lucecita. Se enamoró y... bueno, ya sabes.

–No, no sé –reconocí cada vez más perpleja. Demonio de prima, ¡no me había contado nada!

–Este verano se fue de vacaciones con su mujer mientras Lucecita viajaba a República Dominicana. Para ver si podían arreglar lo suyo. Pero salió fatal. Manolo entendió que no podía seguir con aquella mentira y se lo contó. Ahora están arreglando las cosas para divorciarse. Por eso han traído a Paula con Anselmo y Paca.

Bajamos una pronunciada cuesta de vuelta al despacho de abogados para recoger mi contrato. Durante un instante, breve como un pestañeo, me pareció entrever, al final, el muelle de Coa, con los barcos varados en mitad de la calle. Pero no. Sólo había carros transitando despacio, amodorrados por el calor. Y esa niña que saltaba, infatigable, sólo unos pasos por delante de nosotros no era Victoria. Era Paula. Brincaba a la pata coja, conservando el equilibrio gracias a los abuelos, que la custodiaban los flancos, cogiéndola de las manos. Parecía que botara sobre uno de esos dibujos que las niñas pintan en los patios y aceras, desplazando una piedrita ficticia con un pie mientras mantenía el otro plegado hacia atrás. Como un pequeño flamenco jugando a la rayuela.

Me enterneció ver cómo su abuelo sostenía, en la mano que le quedaba libre, la muñeca de Paula. Y cómo se agachó para devolvérsela antes de entrar en el despacho a por mi contrato. Cuando salió, nos encaminamos hacia la delegación de Trabajo.

–Podéis desayunar en esa terraza mientras Adela y yo nos ocupamos del papeleo –sugirió Anselmo señalando un pequeño bar.

Antes de entrar me giré y vi que Antonio decía algo a Paula, entretenida con su inseparable muñeca. Luego, simuló que cargaba una imaginaria cuchara con comida de mentira y se la acercó a la boca.

–Espere un momento –rogué a Anselmo, que sujetaba ya la puerta de entrada a las oficinas para facilitarme el paso.

Miré de nuevo al hombre y a la niña. Antonio estaba dando otra cucharada a la muñeca. Sonreía.

«Guárdela. Para lo que necesite, estamos aquí para servirle.»

–¿Eso te dijo? –preguntó Antonio apurando la segunda tostada con tomate que le había preparado al estilo Jaén, siguiendo las enseñanzas de Paca. Aquel hombre era un comilón insaciable.

–Mira, aquí la tengo. Eduardo García Morales –dije tendiéndole la tarjeta que me entregó el inspector cuando llegué a Barajas.

–Ese tío quería ligar contigo, Flaca.

–No me hables pendejadas, muchacho. Ya sé que ese viejo quiere rollo conmigo, pero con darle largas tengo bastante. Toma mi pan también si quieres, madame sagá.

–La mitad de las veces no entiendo lo que me dices.

Reí. Me gustaba confundirle con mis expresiones y vocablos dominicanos.

–Es un parajarito chiquitico que come como un león. Si te descuidas, arrasa las cosechas de arroz y mijo. Pero, dime, ¿cómo puedes comer tanto?

–¿Y tú tan poco?

Antonio tenía razón. Llevaba semanas en las que la comida no me pasaba de la garganta. Tenía hambre, pero era incapaz de comer.

–¿Y entonces qué? ¿Lo llamas? –añadió mientras echaba un generoso chorreón de aceite a mi tostada.

–¿Ahora? –titubeé. Di un sorbito a mi café, demorando la decisión.

–Claro, mujer. Vamos a estrenar el móvil.

Marqué, indecisa. En principio, no tenía nada que temer. Ya tenía mi contrato de trabajo y Anselmo me había dicho que los papeles de mi residencia ya estaban listos, pendientes sólo de que fuera a ponerles la huella. No me podían echar de España, pero cuando el inspector respondió la llamada estaba nerviosa. La voz me tembló cuando saludé:

–Hola, soy Adela Guzmán –mi interlocutor guardó un silencio revelador. Estaba claro que se había olvidado de mí–. Hablamos en Barajas, en abril, ¿recuerda? –reconozco que mi pista era muy débil para ubicarle, pero fue lo que me salió.

–Lo siento, pero... –comenzó a responder con desinterés.

–Soy la maestra dominicana que vino a escribir un libro sobre la conquista de América.

–¡Ah, sí! –afirmó con el tono repentinamente vivaz–. ¿Qué tal su investigación?

Miré a Antonio en busca de apoyo, pero él sólo tenía ojos para la tostada. No sabía qué decir. No quería mentir, pero tampoco contarle la verdad. Confusa, opté por no responderle.

–Verá, señor, le llamo porque necesito su ayuda.

–Claro, pero no me llames señor. Eduardo, ¿vale? –sugirió con un deje risueño en la voz. Me pareció que estaba encantado con mi llamada.

–Sí... Verás, es que me gustaría saber si mi marido ha entrado en España.

–¿Tu marido? No entiendo. Se supone que si viniera te lo diría, ¿no?

Antonio mordió el pan, liberando una catarata de migas diminutas. Alargué el dedo índice y empecé a aplastarlas con la yema.

–No exactamente. Mire, le voy a ser sincera.

–De tú, por favor.

–Sí, es que él y yo estamos separados, ¿sabes? –percibí una sensación de júbilo moderado al otro lado del teléfono que, sin embargo, no se tradujo en palabra o sonido alguno–. Y tengo sospechas fundadas de que puede haber venido a España para hacerme daño, ¿comprende?

–¿Por qué piensas eso?

No sé por qué imaginé que, mientras me preguntaba, se había rascado la entrepierna. Tengo que consultar con un psicólogo esta tendencia mía a visualizar cosas raras.

–Mi marido es un hombre violento. Lo fue conmigo, cuando estábamos casados, y con su siguiente mujer. Le pegó dos tiros y mi familia de República Dominicana me ha dicho que tiene la intención de venir a España para hacerme lo mismo.

El inspector se tomó su tiempo antes de hablar, como si sopesara lo que acababa de decirle:

–Entiendo, pero compréndeme tú a mí. Me estás pidiendo algo que no es muy regular que digamos. Si quieres podemos vernos y lo hablamos.

–Me gustaría mucho, pero no estoy en Madrid, Eduardo –me disculpé, mencionando su nombre premeditadamente–. Si te parece, te llamo en cuanto llegue.

Nueva pausa. Me sentí observada. Como si el inspector evaluara mi respuesta con esa mirada que me tensó durante nuestra entrevista en Barajas. Como si pudiera verme. Incómoda, seguí aplastando las migas que Antonio había regado por el mantel.

–Está bien –concedió–. Y ¿cómo se llama tu marido?

–Reinaldo Unzueta. El general Reinaldo Unzueta Salcedo.

–¿Conoce a alguien en Madrid?

Ahora parecía que el inspector estaba tomando notas. Imaginé el nombre de Reinaldo escrito con grandes letras rojas sobre el papel blanco y me estremecí.

–No. Bueno, sí. Conoce a alguna de mis primas.

–Bien, te llamaré en cuanto sepa algo. ¡Ah! Una cosa más. ¿Por qué dices que fue violento contigo?

Siempre he tenido premoniciones. Sueños que me previenen de que algo, casi siempre malo, ha ocurrido. Una vez soñé que Negrito, el marido de mi tía Euduvigis, un hombre problemático, agresivo y capaz de pelear incluso dentro de una botella, yacía tirado en un charco de sangre y lodo en un conuco próximo a la finca de mi abuela. Llamé a mi madre para avisarla y cuando, sabedora de que mis presentimientos suelen ser certeros, salió en su busca, se encontró con que lo traían herido grave en una litera.

Pero el personaje principal de mis presentimientos oníricos ha sido siempre don Pericles. Una noche visitó mis sueños mientras estaba en casa de mami con mi hijo Rubén. El papá de mi niño contribuía generosamente a su manutención, pero estaba de viaje en Puerto Rico. Era Navidad y yo no tenía dinero para comprarle nada. Don Pericles se me apareció, plantado frente a la puerta:

—Entre —le invité.

—No, yo no entro a esa casa porque soy un hombre de mucha vergüenza y a la casa de la que a mí me botan yo ya no vuelvo más —replicó con el enojo pausado que le caracterizaba.

Pensé que estaba dolido por la facilidad con la que mi madre lo había suplido por el inefable Cuchito en su cama y en su vida, suplantando sus libros por gallos y palomos que correteaban por la casa como si fuera su corral. Don Pericles esperó a que saliera fuera para volver a hablar:

—¿Qué te pasa, *m'hija*, que te veo tan triste y tan rara?

—No sé. Es que estoy sin dinero y me da mucha pena que el niño no tenga ropa nueva y regalos para Navidad. Su padre no le ha mandado nada.

—Pero si te mandó dinero, juguetes y ropa hace como un mes.

—¿Cómo que mandó dinero? —le pregunté sorprendida.

—Sí, con Franklin, el chofer de las guaguas.

—Pero ¿dónde voy a encontrar yo a ese hombre?

—Vete a la capital a buscarlo, a la parada. Ahí le encuentras.

Me desperté a las seis de la mañana y le pedí dinero a mi

madre para ir a Santo Domingo. Como me auguró don Pericles, apenas llegué vi al chofer que cubría la línea de Coa:

–¡Eh, oye! ¿A ti qué te pasa?

–Ay, Adela. Perdóname, perdóname... pero se me dañó la guagua y he tenido muchísimos problemas. Tengo unos paquetes tuyos y no te los he podido llevar –se disculpó apurado.

–¿En un mes? Porque hace como un mes que a mí me mandaron esos paquetes.

–Adela, lo siento pero hasta algunas cosas se han perdido...

–Mira, tú cobraste un dinero por traérmelas y me las tienes que dar.

Los juguetes no aparecieron. La mitad de la ropa que su padre había enviado a Rubén tampoco. Pero el dinero sí. Y así fue como mi niño tuvo unos Reyes Magos como es debido gracias a la advertencia de don Pericles.

Sin embargo, con Reinaldo me fallaron las alarmas. No tuve un presagio claro de lo que iba a ocurrir esa cálida noche de marzo, un mes antes de mi viaje a Madrid. Cuando tocó a mi puerta sentí esa inquietud indefinida que siempre me producía, pero poco más. Le dejé pasar. Incluso jugar con los niños. Al fin y al cabo era su padre. ¿Qué iba a hacer, si no?

Reinaldo me engañó. Se mostró afable y cariñoso. Parecía tan normal que cuando me pidió que lo acompañara a tomar un sándwich a un restorán de las afueras de Coa, que solíamos frecuentar cuando estábamos juntos, no recelé. Pensé que quizá fuera un buen momento para aclarar las cosas con él y reconducir tantos meses de desavenencias. Me vestí. Me puse un conjunto de falda a cuadros. Amarillo. Dejé a Angelita a cargo de mis hijos y me monté en su carro. No era el BMW ni el Celica. Era viejo y destartalado. Le faltaban hasta las carcasas interiores que los fabricantes utilizan para embellecer las puertas. Miré el mecanismo que sirve para subir los vidrios y me pregunté qué sentiría al verse en un auto semejante después de haber tenido tanto. Me dio pena.

Al principio Reinaldo manejó con aparente tranquilidad. Charlaba y hacía bromas. Nada me previno de lo que vino después. Ni siquiera cuando atravesamos Coa y, en lugar de tomar la ruta del restorán, giró hacia las afueras.

–¿Dónde me llevas? –le pregunté, pensando aún que había decidido cambiar el plan. Se le habría antojado cenar junto al mar. Hacía una noche muy agradable. Sin embargo, su respuesta me dejó helada.

–A matarte. Te voy a matar y te voy a dejar tirada en la playa como a una puta para que el que te encuentre piense que tú estabas de cuero y que tu chulo o quien sea te mató –respondió con la mirada fija en la carretera. Luego volteó los ojos hacia mí y supe que iba a hacerlo de verdad–. Y yo voy a estar en Estados Unidos riendo mientras.

Reinaldo agitó ante mi cara un pasaje de avión. Luego se inclinó y sacó la 45 de debajo de su asiento. Puso la pistola delante del volante, sobre el salpicadero. Intenté pensar, pero sólo atiné a concentrarme en el camino de luz que la luna trazaba sobre las aguas mansas del mar y en el destello fugaz de las luces de las casitas situadas junto a la playa que, una tras otra, íbamos dejando rápidamente atrás porque ahora Reinaldo manejaba a toda velocidad por la carretera del litoral. Imposible saltar del coche.

–Te voy a matar –repitió en voz baja, disparándome una mirada cargada de odio.

–Tú no matas a nadie porque no sirves para nada. ¿Tú te crees que me vas a matar a mí?

No respondió. Sólo rió. El sonido de su carcajada me sacó del letargo en el que me había sumido el miedo. Intenté coger la pistola, pero me dio un manotazo que me aplastó la nariz y me arrojó contra el vidrio, golpeándome la sien. Rabiosa, le fui encima, pero era mucho más fuerte que yo. Me mantuvo a raya con el brazo derecho mientras manejaba con el izquierdo. Sin embargo, el forcejeo le obligó a reducir la marcha. Intenté arrojarme del carro varias veces, pero no lo conseguí porque él halaba de mí hacia dentro.

Fuera alcancé a ver, iluminados por los faros, cientos de cangrejitos cruzando la carretera. Nunca he sabido por qué lo hacen. Por qué salen del mar al anochecer y se encaminan, tierra adentro, como si acudieran a una cita ineludible. Más de una vez había rogado a Reinaldo que frenara y tratara de esquivarlos. Esa noche, no. Esa noche las ruedas los machacaron sin piedad. Como una apisonadora. Invadiendo el interior del auto con el sonido terrible de sus caparazones aplastados. Una vez y otra. Nunca, desde entonces, he podido soportar el chasquido que producen los crustáceos cuando los atenazas con las pinzas para romper su coraza. De hecho, nunca he vuelto a comerlos desde aquella noche. Nunca más.

Estuvimos forcejeando hasta que llegamos a una playa y parqueó junto a la carretera. Aproveché la maniobra para salir corriendo. ¿Hacia dónde? No sé. Estaba oscuro. No veía nada. Sólo sentía las yerbas que me rozaban los pies al correr y el olor ficticio de las adelfas. De repente llegué a una alambrada. Intenté cruzarla por encima, pero él me agarró y no sé qué pasó. Debí engancharme con una púa porque un dolor intenso me percutió uno de los dedos del pie y empecé a sangrar. Luego, él me cogió del pelo y me arrastró hasta el coche. Lo prendió y siguió manejando siempre hacia delante. Sin hablar. Con la mirada fija en la carretera. A toda velocidad. Como un loco.

La nariz me chorreaba sangre. Me pasé la mano y me quedé mirándola como una idiota. Como si no fuera mía o fuera otra cosa. Pensé limpiarla restregándola contra la falda, pero no pude. Pese a todo, seguía intacta. Amarilla. No quise mancharla. La mano quedó suspendida en el aire sin saber dónde ir. Miré hacia delante. Él silbaba.

Reinaldo siguió costeando hasta que llegamos a un motel de carretera. Un chico joven con aspecto de gringo, de apenas veinte años, salió a nuestro encuentro:

–Mira, yo quiero una habitación –dijo asomando la cabeza por el vidrio.

El muchacho vio mi estado y se negó:

–No tengo habitación porque yo no te voy a abrir con esa mujer así.

Furioso, Reinaldo abrió su portezuela, sacó la pistola y le apuntó, amenazándolo:

–Es mi mujer y yo hago lo que quiero. ¡Soy el general Reinaldo Unzueta!

Pasamos la cancela. Me giré para pedir ayuda al joven, pero sólo alcancé a ver su espalda, mientras caminaba hacia lo que parecían las oficinas del motel. Luego mi puerta se abrió y sentí una mano de hierro que me asía del brazo y tiraba de mí hacia fuera. Caí al suelo. La mano volvió a cerrarse, esta vez sobre mi cuello, y me aupó, como si fuera una muñeca de trapo. Una vez en pie, aflojó un poco la presión. Tosí y grité algo. Creo que pedí socorro. Pero no había nadie.

Reinaldo me empujó entonces hacia una cabaña. Angustiada, intenté zafarme de él. Respondió con un golpe seco en el estómago. Con el puño cerrado. Me doblé en dos, casi inconsciente, pero me di cuenta de que me cargaba encima. Caminó. Pateó la puerta de la cabaña y me tiró en la cama. La caída me espabiló. Supe lo que iba a hacer. Luchamos. Apenas podía respirar, pero grité. Intenté quitármelo de encima. No sabía que una mujer pudiera tener tanta fuerza hasta entonces. Él intentaba separarme las piernas. Yo luchaba para cerrarlas. Lo empujé. Él volvió a darme un puñetazo. En la cara. Y perdí el conocimiento. Afortunadamente.

Cuando desperté, estaba en Coa. En mi cama. Vestida. Era de noche todavía. Apenas había luz. Pero vi que él estaba delante de mí. A los pies de la cama. Mirándome. Me quedé muy quieta. Creo que incluso dejé de respirar, como cuando algo me asustaba de pequeña. Él no dijo nada. Yo tampoco. Sólo me miró. Viró la cara hacia un lado y escupió con fuerza al piso. Lo recuerdo porque nunca le había visto hacerlo y me sorprendió. Luego giró sobre sus talones y se marchó cerrando la puerta despacio, como si no quisiera despertar a los niños.

Apenas se fue, me levanté como pude. Me quité la ropa ensangrentada y la eché dentro de una letrina que había en el patio de una casa colindante con la de mi amiga Rosario. Luego me aseé, curé mis heridas, me cambié de ropa y me quedé en la cama, esperando a que amaneciera.

Cuando apareció el primer rayo de sol, busqué a Angelita, la niñera. La desperté para encomendarle que cuidara a mis hijos. Asintió sin abrir los ojos. Me puse un pañuelo y gafas para ocultar la hinchazón de la cara y me fui sola, magullada y dolorida, a la policía. La oficina estaba vacía. Coa siempre ha sido un pueblo tranquilo. Salvo en fiestas, cuando los tragos encharcan la razón de los hombres y encienden las peleas. Abrí la puerta y alcancé a ver cómo el policía de guardia, que dormitaba con la cabeza reposada sobre los brazos en el mostrador de la entrada, se erguía a cámara lenta. Sin ninguna prisa. Hasta adoptar una posición digna. La que consideraría acorde con su oficio.

—Quiero hablar con el teniente. Vengo a poner una denuncia por maltrato —dije buscando una silla en la que sentarme. Las piernas apenas me tenían.

—¿Y quién la maltrató, señora? —preguntó el guardia con gesto todavía somnoliento.

—El general Reinaldo Unzueta —afirmé quitándome las gafas para que observara mejor las magulladuras.

Mi respuesta lo espabiló de golpe. Los ojos, hasta un segundo antes amodorrados, se le abrieron como a un búho.

—Pero ¿tú estás loca? ¿Cómo te voy a recibir una denuncia contra el general? ¿Tú te crees que yo no quiero mis habichuelas? —se negó iracundo.

Ni él, ni el teniente, ni nadie, me recibieron la denuncia. Incluso temí, en algún momento, que si seguía insistiendo sería yo, y no Reinaldo, quien acabaría presa.

Volví a mi casa como un zombi. Sin reconocer las calles. Sin responder a los saludos de mis vecinos. Caminé a la deriva, como si no fuera yo. No era Adela. Era otra. Aquello no me había ocurrido a mí.

No se lo conté a nadie. Las desdichas ajenas producen un alivio extraño porque le ocurren a otro. Fulanito se murió. Yo estoy vivo. Menganito cogió unas fiebres. Yo estoy sano.

Y si le suceden a personas consideradas altaneras y comparonas hay, incluso, quien se alegra y condimenta tu desgracia con mentiras susurradas, mucho más tóxicas que las proclamadas, porque la ignorancia te impide atajarlas. Por eso, cuanto peor estoy –económica o psicológicamente– aparento estar mejor. Como cuando Reinaldo me echó del ingenio en el que trabajaba y todas mis amigas, salvo las más íntimas, se pusieron de su parte y lo justificaron. Y cuando me violó y casi me mata y la gente dijo que Reinaldo me había pillado pegándole los cuernos.

Pasé una semana deshabitada. No pensaba. No sentía. Ni siquiera lloré. Hasta que un día me prohibí seguir así. La depresión es un lujo de ricos. Yo no podía permitírmelo. Tenía tres hijos y Reinaldo no iba a acabarme la vida. Esperé a que se hiciera de noche. Acosté a los niños. Cuando se durmieron fui a la letrina donde había botado la ropa la noche de la violación y, ayudándome con una vara, la saqué. Lavé la mierda. La herví. Volví a lavarla otra vez. Y a hervirla. Y a lavarla. La planché y me la puse. Me quería morir, pero me vestí con ese traje. Amarillo. Lloré cuanto pude y seguí adelante. Y aquí estoy.

No volví a encontrarme con Reinaldo hasta que cinco días antes de venir a España me presenté en su despacho para pedirle que fuera a ver a los niños, pero también para demostrarme que era capaz de enfrentarme a él. Que no había podido conmigo. La noche anterior a nuestra entrevista no dormí, pensando en todo lo que le diría. Ideando réplicas a sus argumentos. Incluso ensayé ante un espejo los gestos que adoptaría. Fue en vano. Cuando me vi sentada frente a él, las palabras ensayadas durante la madrugada se me borraron, pero encontré otras. Conseguí mi objetivo.

Pese al dolor del pie que, tras semanas de aparente cura, volvió a latirme con fuerza cuando avancé hacia él. Y esa rigidez en los muslos, prietos como las hojas de acero de una tijera cerrada. Y los recuerdos inconexos que me atravesaron como un calambre. Y el esfuerzo por mantenerle en todo momento la mirada. Aunque la boca se me secó como el cauce de un río sediento y las piernas me tiritaron al levantarme, cuando concluyó nuestra entrevista, yo era más fuerte.

Mi principal ocupación en casa de Anselmo y Paca consistió en cuidar a su nieta. Para mí no fue un trabajo, sino un regalo, aunque no fue sencillo que Paula se decidiera a aceptarme en su mundo. Supongo que le sorprendía mi color. Mi acento. Puede que se sintiera a gusto en ese mundo exclusivo, propio de los hijos únicos, en el que, ausentes sus padres, sólo había lugar para sus abuelos y su muñeca. Tenía muchas, pero siempre jugaba con la misma. Rubia, de nariz respingona y dos dientes blancos despuntándole en la boca.

–¿Cómo se llama? –le pregunté la mañana que Antonio regresó a su trabajo, en Madrid.

Paula me miró recelosa y siguió peinándola, en silencio.

–El mío se llamaba Robertino.

Aún recuerdo aquel muñeco. Me lo trajeron los Reyes la primera Navidad que mami y yo pasamos con don Pericles. Los Magos siempre se habían mostrado cicateros conmigo hasta entonces. No me habían traído más que algunas muñecas de alcanfor. Pequeñitas. Transparentes. Se rompían con sólo mirarlas, pero tenían unos ojos azules que se movían de un lado a otro muy rápido, muy rápido. Sin embargo, aquel año me regalaron el muñeco más lindo del mundo: Robertino.

A partir de esa Navidad sucumbí al insomnio feliz que padecen millones de niños en el mundo la víspera de Reyes. Incluso colaboré con don Pericles en la tarea de dejar sobre la consola tres vasitos de ron del bueno para que repusieran fuerzas. Si no me diera vergüenza, diría que, además, en una de esas mágicas noches, llegué a percibir el exótico olor de los camellos colándose por la persiana de mi cuarto. Como si hubieran saltado de las páginas de *Las mil y una noches* para descansar en el patio, mientras los Reyes inundaban la casa de regalos.

–Robertino era pequeño, pero parecía un niño de verdad

con su pelito pegado al cráneo. Además, olía a rosas –expliqué a la niña tratando de captar su interés, aunque parecía enfrascada en su juego. Con las puertas cerradas a todo intento de comunicación. Sin embargo, cuando ya no me lo esperaba, habló:

–Sofía –dijo sin mirarme.

–¿Cómo?

–Mi muñeca. Se llama Sofía.

–Encantada, Sofía. Yo soy Adela.

La presentación arrancó una pequeña sonrisa a Paula. Tan moderada como la de su muñeca. Pero al menos había entornado la puerta.

–¿Y qué otros juguetes tenías? –preguntó.

–Me encantaba hacer muebles de tierra mojada y ponerlos a secar.

–¿Muebles de tierra? –preguntó incrédula, pero la curiosidad pudo con el escepticismo; a su edad, cuando el mundo entero está aún por estrenar, todavía sucede–. ¿Cómo?

–Cuando llovía, mis primas y yo recogíamos el lodo, lo amasábamos y hacíamos muebles. Imagínate un sofá. Hacía la tablita de abajo como si fuera el asiento. Otra por detrás, para el respaldo, y dos rollitos que servían de brazos.

Mi explicación la dejó pensativa. Parpadeó, volvió a mirarme con esos ojos que sólo tienen los niños y preguntó de nuevo:

–¿Y no se rompen?

Supe que me había dejado entrar en su mundo. Agradecida, mi mano voló hacia su pelo. Era más suave que el de mis hijos. Como de seda joven. Pero el contorno de su cabecita era idéntico al de Victoria.

–No, si luego los pones a secar.

–Aquí casi no llueve –repuso dejándose acariciar.

Con los ojos cerrados podría ser mi niña. No pude evitarlo. Dejé caer los párpados.

–No importa. Fabricaremos la lluvia con una regadera. Yo te enseño.

El celular sonó cuando estaba haciendo la cama de Anselmo y Paca. No lo esperaba. Me asustó. Era la segunda llamada que recibía. La primera me la hizo Antonio, para avisarme de que ya había llegado a Madrid y anunciar que volvería el próximo fin de semana. Antes de marcharse me había grabado su número para que identificara sus llamadas en la pantalla. No era él.

–Hola. Soy Eduardo.

–Hola –respondí sentándome en la cama. No sabía muy bien qué decir. Opté por un formalismo– ¿Cómo está?

–Bien, bien. Verás, ya he hecho averiguaciones. Tú marido llegó a Madrid el dos de septiembre.

El lunes. Reinaldo llegó a Madrid un día antes de que Antonio y yo viajáramos a Jaén. Noté que mis muslos se contraían, cerrándose con fuerza. Como dientes. Intenté decir algo, pero el olor imposible de las adelfas me inundó la nariz y la boca, secándome la lengua, el paladar, los dientes. Ante mi silencio, el policía retomó el diálogo:

–No sé si está en la ciudad, pero creo que si ha venido a lo que tú piensas, contratará un detective. A menos que se dedique a perseguir a tus primas para localizarte, pero le resultaría más engorroso. ¿Dónde estás?

–En Andalucía, inspector.

–Eduardo. Ya te dije que me llamaras Eduardo –protestó con cierto tono de fastidio.

Imaginé sus mejillas. Las venitas rojas que las surcaban, encendidas por la contrariedad. No me convenía disgustarle.

–Perdón, es que... –comencé a disculparme, pero no me dejó acabar la frase.

–Adela, por tu propia seguridad necesito que me digas dónde estás.

No entendí muy bien cuáles eran esos motivos, pero la firmeza de su voz hizo que cediera. Estaba aturdida. No sabía qué pensar. Alisé el cubrecama, salpicado de pequeñas flores amarillas, de forma mecánica con la mano que tenía libre.

–En un cortijo. A quince kilómetros de Jaén.

–¿Tus primas lo saben?

–Una creo que sí. Pero no ha venido a verme.

–Pues que no vaya. Esto es importante. Dile que no vaya a verte bajo ningún concepto.

Sopesé la recomendación del policía mientras recorría la habitación con la mirada. Sobre una cómoda antigua descansaban algunos retratos. Cogí uno en el que reconocí a Manolo. Sonriente. Inusualmente elegante. Muy joven. Muy delgado. Tenía una mano sobre el hombro de una mujer vestida de novia. Ni guapa ni fea. Ni gorda ni flaca. Ni sonriente ni seria. La mamá de Paula, sin duda.

–Adela, ¿me has entendido?

–Sí, sí. Se lo diré.

–Bien. Quizá deberías volver a Madrid por tu seguridad –sugirió esta vez sin demasiada convicción, como si anticipara mi respuesta negativa–. Aquí podría tenerte bajo vigilancia.

«Vigilancia personalizada. Eso es lo que quieres brindarme, pendejo.» Le imaginé inclinándose sobre mí para besarme. La visión hizo que me levantara de la cama de un salto.

–No, a Madrid no. Aquí estoy más segura. Créeme.

–De acuerdo, pero escucha –del otro lado me llegó un breve suspiro–. Si notas cualquier cosa rara o recibes alguna llamada... Lo que sea. Avísame.

–Claro, Eduardo. Lo haré.

–Bien. Ahora tengo que dejarte. Espero tus noticias –el policía dudó un segundo antes de continuar–. Un beso.

Iba a cerrar la comunicación, pero en el último momento lo pensé mejor.

–Eduardo.

–¿Qué? –respondió con tono esperanzado. Creo que pensó que yo iba a mandarle otro beso de despedida.

–Gracias.

Anselmo se encariñó conmigo de inmediato. Paca no. Era distinta, de afectos menos espontáneos, más pausados.

Incluso me pareció que yo le suscitaba recelos. No por mí. O no exactamente por mí, sino por Lucecita. Al fin y al cabo yo no dejaba de ser prima suya. Familia de la mujer que había precipitado el divorcio de Manolo.

–Yo no sé cómo es Lucecita, porque mi hijo aún no la ha traído por casa. Pero te voy a decir una cosa: Concha, su mujer, es buena. Que tiene sus fallos, pues como todos, ¿no? Pero es una buena mujer –rezongó una mañana mientras almorzábamos en la cocina tras regresar de la capital.

Habíamos ido a solventar la solicitud de mi permiso de residencia, pero volvimos al cortijo con las manos vacías. Lo tenían todo preparado. Sólo faltaba que yo pusiera mi huella, pero no lo hice. Me negué porque en los papeles habían puesto, en el apartado correspondiente al oficio, las dos palabras que yo detestaba más: servicio doméstico. «Una cosa, señor, es que yo trabaje de chacha y otra que sea chacha. Yo soy maestra, así que no firmo.» El funcionario, perplejo ante mi resolución, me advirtió que, si quería cambiar mi profesión, él tendría que rehacer la tarjeta y nosotros regresar a por ella transcurridos unos días. Pensé que eso demoraría el inicio de los trámites para solicitar la reagrupación familiar, pero me mantuve firme. Al fin y al cabo, el abogado de Anselmo nos había asegurado que era un procedimiento de gestión rápida siempre y cuando presentáramos con diligencia la documentación necesaria.

–Lucecita también es buena, Paca –dije para tranquilizarla, recordando su préstamo para que pudiera venir a España, el locrio con el que me recibió, su aviso para que huyera de Reinaldo...

–Ya, pero no sabemos nada de ella salvo que ha dado al traste con diez años de matrimonio –repuso.

–Mujer –terció Anselmo–. Eso no es culpa de Lucecita. Sabes que las cosas andaban mal entre ellos desde mucho antes.

–Yo lo que sé es que mi nieta tenía una familia y ahora no la tiene. ¿Y quién nos dice que va a estar bien con esa...?

Paca dejó en suspenso la frase pero adiviné la palabra

que se calló: negra. Aunque quizá fuera «cualquiera». O
«muerta de hambre», una expresión que ella utilizaba con
frecuencia. En cualquier caso, no era nada bueno. De eso
estoy segura.

–Escúcheme. De verdad. Si no fuera así, yo no se lo diría,
pero es verdad. Lucecita es una mujer sencilla, cariñosa y
tiene un corazón enorme. Y cuando quiere, quiere de verdad.
Estoy segura de que Paula va a adorarla. Y usted también.

Lucecita fue mi mejor amiga de infancia. Mi condiscí-
pula. Mi confidente. Mi cómplice de travesuras. No sé si nos
unió la edad –tenemos la misma– o la constitución. Yo era
Flaca la blanca. Mi prima, que era casi tan delgada como
yo, pero de piel mucho más oscura, era Flaca morena. Salvo
para sus hermanos y su madre, para quien yo era *Fifty-Fifty*
y ella Lucecita, por su sonrisa perpetua, como de foto fija, y
su carácter, siempre bienhumorado.

Nadie, salvo el padre Martín en la ceremonia de su comunión, y la señora para la que trabajaba en Madrid, la ha llamado nunca que yo sepa por su nombre real: Altagracia.
Lucecita me contó que tía Euduvigis pensó en llamarla Melania, como mi madre, pero Negrito, el marido pendenciero
sobre cuya suerte me avisó don Pericles en sueños, se adelantó
a sus deseos y, sin consultar su parecer, la declaró como Altagracia, el nombre que nunca la nombró porque en mi pueblo
casi nadie se llama como dice el registro que debe llamarse.

En Coa todo el mundo tiene más de un nombre o un
apodo. Por eso, y no porque me encontró debajo de un
puente, como me decía de niña, yo no soy legalmente hija de
mi madre. Me explico. A mami le dicen Melania, y como
Melania la he conocido yo siempre. Pero un día tuve que
sacarle un acta de nacimiento y descubrí que la registraron
con el nombre de Santa Victoria. Y como mi padre me
declaró como hija de Julio Guzmán y Melania Santana no
soy hija suya ante la ley.

El origen de esta confusa costumbre está en la superstición. Es usual que, cuando un niño muere, se atribuya su

óbito a brujas y zánganos, muy parecidos a los galipotes, aunque a diferencia de éstos, cuando salen por las noches para meter el susto en el cuerpo y entregarse a sus bellaquerías, prefieren caminar dando zancadas. Si un recién nacido fallece de vómitos y diarrea, nadie piensa que se lo llevó una infección gastrointestinal, sino que una bruja le chupó la sangre por el ombligo o por el dedo gordo del pie hasta acabarle la vida. Por eso los padres registran a sus hijos con nombres que nunca les nombran: para despistar a las brujas y desorientarlas cuando vienen a buscarlos. Y por eso, dado que, como todo el mundo sabe las brujas sienten predilección por los niños, casi todos los muchachitos de Coa llevaban resguardos para protegerlos de su acoso: una bolsita cuadrada que las madres ataban con un hilo al brazo o la piernecita de sus hijos.

Yo nunca llevé amuletos ni resguardos. Supongo que don Pericles no consintió, así que no sé qué contenían esas bolsitas, aunque supongo que sería sal. Las brujas la temen porque les salobra el cuerpo y les paraliza las coyunturas. Y una bruja con las articulaciones inmovilizadas debe tener serios problemas de vuelo. ¿O acaso alguien ha visto alguna vez una bruja escayolada volando en su escoba?

Creo que, supersticiosa como era, mami se quedó con las ganas de colgarme un resguardo, pero lo que sí hacía, cuando me ponía malita, era llevarme a escondidas a los curanderos para que diagnosticaran mi mal y me sanaran con sus ensalmos. Fueron muchos, porque siendo como era tan flaquita, me saqué abono para todas las enfermedades infantiles inventadas sobre la Tierra. También recuerdo que, si nos topábamos con alguna mujer por la calle que estuviera señalada como bruja, mi madre me tapaba la cabeza con lo primero que le viniera a las manos –un pañuelo, su chaqueta– para que la maldita no me echara mal de ojo.

Lucecita sí llevó resguardos. Desde niña la recuerdo a mi lado, con su bolsita atada al brazo. Torcidas como juncos por el peso de la sillita, el cuaderno y el lápiz, que debíamos cargar con una mano para poder cogernos de la otra, camino de la escuela de la señora Ernestinia, nuestra primera maestra. Entonces teníamos cinco años y aquella mujer nos parecía alta como un campanario. Su escuelita, en cambio, estaba hecha a nuestra imagen y semejanza, diminuta y destartalada, como las dos flaquitas que siempre pugnaban por sentarse lo más lejos posible del desportillado pizarrón, en el que descubrimos el misterioso contorno de nuestras primeras letras y nuestras primeras palabras. «Mamá.» Ésa fue la primera palabra que dibujé. No podía ser otra.

Dentro de aquel minúsculo colegio, construido de tablones de palma y techado de zinc, repiqueteante cuando los aguaceros decidían tocar su música de agua sobre los tejados, la señora Ernestinia parecía un coloso, pero a lo mejor no lo era de verdad. A los cinco años todo te parece enorme porque tú eres muy chiquita. No lo sé.

Lo que sí sé es que Lucecita y yo la recordamos con un inmenso cariño, a decir verdad creo que no del todo justificado. Era agradable, pero muy seria. En realidad tenía un genio del demonio. Supongo que la quisimos tanto porque fue quien nos alfabetizó. Los primeros maestros suelen recordarse así, con indulgencia y predilección, porque te inician en la magia de las letras y los números, pero el siguiente fue mejor.

Don Toñito era profesor en nuestra segunda escuela. Un colegio de verdad, con sillas y pupitres, en el que no admitían niños hasta que tenían los siete años cumplidos. Lo suficientemente grande para que los adultos conservaran, a nuestra vista, sus dimensiones humanas.

Don Toñito fue el primer amor que compartimos mi prima y yo. Todo un descubrimiento. Menos mágico que el de las letras, pero más impetuoso. Hasta entonces ninguna había reparado en la belleza o fealdad de los hombres. Pero don Toñito nos enseñó a mirar, además de ver. Era el más guapo del mundo. Cada mañana, antes de entrar a la escuela, lo mirábamos embelesadas mientras izaban la bandera y rezábamos un padrenuestro y un avemaría por Dios y por Trujillo. Alto, erguido, de tez morena pero suave. Pelo negro ondulado. De facciones finas.

Al principio, nos lo disputamos:

–Cuando sea mayor, me casaré con él –suspiraba Lucecita sentada a mi lado, en el pupitre.

–Tú estás loca, prima. Será mi marido –replicaba yo enojada, lanzándole un codazo a las costillas.

Sólo la mirada ofidia del Jefe, que nos observaba en uniforme de parada desde un retrato colocado a la derecha del crucifijo, evitaba que saldáramos nuestras diferencias amorosas a trompadas.

Pero el rebú concluyó de forma súbita una mañana en la que don Toñito nos llevó a la playa para instruirnos sobre las mareas y otros fenómenos naturales. Sin pantalón, sólo con el traje de baño, su entrepierna se asemejó demasiado a la de Pinuco cuando me llevaba a su cama de gigante. Ahí acabó la rivalidad con mi prima. Perdí las ganas de ser la novia del apuesto profesor. Hasta dejó de apetecerme ir al colegio. Si no hubiera sido por el desayuno que nos daban en la escuela –una leche con chocolate embotellada llamada *Trópico* y un pan–, habría convencido a mami para que no me obligara a ir. Y no es que yo tuviera el diente afilado. Todo lo contrario. Apenas comía. Pero lo que me gustaba, como el café o las botellas de *Trópico*, me gustaba de verdad.

Lucecita y yo fuimos juntas al colegio hasta los once años. Ella dejó de asistir, no sé por qué, cuando acabó el quinto curso, pero no por eso dejamos de frecuentarnos. Todo lo contrario. A esa edad me demostró, por primera vez, su nobleza. Sucedió una tarde. Llegó corriendo a casa, sudorosa y excitada, con la noticia de que se había muerto nuestra amiga Guarionex.

–No puede ser. Yo estuve ayer con ella... –repuse incrédula.

–Le dio una cosa y se cayó. No la podían despertar y mandaron a buscar a sus padres. En un vehículo la llevaron a la ciudad, pero antes de llegar al cruce se murió.

–Yo no le he pagado unas monedas que me dejó... Ahora va a venir a reclamármelas...

Visioné a una Guarionex fantasmagórica, mirándome con ojos de pescado. Sin pestañear. Junto a mi cama. Alargando su manita para que le devolviera lo que le debía. Y me eché a llorar de miedo. Lucecita me agarró de la mano y me condujo a su casa. Me arrastró hasta el patio y levantó una piedra. Sacó una vieja lata de sopa, la abrió y volcó en mi mano las monedas que contenía.

–Para ti.

Las conté. Sí. Alcanzaba para saldar el débito con la muertica.

–Pero ¿cómo se las devuelvo? –pregunté a mi prima.

–Vamos para el velorio y se las metemos en la caja sin que nadie se dé cuenta.

Así lo hicimos. Aprovechamos un momento en que nos quedamos a solas con la difunta. Los dolientes acudieron a consolar a la mamá de Guarionex, en uno de sus arrebatos de dolor, y colé las monedas bajo el vestido blanco, de primera comunión, con el que la habían vestido. Le quedaba pequeño, pero supuse que no le importaría. Ella nunca fue muy presumida.

Gracias a Lucecita me libré de que su espectro me visitara para cobrarse la deuda. Con los muertos nunca se sabe. Los hay que perdonan y olvidan, pero otros se enojan con su óbito y lo pagan con los vivos. Sobre todo, si tienen cuentas pendientes. La mejor forma de que te dejen en paz es estar en paz con ellos. Y yo, gracias a Lucecita, quedé en paz con mi amiga, que en manos de Dios esté.

Mi prima y yo compartimos afectos por los mismos miembros de nuestra enorme familia. Por ejemplo, por nuestro abuelo, separado de mi abuela por su afición a la música. Había formado un grupo con dos de sus hermanos: Los Santana. Él tocaba el violín. Ellos, la marimba, la güira, el bajo y la tambora. No eran ninguna sensación, pero se las arreglaban para actuar en fiestas por todo el país. Tanto viaje terminó por enfriar el cariño de mi abuela, quien aprovechó una de sus ausencias para botarle todas sus cosas a la casa vieja, una chabolita de tablas de palma y suelo de tierra situada en los confines de su finca, y zanjar su matrimonio.

Hay uniones inviables. La de mis abuelos fue una de ellas. Lo veo claro cada vez que los visualizo: él con su violín y su arco, arrullando viejos sones; ella, con el cuchillo de matarife con el que ultimaba los patos, gallinas y cabritos que alimentaban a la tropa que albergaba en su hotelito. Se mire por donde se mire, aquello era un amor imposible.

Como sólo teníamos colegio de ocho a doce de la mañana, aprovechábamos las tardes en las que el abuelo no estaba de gira para ir a verle tocar el violín en el patio, a la sombra de un viejo pino donde ensayaba siempre. Él se sentaba en una silla de guano y nosotras a su lado, en el suelo. Nos dejábamos mecer por la cadencia que el abuelo conseguía extraer de su prehistórico instrumento hasta que, aburridas por su ensimismamiento –cuando tocaba, todo lo demás desaparecía para él–, nos entregábamos a una de nuestras travesuras favoritas. Entre risas contenidas, le rascábamos las plantas de sus pies descalzos con una ramita hasta hacerle perder la concentración y la paciencia.

–¡Muchachas del demonio! –gritaba entonces levantándose y frotando las plantas contra el piso para sofocar la comezón.

Siempre amagaba una persecución que nunca inició mientras nosotras corríamos, ahogadas por la risa, camino de la casa de la abuela en busca de refugio y nuevas distracciones, aunque no era fácil. Mi abuela tenía una radio Philips chiquitica, que casi siempre mantenía sintonizada con una emisora evangélica de las antillas holandesas. A veces hablaban en holandés y, aunque nadie se enteraba de nada, nos reñía si cambiábamos de estación:

–Da igual si no entendéis. Están rezando, ¿no? Pues eso es lo que importa.

Cuando mi abuela no estaba, Lucecita y yo, que habíamos heredado el gusto musical de mi abuelo, buscábamos merengues o un programa de música venezolana con el que jugábamos a imitar los bailes de los adultos, aunque debíamos parecer dos pavesas flaquitas y nerviosas azotadas por el aire.

La diversión concluía abruptamente en cuanto la abuela o mami, a quien nunca vi bailar salvo con don Pericles, entraban por la puerta. Si las oíamos venir, devolvíamos el dial a la emisora de los rezos. Si nos sorprendían, corríamos como gallinas espantadas porque mi madre tenía una puntería infalible para las cachetadas y esos pellizcos suyos, de retorcimiento breve pero dolorosamente efectivo, aunque su objetivo estuviera en movimiento.

Pero, más que a mami, temíamos a la abuela porque tenía bacá. En Coa se dice que, cuando alguien tiene propiedades o dinero, y quiere cuidarlo, busca un ser maligno, con apariencia animal, que lo protege: el bacá. Para conseguirlo hay que comprarlo o realizar ceremonias del diablo que no conozco bien, pero que culminan en una especie de contrato por el que el bacá acepta proteger al dueño de sus enemigos y cuidar sus bienes a cambio de que éste le ofrezca como alimento un ser humano, preferiblemente de su familia –por eso Lucecita y yo nos cuidábamos tanto de irritar a la abuela, no fuera a convertirnos en objeto de canje–. Si no cumple su compromiso, el bacá le manda enfermedades, lo despoja de sus bienes y lo induce al suicidio.

La maledicencia adjudicaba todas las muertes acaecidas en mi familia al insaciable apetito del bacá de mi abuela, cuyas tierras y negocios, eso es verdad, crecieron tras cada fallecimiento.

–¿Te enteraste de que se le murió un nieto a doña Altagracia? –cuchichearon haciéndose cruces las comadres cuando nos dejó de forma súbita, con apenas seis meses, uno de los hermanos de mi prima.

–Seguro que le vendió su alma al bacá y estará por ahí, sin saber dónde reposar, pobrecito.

Lucecita y yo odiábamos a un perro negro que solía vagar por la casa, al que la abuela alimentaba como a un obispo. Estábamos convencidas de que era su bacá encarnado, porque así se decía en Coa. Cuando la gente se lo tropezaba por la calle evitaba mirarle a los ojos. Nosotras también. Según decían, anunciaba la propia muerte. Hasta los carros lo eludían con cuidado, frenando a su paso y esquivándolo, como por lo visto hacen con las vacas en la India. Alimentado y respetado, como si se tratara de un animal sagrado, el perro negro de la abuela vivió tranquilo hasta que murió a punta de años, ajeno a la suerte que corrió por haber nacido dominicano en tiempos del presidente Balaguer y no haitiano en época de Papa Doc. No por el desafecto justificado que nuestros vecinos sienten por los canes, a quienes dicen que los franceses amaestraban en el siglo XVI para cazar negros, sino por la historia que corre sobre Duvalier. Según la leyenda, ordenó matar a todos los perros negros de Puerto Príncipe porque creía que uno de sus rivales se había reencarnado en can. Siendo así, se entenderá que el perro de mi abuela tuvo suerte por venir al mundo al otro lado de la frontera.

Lucecita creía a pie juntillas estas historias. Siempre fue aficionada a los misterios y a los cuentos de miedo. También le encantaban las fiestas de santería, pero eso es algo que no conté nunca a Paca porque estas cosas solivantan a los españoles, siempre adversos a aquello que no entienden y poco dados a indagar sobre culturas extrañas. Pero el caso es que mi prima siempre suspendía nuestros juegos cuando escuchaba el sonido de los tambores:

–Huy, están tocando donde Nico –decía.

Sin darme tiempo a responder, salía corriendo para la enramada techada de palma en la que cuando no se festejaba a San Miguel se celebraba Santa Marta. Rara era la semana que no agasajaba a algún santo. Yo la seguía, porque nos daban café, pero no me gustaban estas fiestas. Me aburría observando a los hombres tocando palos y a las mujeres, vestidas con trajes y pañuelos blancos, bailando sobre el piso de tierra, junto a un altar recubierto de un lienzo pálido sobre el que reposaban imágenes de santos flanqueadas por velones y adornos florales.

A ella, sin embargo, le seducían estos rituales casi tanto como las historias que corrían sobre el diablo. Decían que un vecino nuestro, malencarado, pendenciero y filoso, hijo sin duda de hacha y machete, había hecho un pacto con el diablo, quien de vez en cuando lo visitaba. Lucecita y yo acechamos muchas tardes su casa, esperando su llegada, escondidas tras las matas. Contaban que el demonio era guapísimo y que se aparecía de normal, como si fuera una persona cualquiera, pero nunca lo vimos. Tampoco lo llamamos aunque decían que podías invocarlo, encontrarte con él y hacer un pacto para conseguir lo que quisieras. A cambio, le tenías que dar a uno de tus hijos, presentes o venideros, pero ninguna de las dos estaba dispuesta al trueque. Así que no lo invocamos. Nos limitamos a vigilar la casa de nuestro vecino esperando que apareciera. Pero nos esquivó. Puede que tuviera pactadas otras horas de visita, distintas a las que nosotras empleábamos para nuestras acechanzas. Quizá de noche, que es cuando el demonio multiplica sus esfuerzos, según tengo entendido.

A medida que fuimos creciendo, nuestro interés por la santería y el diablo declinó en favor de los muchachos, con los que alternábamos gracias a la mediación lúdica del padre Martín que, además de atraernos al seno de la Santa Madre Iglesia con «salvavidas» y clases de sexología, se convirtió en el catalizador de nuestras actividades.

–Bueno, ¿para qué conuco nos vamos hoy? –preguntaba el enorme sacerdote cada domingo tras la misa, rodeado de críos con los macutos de fibra a cuestas, con aquello que nuestras madres nos habían podido aprovisionar: sardinas, latas, pica-pica, viejaca, sal, aceite o esa mantequilla que nos vendían en la pulpería envuelta en papel de plástico.

–Para donde el papá de Omar –respondía alguno.

Y allí iba toda la muchachada. Cada quien con lo que tuviera para pasar el día excepto guineos, porque eso siempre lo ponía el dueño de la finquita elegida. Los cortábamos nosotros mismos y los poníamos a sancochar en una lata con lo que hubiera. Luego colocábamos la comida en el centro y nos sentábamos alrededor, sobre hojas de platanera, para ir picando con la mano entre chistes y ocurrencias.

Tras la comida, hacíamos colchones con hojas secas de plátano para echar un sueño con nuestros amigos o enamorados, aunque nuestras siestas siempre fueron muy castas, sin un beso ni roces intencionados, porque el padre Martín velaba y no permitía ese tipo de aproximaciones. De hecho, yo no supe lo que era un beso hasta los quince años.

Mi prima asistió a aquel beso, que me produjo una calentura de tres días. Veló mi fiebre y, antes de que me repusiera, me previno que el pelotero puertorriqueño que me la había provocado había encontrado, durante mi convalecencia, otra muchacha que, a diferencia de mí, no tenía dañado el termostato.

–¡Ay, Adela, te tengo malas noticias! –me dijo cuando yo aún guardaba cama.

–¿Cómo así?

–Tu muchacho se ha liado con la Chichi.

–¿Y quién es la Chichi?

–Una chica del pueblo arriba.

Por primera vez lloré por amor, abrazada a mi prima como a una boya.

–Si quieres verle, te acompaño al muelle, que es donde van a besarse.

Lucecita me condujo al lugar donde los habían sorprendido. Los acechamos y vi cómo la besaba. Casi me muero. Pero lo peor vino al día siguiente. Había un partido de sófbol. Hacía mucho viento y los chicos estaban volando chichiguas. Él me vio y voló su cometa cerca de mí para que pudiera leer lo que había escrito en ella: «La Chichi». Había puesto a su chichigua «La Chichi». De nuevo, sentí que me moría aunque mantuve la dignidad. Al menos durante el partido.

Como siempre, Lucecita fue mi paño de lágrimas aunque ella también precisara consuelo. Años después me confesó que había estado enamorada del pelotero y que sólo se desanimó cuando supo de dónde sacaba los pesos con los que invitaba a helados a la Chichi y compraba los cigarrillos americanos con los que imitaba a las estrellas del cine Olimpia. Por lo visto trajo un *Playboy* de Puerto Rico y se dedicó a vender, una a una, las páginas de la revista entre los muchachos del vecindario, ávidos de redondeces sobre todo si eran rubias y *made in USA*. Así se ganó el sobrenombre cabal de «El Conejito», que le persiguió durante su adolescencia incluso hasta San Juan, y le importunó, siendo ya adulto, cuando concurrió como candidato a síndico en unas elecciones municipales. Quizá, ante otro rival, el mote no hubiera dado al traste con sus aspiraciones políticas. Pero su oponente, César «El Tigre» Negrón se merendó a «El Conejito», como auguraban, durante la campaña, las tiras cómicas de la prensa local.

El caso es que Lucecita siempre ha estado ahí cuando la he necesitado. Sin serlo, ha sido mi hermana. Y un poquito mi madre, aunque somos de la misma edad. El inspector tenía razón. Debía llamarla para prevenirla. ¿Y si venía a Jaén y Reinaldo le seguía los pasos? ¿Y si el general le hacía daño para sonsacarle información? Era capaz de hacerlo. Sabía que era capaz de todo.

Cogí el celular y marqué su número. Comunicaba. Seguro que hablaba con Manolo. Volví a marcar. Pero sólo me llegó una voz metálica de mujer: «El móvil al que llama está apagado o fuera de cobertura en este momento».

El viernes amaneció muy caluroso. Las sábanas que estaba tendiendo en el patio brillaban con un blanco multiplicado por la luz, dura como si fuera sólida, obligándome a apartar la vista de ellas en cuanto prendía los clips. Casi dolía mirarlas. Deslumbrada, busqué otra prenda en el canasto pero, al agacharme, noté un mareo que me obligó a acuclillarme para no perder el equilibrio. Paula, que me estaba observando tender desde el porche, me llamó:

—Adela, ¿qué pasa? ¿Estás malita?

—No, cariño. Es sólo este calor del infierno.

Poco a poco recobré el enfoque que me había nublado el vahído. Debía comer más. En las últimas semanas había adelgazado tanto que podía sacarme los pantalones sin

desabrocharlos. Aunque quizá fuera ese bochorno que estaba secando la ropa antes de que terminara de colgarla.

–¿Por qué siempre llevas pañuelo?

Paula me miró con extrañeza, como si me viera por primera vez, con esa carita tan seria que ponía a veces.

–Por el calor, muchacha.

–¿Y no tienes más con la manga larga?

–No me gusta que el sol me dé directamente.

–¿Porque te pone más morena? A mí me gusta ponerme
morena...

–¿Como yo?

Reí mientras avanzaba con el canasto bajo el brazo hacia
el porche, donde Paula se había parapetado del sol. Me aga-
ché, lo dejé sobre el piso y la abracé. Ella me correspondió,
dejándose apretar y enlazando sus manos en mi nuca. Noté
que estaba casi tan acalorada como yo.

–Óyeme, ¿y si te doy una ducha para refrescarte?

–Vale, aunque ¿sabes lo que me gustaría de verdad?
–sonrió–. Una piscina. Bañarme en una piscina. Pero el
abuelo no quiere ponerla... A lo mejor tú lo convences...

–OK, mi niña, pero mientras tanto vamos a la ducha.

–Mi mamá me deja ya bañarme sola –dijo intentando
impresionarme.

–No me digas. Sí que estás mayor entonces.

Mi madre dejó de bañarme cuando me vino mi primera
regla. El periodo me sorprendió orinando en el patio de mi
abuela. A los trece años. Mami creía entonces que estaba
preñada de don Pericles, pero resultó ser otro de sus embarazos psicológicos. Le crecía la barriga, como si llevara un
niño dentro, pero estaba vacía. Con mi parto se le torció el
útero y nunca más pudo concebir, aunque lo deseó con
todas sus fuerzas. Pero no tuvo más niños a los que vestir y
lavar. Sólo a mí. Mi madre siempre me ha tenido sólo a mí.

–¿Está fría?

Paula había dado un respingo cuando dirigí hacia ella el
chorro de agua.

–Un poco.

–Pues espera que la caldeamos. ¿Así?

–Sí.

De repente olí un aroma que me resultaba muy familiar. Alargué la mano, cogí el jabón y me lo llevé a la nariz.

–Esto sí que está bueno ¡Es Camay! ¡El preferido de mi hija!

Marcia adoraba ese jabón americano. Lo venden las haitianas en los mercadillos. Sé que se trata de remesas enviadas por la cooperación, llegadas desde Haití a Coa por los caminos de la codicia y la necesidad. Me enojaba ver cómo se comerciaba con la ayuda externa. Más de una vez quise ser como Jesucristo con los mercaderes del templo, pero la predilección de Marcia por ese jabón hacía que lo buscara y pagara por él lo que me pidieran.

Indiferente a mi trance olfativo, Paula se había echado en la mano un puñadito de gel blanquecino y se frotaba con él los brazos. Creo que trataba de demostrarme lo mayor que era, que podía bañarse sola. La ayudé con la espalda.

–¿Tienes una hija? –preguntó de repente.

–Tengo tres hijos: dos niñas y un niño. ¿Te enjabonas tú sola el pelo también?

–El pelo, no... por favor. Me escuecen los ojos... –suplicó. Parece mentira cómo los niños repiten comportamientos similares sean de donde sean.

–No, si yo te ayudo. Así, ¿ves como no?

Paula se dejó hacer, con los ojos tan prietos que sólo quedó de ellos una fina línea pespunteada de pestañas rizadas por el agua. Cuando ya la tenía envuelta en una toalla sembrada de ratones Mickey y Minnie –Marcia y Victoria matarían por ella–, sonó un trueno que no oyó.

–¿Cómo se llaman tus hijos?

–El mayor se llama Rubén y en diciembre cumplirá diez años. Marcia cumplirá cuatro a finales de este mes.

En ese momento me di cuenta de que me perdería el cumpleaños de mi pequeña, como había pasado con el de Victoria en agosto. La tristeza me nubló los ojos. Tampoco apagaría las velas de Rubén en diciembre. ¿O quizá sí? ¿Cuánto se demorarían los papeles de la reagrupación familiar? No. Mejor no albergar falsas esperanzas al respecto. Seguro que el trámite se alargaría durante meses y meses.

–¿Ya está?

Ensimismada como estaba en mis pensamientos, había dejado de secar, sin darme cuenta, a Paula.

–Sí, mi amor, ya está –dije reiniciando las fricciones.

–¿Y tu otro hijo? ¿Tiene mi edad?

–Victoria acaba de cumplir cinco añitos. Ven acá. Ponte los pantis.

Otro trueno rugió fuera. Más cerca. Un segundo después, gruesas gotas de lluvia comenzaron a batir la ventana del baño. Paula corrió hacia ella y la abrió:

–¡Yupi! ¿Me enseñarás a hacer muebles de barro?

Diluviaba.

Hicimos juntas un sofá de barro. Le di de cenar, le puse el camisón y la senté sobre mi regazo en el porche para leerle un cuento. En una mecedora. Hasta que los ojos se le fueron cerrando, como persianas cansadas. Y le canté:

> La vecina de allá enfrente,
> me robó mi gallo blanco
> porque le estaba picando
> la semilla del culantro...

Hasta que se durmió.

Yo apenas pude esa noche. Como tantas otras, me desperté llorando. Asustada. Soñando que me aferraba a los pies de mi madre.

# V

Vi el coche desde la ventana del baño antes de que me alcanzara el sonido del motor. Pensé que sería Antonio, a quien esperaba ese sábado, pero no era su carro. Éste era rojo, con aspecto deportivo. Además, el conductor serpenteaba con destreza por el camino de acceso a la finca como si conociera los baches que horadaban la pista calcárea. Antonio, en cambio, había demostrado una habilidad especial para hundir las ruedas de su coche en cada uno de los hoyos que jalonaban el sendero cada vez que transitamos por él. Supongo que para esquivarlos hubiera necesitado que una radiobaliza o señal le advirtiera sobre la ubicación exacta de cada uno de ellos y la velocidad recomendada en cada caso.

Afiné la vista, pero no alcancé a distinguir quién manejaba. Nerviosa, solté el estropajo con el que estaba limpiando la bañera y corrí escaleras abajo, gritando para alertar a Paca y a Anselmo. Me precipité hacia el ventanal del salón, orientado hacia el camino y entreabrí un poco las cortinas. Lo suficiente para asomar los ojos. Como un roedor asustado en su madriguera. Anselmo se materializó a mi lado, y me sobresaltó porque no le oí llegar. Haló, resuelto, de las cortinas para apartarlas hacia los lados, se quitó los lentes de hipermétrope y miró hacia el coche:

–¡Paca! ¡Es Manolo! –voceó con alegría, encaminándose hacia la puerta de acceso a la casa.

Mis músculos, hasta entonces contraídos por la tensión, se relajaron de golpe, aunque la yugular continuó latiéndome con fuerza. Dejé escapar un bufido de alivio y salí fuera del cortijo con él. Seguro que Antonio venía con Manolo. No es que me muriera por verlo, pero me agradaba la perspectiva de que unos brazos amigos me estrecharan y...

Un momento. ¿Y si Reinaldo les había seguido?

Temblé. Paca estaba a mi lado, secándose las manos en el mandil y escudriñando con ojos entrecerrados el camino, pero no pareció darse cuenta.

El auto se acercó envuelto en una espesa nube de polvo, pero ya estaba lo suficientemente cerca como para ver a sus ocupantes. Manolo manejaba. Antonio iba a su lado. Entre los dos asientos delanteros asomó primero una cabeza morena enmarcada por una vaporosa cascada de pelo azabache. Luego una mano que se estiraba para saludarnos. Y una sonrisa preocupada. Y un escote rojo coronado con una medalla de la Virgen de Altagracia. Lucecita. «¿Qué coño haces tú aquí?» Una arcada de ira me subió desde el estómago hasta la boca. Tuve que echarle el cierre para que no se me escapara.

Manolo abría la marcha del pequeño grupo que avanzaba en fila india hacia nosotros. Detrás de él, se escondía Antonio y, tras las espaldas de Antonio, Lucecita. Como si jugaran a las muñecas rusas. De pronto, un pequeño camisón con piernas corrió a su encuentro:

–¡Papá!

Paula se arrojó a los brazos de Manolo con una confianza ciega. Los mayores no lo hacemos así. Supongo que los años minan nuestra seguridad en el otro, nuestra fe en que nos recogerá antes de que nos estrellemos contra el piso. Manolo no la dejó caer. La izó por las axilas hasta su pecho y la abrazó. La niña le correspondió estrechándose contra él, como si intentara fundirse con su padre.

–¿Cómo está mi niña? –preguntó Manolo con voz de falsete. Sin embargo, noté que al preguntar me miraba a mí.

Antonio y Lucecita traían cara de culpables. Parecían

pendientes de mi expresión. Intercambiaron miradas. Dudaban entre mostrar la alegría que les producía el reencuentro –a mi prima no la veía desde que se marchó en julio a República Dominicana– o adelantarse a mi previsible reprimenda entonando una justificación a dúo. Yo opté por el reproche. ¿Cómo se les había ocurrido venir todos a verme? ¿Es que estaban locos? Tenía las preguntas preparadas, listas, en la punta de la lengua, pero Manolo me distrajo: había convertido a Paula en un molinete. La hacía girar como un aspa. Y ella reía como nunca la había escuchado hacerlo. Feliz.

–Deja ya a la nena, que acaba de desayunar y nos va a regar a todos por aspersión –se quejó con dulzura Anselmo.

–¡Aterrizaje forzoso! ¡Abróchense los cinturones! –bromeó Manolo, reduciendo poco a poco la velocidad del vuelo hasta que la niña tocó piso, muerta de risa todavía.

–¿Habéis desayunado? –preguntó Paca, tras los besos de rigor, mirando alternativamente a Antonio y a su hijo, como si Lucecita no existiera.

Mi prima se parapetó detrás de Antonio, asomando apenas la cara. Sentí su incomodidad. Decidí dejar mi reprimenda para más tarde. «Cada cosa a su tiempo», pensé. Avancé hacia ella y la saqué de su escondite, cogiéndola del brazo.

–Mira Paula, ésta es mi prima. Se llama Altagracia, pero todo el mundo la llama Lucecita.

–¿Como la de Peter Pan?

Un coro de risas saludó la ocurrencia. Lucecita se agachó hasta quedar a la altura de Paula y la besó.

–No, cariño. Ésa era Campanilla –respondió imitando el aleteo del hada.

La mano derecha de Paca asió a Paula del hombro y la empujó con suavidad hacia la casa, separándola de la proximidad de mi prima. Luego hizo restallar su voz como un látigo inapelable:

–¡Ea, todos para adentro!

Obedecimos. Antonio se me acercó por detrás e intentó cogerme por la cintura a traición, pero lo evité. No se iba a librar del regaño con carantoñas. Lo miré con reproche y desvió los ojos. Me viré para buscar a la otra insubordinada. No había logrado hablar con Lucecita, porque su celular estaba apagado o fuera de cobertura desde el día anterior, pero estaba segura de que Antonio le había dicho que no debía venir a verme para evitar que Reinaldo la siguiera. Avanzaba cabizbaja. Con aspecto desvalido. Rendida. Como los cocuyos que yo atrapaba con la mano en La Loma con la esperanza de descubrir el origen de esa luz fluorescente y verdosa con la que iluminaban las noches. Percibí su agitación, pero no podía liberarla abriendo la mano, como a los escarabajos luminosos de mi montaña.

Miré a Paca. Radiografiaba a mi prima con ojos afilados.

Si Lucecita era Campanilla, Paca era, sin duda, el capitán Garfio.

–La primera vez lo vi de mañanita apostado frente al portal de mi señora. Yo bajé a comprar el pan y ahí estaba –explicó mi prima–. Hablaba por el celular. Parecía normal, pero me fijé en él porque me pareció que me miró raro. Entonces me fui para donde estaba y le pregunté: ¿Se te perdió alguien parecido a mí? El tipo no se esperaba que yo le hablara. Pareció apurado, ya tú sabes, pero no me respondió. Sólo dobló la esquina y desapareció.

Tras el desayuno, Manolo y Paula habían salido al patio para jugar. Los demás permanecimos sentados a la mesa de la cocina. Había llegado el momento de aclarar las cosas:

–No, Lucecita –repliqué–. No sé nada. Nada de nada. Por ejemplo, no sé qué tú estás haciendo aquí si Antonio te advirtió que no vinieras. Porque se lo dijiste, ¿cierto? –añadí mirando a Antonio quien, según me pareció, en ese momento hubiera dado lo que fuera por esconderse debajo de la mesa.

–¡Ay, chica! Claro que me lo dijo, pero no me hables duro, que bastante susto tengo yo en el cuerpo para que tú...

–Susto el mío –la atajé–. A quien quiere matar Reinaldo es a mí.

Lucecita enterró los ojos en el mantel. Paca se levantó de la mesa y empezó a recogerla.

–Deje, Paca, ya lo hago yo –reaccioné intentando tomar posiciones frente al fregadero. Sinceramente creía que la loza podía esperar, pero me sentí obligada a reemplazarla. No iba a quedarme sentada mientras la señora de la casa trabajaba.

–No, hija. Ya te dije que la cocina es mía. Además, tú tienes cosas más importantes que arreglar ahora.

Estaba muy seria. Durante todo el desayuno había permanecido callada, observando, más o menos a hurtadillas, la forma de vestir de mi prima –se había lucido eligiendo una blusa roja tan escotada para la ocasión–, su manera de comer –nunca aparecería en un manual de protocolo en la mesa–, y hablar –demasiado colorista para estos españoles, aficionados a la charla en blanco y negro, sucinta e informativa, sin ribetes ni bordados.

Creo que, una vez concluido su examen, Paca se retiró, con el pretexto de fregar los cacharros, con un diagnóstico claro: Lucecita era demasiado. Demasiado provocativa, demasiado negra, demasiado excesiva, demasiado rudimentaria en sus modales, demasiado gesticulante para su hijo.

–Tranquilizaos las dos y vayamos por partes –moderó el bueno de Anselmo–. Veamos. Dices que viste a un hombre frente al portal. ¿Cómo era?

–Yo no sé. Pues normal...

Su imprecisión me exasperó:

–Pero ven acá, ¿era Reinaldo o no era Reinaldo?

–¡Claro que no era Reinaldo, muchacha! Si te digo que era normal, ¿cómo va ser él? –respondió manoteando, como si con sus aspavientos pudiera alejar la espectral imagen del general.

–Eso es verdad –concedí.

–Éste tendría unos cincuenta años, pelo bueno pero escaso, ni alto ni bajo... ¡Ah! Usaba espejuelos de sol... y tenía la nariz chafada, como de boxeador...

–Cuéntale lo de la discoteca –sugirió Antonio.

Su mirada perruna me ablandó. Quizá estaba siendo demasiado dura con él. Y con ella. Con los dos.

—Manolo y yo fuimos anoche a la Areíto, la discoteca de Pozuelo donde...

—Ya sé cuál es la Areíto —la corté irritada.

—¿Qué pasó? —recondujo Anselmo.

Parecía ser el único que conservaba la lucidez en aquella mesa. Si no hubiera sido por su intermediación creo que habríamos acabado halándonos de los pelos, como hacíamos a veces de niñas. Paca se habría frotado las manos: «¿Lo ves, hijo? Esta gente es como es».

—Pues que allí estaba —prosiguió mi prima.

—¿Quién? —grité casi. Me estaba sacando de quicio con sus frases a medias.

—¿Quién va a ser? —replicó ella igualmente enojada—. Ese hombre, el del portal. Ya no llevaba el bléiser, sino una ridícula franela estampada. ¡Como si estuviera en el Caribe!

—Intentaría adecuarse al ambiente —ironizó Anselmo—. ¿Hablaste con él?

—¡Qué va! Cuando me vio se guardó algo en el bolsillo y se fue para la escalera, disimulando. Entonces me fui corriendo para preguntarle a Vivian. ¿Tú sabes? —Lucecita me miró para confirmar que yo sabía de quién estaba hablando. Como no respondí, consideró que debía aclarármelo—: la mesera del restaurantico...

—Sé quién es Vivian, Lucecita —tuve que respirar hondo para no saltarle al cuello—. Sigue, por favor.

—Bien, pues me fui a preguntarle y no te lo pierdas...

La pausa duró apenas un segundo. Supongo que mi prima sólo quería imprimir emoción a su relato, pero reconozco que, en ese momento, simpaticé por completo con el capitán Garfio.

—... me dijo que ese hombre le enseñó una foto tuya y le preguntó por ti. Pero Vivian receló y no le dijo nada. Lo que no sé es si habló con alguien más y le pudo contar algo.

—¿Qué le preguntó?

—¿Que qué le preguntó? —Lucecita abrió los ojos como un sapo—. De todo. Que si te conocía —nos mostró el índice—, que si te había visto por la discoteca —el corazón—, que si sabía dónde localizarte... —el anular...

Antonio evitó que llegara al meñique, interrumpiendo su cuenta:

—Ese tío debe haber contratado a un detective privado, como te dijo el inspector...

Claro. Era obvio, pensé malhumorada. La conversación me estaba poniendo francamente nerviosa.

—¡Pero esto sí que está bueno! ¡Ese hombre se cree que todavía le perteneces! —exclamó en ese momento Lucecita, negando con la cabeza como si la obsesión de Reinaldo por mí fuera una locura.

Su vieja empatía con mis problemas me calmó un poco. Anselmo cogió una cucharilla de café que Paca había olvidado en la mesa. Jugueteó golpeteando rítmicamente el mantel con ella. Todos nos quedamos en silencio, hipnotizados con el sube y baja de la cucharilla y sus pequeños impactos, amortiguados por el lienzo. Por la ventana abierta de la cocina nos llegaban los ecos de los juegos y las risas de Manolo y su niña poniendo un contrapunto vital a nuestra desolación.

—Adela, no quiero asustarte, pero... —comenzó a decir Anselmo asustándome. ¿Por qué la gente comienza así las frases? Si dicen «no quiero preocuparte», te preocupan. No quiero que pienses mal y lo haces. No entiendo esa forma de no querer decir, diciendo— creo que deberías hacer algo —concluyó.

—¿Qué usted cree que puedo hacer?

No veía ninguna salida viable. ¿Quedarme en el cortijo? Cada vez me parecía más probable que Reinaldo me localizaría allí si no lo había hecho ya, con esta visita inconveniente. El instinto me aconsejaba huir de inmediato. Aunque quizá debería permanecer algunos días en Jaén. Tenía que recoger los papeles de mi residencia y no quería demorar más la solicitud para traer a mis hijos conmigo.

¿Volver a Madrid? ¿De qué iba a vivir allí? En Jaén tenía trabajo. Podía mandar dinero a mi madre. Me daba miedo pensar en lo que haría si cancelaba los envíos. Además, ahora dependía de ella más que nunca. Necesitaba que buscara y me enviara los papeles necesarios para tramitar la reagrupación familiar. Por otro lado, Reinaldo estaba en Madrid. Seguro que estaba en Madrid. Y ese detective suyo también. Si volvía, le resultaría fácil encontrarme.

¿Regresar a mi país? Reinaldo gozaba allí de inmunidad, como lo demostraba su puesta en libertad tras la agresión a Hilma y la negativa de los policías a recibirme la denuncia cuando me violó. Y no estaría segura en ningún sitio. El general tenía todavía demasiados ojos y oídos en República Dominicana. Tardaría días, si no horas, en dar conmigo. Aunque me escondiera bajo el mar.

La mesa seguía en silencio. Antonio se observaba las palmas de las manos como si recién acabara de descubrirlas. Pensativo, Anselmo continuaba golpeando el mantel con la cucharilla. El ruido atrajo a Paca. Sin hablar, le quitó el cubierto de la mano y lo dejó caer sobre el fregadero, provocando un cascabeleo al chocar contra la loza que me sobresaltó. Desarmado, su marido optó por reanudar la conversación:

—Tenemos que pensar en algo, Adela. Esto parece una cosa seria. ¿Ese inspector no puede ayudarte?

—¿Ayudarla? Lo que quiere es ligársela —afirmó Antonio, rechazando la idea con un gesto.

—Tú lo que tienes que hacer es huir porque ese hombre es más duro que el virgo de Justa —sugirió mi prima.

La cantinela del fregadero se interrumpió. Sólo Anselmo y yo nos dimos cuenta de que Paca había suspendido su tarea. Se había girado. Tenía los brazos en jarras, la mandíbula descolgada. Contemplaba la nuca de Lucecita con ojos asustados. Como si en lugar de haber oído una grosería hubiera visto al diablo. Anselmo intuyó que el capitán Garfio se disponía a lanzar su gancho y la contuvo con una mirada. Contrariada, Paca se volteó hacia la pila, renegando con la cabeza, y siguió aclarando, con más estrépito del necesario, los últimos platos que le quedaban.

—No va a parar hasta que te acabe la vida, no señor —continuó Lucecita, ajena a su pérdida de cotización en la bolsa de valores de su posible suegra.

–Pero ¿adónde quieres que huya?

Lo cierto es que pregunté por preguntar. Tal como yo lo veía no tenía escapatoria. La respuesta de Lucecita me pasmó:

–A México.

–¿A México? –si hubiera dicho Ruanda, me habría sorprendido igual–. ¿Y qué hago yo en México? Tú eres loca, muchacha.

Antonio asintió. La idea de Lucecita le parecía tan descabellada como a mí. ¿Cómo se le había podido ocurrir semejante disparate?

–Escuchen. Ayer me llamaron de Cáritas para ofrecerme un empleo con una señora mexicana. Vive en Madrid, pero en octubre o noviembre quiere irse a su país para pasar allí la Navidad. Yo les dije que no, porque ya estoy trabajando, pero a lo mejor tú puedes conseguirlo y salir volando, bien lejos de ese demonio de hombre.

–Creo que es la cosa más sensata que he oído hasta el momento –apoyó Anselmo.

Me dio la sensación de que trataba de revalorizar a Lucecita ante los ojos de su mujer atribuyéndole a mi prima un don, el buen juicio, por completo ajeno a su esencia más bien badulaque. Pero quizá llevara razón esta vez. Podía ser la única vía para eludir la persecución de Reinaldo.

–¿Les hablaste de mí? –pregunté.

–No, porque todavía no había pasado lo de la discoteca y no sabía que la cosa estuviera tan jodona –argumentó recogiéndose el pelo con ambas manos y dejándolo caer, de nuevo, con coquetería sobre los hombros.

Paca soltó con violencia el cubierto que estaba secando sobre la encimera y miró con fiereza a su marido. Lucecita le estaba atacando los nervios. Si mi prima hubiera estado sentada frente a mí, le habría pateado la espinilla, pero estaba al otro lado de la mesa. Fuera de mi alcance. Tampoco quería que Anselmo se diera cuenta de que trataba de advertirla.

–Pero en el celular tengo el número y sé con quién puedes hablar. Déjame que te lo anote...

Lucecita garrapateó un nombre y un teléfono con su letra infantil y me pasó el papel. Todos en la mesa callaron. Nadie dijo: «¡Qué tontería! ¿Cómo va a irse a México?». O: «Ni se te ocurra llamar. Seguro que esto tiene otra solución». El plan de Lucecita podía ser descabellado, pero era el único. No había más. Nadie dijo más.

Sin pensar, arrugué con rabia el papelito hasta convertirlo en una bolita blanca de celulosa. Como el de Antonio –parecía que hacía siglos de ello– en el Parque del Oeste. Pero esta vez mi prima no tuvo que sujetarme la mano para evitar que lo arrojara al piso. Lo alisé, lo doblé y lo guardé en el bolsillo. Como si mi movimiento le hubiera recordado algo, Lucecita abrió su bolso y extrajo una tarjeta.

–Con tantas cosas, se me había olvidado. Toma, es del hombre de la discoteca. Se la dio a Vivian. Le dijo que, si se enteraba de algo, lo llamara y que la recompensaría.

La leí en voz alta masticando las palabras:

R. ONTANON
Detectives Privados
Eficacia y discreción
La solución para su empresa
y su vida personal

A la mañana siguiente, Paca anunció su intención de asistir a misa en la catedral. Yo siempre he sido creyente. Creo que existe algo –Dios, Alá o como se quiera llamar– que está por encima de todo. En esos momentos necesitaba sentirle, refugiarme en Él, como he hecho siempre que me he encontrado en apuros. Así que me dispuse a acompañarla y convencí a Lucecita para que fuera también con nosotras. Pensé que así ganaría puntos con Paca.

–Subimos a tomar algo al parador y pasamos después a buscaros –nos dijo Anselmo mientras parqueaba el coche frente a la plaza de acceso a la imponente catedral.

Su mujer se apeó y caminó hacia el carro de Manolo, detenido a escasos metros del de su padre. Antonio se bajó también, pero sólo para ocupar el asiento que Paca había dejado libre junto al chofer.

–¿No vienes? –le pregunté incrédula.

Tal y como estaban las cosas, me atemorizaba la idea de quedarme sin escolta masculina, pero a él le sedujo más el plan de tomar una caña helada en la terraza del impresionante castillo, rehabilitado y convertido en hotel en tiempos de Franco.

–Si no te importa, prefiero acompañar a Manolo y a Anselmo –se disculpó–. Si quieres reservo habitación y nos vamos a echar una siestecita después de comer –susurró después en un tono pretendidamente seductor.

No le respondí. Me molestó que pensara en siestas en medio de la crisis en la que me encontraba. Y más que me lanzara su propuesta salaz delante de Anselmo. ¿Por qué lo hizo? Hasta entonces se había mostrado más bien pusilánime, encogido y falto de iniciativa en lo que a nuestra relación se refería. ¿De dónde había sacado esa resolución inoportuna? Sólo se me ocurrieron dos opciones: el sexo, cuando es bueno, resulta adictivo. Puede que no quisiera regresar a Madrid sin su dosis para reafirmarse en su recobrada potencia eréctil. La segunda opción me pareció más enojosa aún que la primera: a los hombres les gusta alardear de donjuanes delante de sus congéneres. Quizá quiso jactarse de su virilidad delante de Anselmo.

Fuera cual fuera su propósito, se quedó chasqueado y, según me pareció, preocupado por mi reacción cuando, enfadada, retrocedí hasta el coche de Manolo. Miré alrededor con inquietud, pero todo parecía tranquilo. Había mujeres solas, familias con críos, parejas de edades diversas que caminaban hacia el templo tomadas de la mano o del brazo. Ellos, con saco, corbata y pantalones de vestir. Ellas, con espléndidos modelos veraniegos. Como recién salidas de la peluquería. Impecables. Perfumadas.

Recordé la misa de diez en la procatedral de Coa, a la que

asistía la gente bien de mi pueblo. Toda encopetada. Como en Jaén. Evoqué al grupo de españolas que solía ubicarse en la primera fila con sus mantillas. En aquellos años –los de mi juventud– se rumoreaba que más de una de esas hermosas españolas compartía cama con el padre Cristóbal, un cura mujeriego –con predilección por las casadas– que se citaba con sus conquistas en las provincias limítrofes para evitar habladurías. No lo consiguió. Todo Coa sabía que dejó la comarca regada de hijos suyos nacidos en el seno de matrimonios formales que, en más de una ocasión, había unido él mismo en el sagrado sacramento. Sólo Dios y el padrecito saben a cuántos maridos coronó como a venados antes de que la edad aquietara su vigorosa sexualidad.

El color carmesí de la blusa de Lucecita apagó la evocación negra de las mantillas y sotanas libidinosas. Mi prima se había apeado del carro de Manolo. Apenas se hizo a un lado, Paca se asomó a su interior:

–Vamos, Paula, que va a empezar la misa.

–Yo voy con mi papá.

Las campanas de la catedral repicaron entonces llamando a los fieles, quebrando el aire cálido y espeso de la monumental plaza, acallando el agudo griterío de los vencejos que dibujaban arriesgadas filigranas negras sobre el fondo azul del cielo. Pensé que yo era igual que ellos. Los vencejos se pasan la vida volando. Fornican, comen y duermen en el aire. Únicamente se posan para incubar sus huevos. Como si estos pájaros, llamados del diablo por su chillería, estuvieran en fuga. Exactamente igual que yo.

El tañido, imprevisto y atronador, me sobresaltó. Se infiltró en mi cuerpo mientras apurábamos el paso camino del templo, golpeándome primero el pecho con violencia, instalándose después como un temblor en el estómago. Cuando avanzamos por las bancadas buscando un lugar donde sentarnos, el estremecimiento me trepó hasta la cara, y se alojó en mi ojo derecho, sacudido a intervalos por un fastidioso tic.

Me pregunté qué cavilarían las señoras que se volteaban con escaso disimulo para contemplarnos con extrañeza. No debían de estar acostumbradas a ver morenas tropicales en su sobria e imponente catedral. Y menos a que una de ellas les guiñara un ojo al pasar por su lado. De lo que no tuve ninguna duda es de lo que pensaron sus maridos. Y de que sus parpadeos –en equivocada respuesta a mis guiños– no eran espasmódicos, como los míos, sino deliberados.

–Aquí –decidió Paca señalando el extremo de un banco en el que había sitio para las tres–. Pasa –ordenó después a Lucecita.

Mi prima acató el mandato sin dudarlo. Avanzó hasta ubicarse junto a un matrimonio de mediana edad, curioso ante la identidad de su convecina. Paca me hizo una breve indicación con la cabeza para que siguiera a Lucecita. Noté que no quería sentarse a su lado. Obedecí. Tomamos asiento, pero justo en ese momento apareció el sacerdote y todo el mundo se puso en pie. Me costó incorporarme. Como si una telaraña invisible me mantuviera atada al banco. Me sentía cansada. Pensé que el insomnio que venía arrastrando desde hacía semanas me estaba pasando factura.

Y entonces ocurrió algo extraño. Me llegó un olor conocido. Primero fue apenas un soplo, pero bastó para dejarme sin aliento. Luego, cuando Paca desplegó y agitó su abanico, el aroma –suave, cremoso– ganó nitidez, espesándose en mi nariz.

Palmolive. Olía a jabón Palmolive. El jabón que utilizaba Reinaldo.

Loca de espanto, miré alrededor. Buscándolo. Estaba allí. Seguro que estaba allí.

–¿Qué pasa, hija? –susurró Paca.

–Está aquí.

–¿Qué?

–Reinaldo. Está aquí.

Alarmada, Paca miró hacia su derecha. Atrás. A la izquierda. Vi que movía los labios, como si me hablara, pero no escuché lo que dijo. Tenía un avispero en los oídos. Me dejé caer en el banco. Creo que fue Lucecita quien me apoyó sobre su hombro y me cogió las manos. Alguien –supongo que Paca– agitó un abanico ante mi cara. Lo aparté. Me molestaba. Pero volvieron a darme aire de nuevo. Cerré los ojos para evitar el incómodo aleteo. Cuando los abrí, todo comenzó a nublarse y a apagarse. Como si me adentrara en un túnel. Sola. Apreté las manos que sujetaban las mías. Creo que dije algo:

–No me dejes.

Y me sumergí en una dulce tiniebla.

Hay momentos en los que se decide tu destino. Llevas un camino y, de repente, sucede algo que tuerce tu trayectoria y te arrastra a una vida que nunca imaginaste que fuera a ser la tuya. Hablo de esos momentos concretos a los que, pasados los años, vuelves para preguntarte: ¿qué hubiera pasado si...? Conozco a personas que se preguntan qué habría pasado si se hubieran casado con fulanita. O si hubieran terminado su carrera. Si no hubieran conducido un carro después de pasarse de tragos en una fiesta...

Mi juventud transcurrió por una carretera perfectamente asfaltada, sin curvas ni cambios de nivel. Mi vida era mi familia, mis estudios y mi novio, como la de tantas otras chicas. Creí que me dirigía hacia un lugar seguro. Tranquilo. Feliz. Me veía casada con Tato. Con hijos. La señora del doctor Salcedo Abréu. Alternando mi vida familiar con mi profesión docente.

Me equivoqué.

Viví tres abandonos en menos de tres años. Si no hubieran ocurrido, mi historia sería otra, pero sucedieron y torcieron mi camino para siempre. Nunca he llegado a ser la Adela que imaginé y nunca lo seré. Soy quien soy porque aquello pasó y ya nada puede cambiarlo.

Don Pericles me abandonó contra su voluntad porque, salvo para los suicidas, la muerte no es optativa. Aunque tremendamente doloroso, no fue, sin embargo, su fallecimiento lo que me torció la vida, sino la decisión de mi madre de reemplazarlo por Cuchito tan pronto.

Doña mami todavía llevaba luto por mi papá cuando

conoció al soldado. Era más joven que ella. Guapo. Alto. Morenazo. Yo estaba estudiando para maestra en el internado de las Carmelitas, pero fui a verla en Semana Santa pensando que, así, aliviaría su soledad y su nostalgia de don Pericles. Sin embargo, aprovechó la visita para anunciarme lo que menos me podía imaginar:

–M'hija, voy a casarme con Cuchito, un soldado que conocí en el ayuntamiento.

–Pero mami, ¿cómo así?

–Ya tú ves, muchacha. La boda será en mayo y quiero que vengas.

–Mire, yo no estoy de acuerdo con eso. Papá no tiene ni un año que ha muerto y usted ya está pensando en casarse con ese hombre. Yo no iré a esa boda.

Mamá mandó llamar a Cuchito para que almorzara con nosotras y yo pudiera conocerle. No me gustó. Yo creo que un hombre que no sabe sentarse a la mesa es igual que un animalito. Me gusta la gente educada, que sabe estar. Sobre todo si va a entrar en mi vida. Y aquel hombre apenas sabía hablar y no comía, devoraba como si fueran a robarle los alimentos. Como los cerdos que se había dedicado a cuidar hasta que se convirtió en soldado. ¿Cómo podía mi madre sustituir a un hombre culto y refinado por aquel zafio? ¿Qué iba a decir la gente?

No pude soportarlo. Recogí mis cosas y volví a la capital con Tato, mi novio. Pero fui a la boda. Mami me obligó. Y una vez consumado el ultraje, se desentendió de mí. Dejó de llamarme. Tampoco me escribía ni me mandaba cosas. Ni siquiera preguntaba por mí. El internado de las Carmelitas me salía gratis, pero necesitaba dinero para libros, ropa, para merendar... Mami no me envió ni un chele nunca más. Como si no tuviera una hija.

¿Por qué? Supongo que por él, pero nunca hemos hablado de esto. Sólo sé que me abandonó. Se apartó tensando, conforme se alejaba de mí, ese cordón umbilical que yo nunca había podido romper. Y cuanto más se alejaba, más me ahogaba yo. Hasta que no pude respirar.

Y caí en una depresión.

El resto de mi familia desapareció también. Cuchito se convirtió en el eje de la vida de mi madre, pero también de mi abuela, y con su aparición desaparecí yo. El día de mi graduación tuve claro que había dejado de existir para ella. Para todos. Llamé por teléfono a casa y les escribí una carta para que asistieran. Mami dijo que iría, pero todavía la estoy esperando. Mi padre biológico tampoco fue, pero él nunca se ocupó de mí. Para mí es como un amigo muy mayor. Lo quiero, pero no es mi padre verdadero. Mi papá fue don Pericles. Y se murió. Y yo me quise morir también el día de mi graduación.

Fui la única que no estrenó vestido en un día tan especial. Que no recibió la visita de ningún familiar. Sin regalos. Sin nadie. Salvo Tato: mi novio, mi vida, mi mundo, mi tabla, mi amigo, mi todo. No sé qué hubiera sido de mí sin él en aquellos tiempos de orfandad absoluta. Me aferré a él como una náufraga y me metí dentro de una burbuja hermética para intentar que nada me hiciera daño. Para aislarme del resto del mundo.

Tras mi graduación, las Carmelitas me permitieron permanecer tres meses adicionales en el internado y me buscaron trabajo como maestra. Di clases particulares –con las que sacaba algunos pesos– hasta que me consiguieron trabajo en otro internado. Mi situación económica mejoró. Incluso podía ayudar a Tato. Él procedía de una familia muy pobre. Tenía muchísimos hermanos y no se hablaba con su padre porque discutieron por temas políticos. Yo empecé a comprarle ropa, a invitarle cuando salíamos, a hacerle la comida...

Creo que él estudiaba su tercer año cuando entró a trabajar en el centro cardiovascular. Cada noche, cuando le tocaba guardia, le llevaba la cenita metida en su funda. En aquella época, apenas nos separábamos.

–Mira, Adela, yo hoy no te puedo ver porque tengo un examen —me decía, alguna vez, agobiado por los estudios.

Y yo siempre respondía lo mismo:

—Pues me voy contigo y te ayudo a estudiar.

Así lo hacíamos. Nos íbamos al parque Mirador Sur, que quedaba entre su internado y el mío. A nuestro escondite, un discreto rincón cercado por trinitarias color fucsia en el que animaba su aprendizaje con cariños de enamorada. Una respuesta acertada, un beso. Dos respuestas acertadas, un abrazo. La tercera siempre me sorprendía, no sé cómo, bajo su cuerpo, debatiéndome entre el miedo a que alguien nos sorprendiera en nuestra isla de trinitarias y el deseo. Casi siempre ganaba el deseo.

Como la relación con mi madre estaba totalmente rota, los fines de semana en los que mi novio no debía preparar exámenes íbamos a su pueblo. Él se la pasaba evitando a su padre, porque le incomodaban sus silencios, y por las noches sufríamos porque su madre nos hacía dormir en habitaciones separadas sólo por un fino tabique, a través del cual jugábamos a mandarnos mensajes golpeándolo suavecito, como si fuera una tambora, hasta que sus hermanas, que dormían conmigo, o sus hermanos, que descansaban con él, ponían fin a nuestras percusiones:

—Ya está bueno —rugían a veces a la par.

Pasó mucho tiempo antes de que me atreviera a regresar a casa de doña mami. Volví en Semana Santa. Tato me siguió al día siguiente para estar conmigo y conocer mi pueblo. Era la primera vez que nos habíamos separado desde que nos conocimos. Pero Cuchito no recibió bien la visita de mi novio:

—Usted, muchacho, se me va de aquí porque yo soy militar y no quiero estudiantes en mi casa.

La educación le parecía subversiva a aquel tipejo que se creía militar sólo por ser soldado. Como si un monaguillo se diera aires de cura, un cura de cardenal o un cardenal del mismísimo Dios.

—Usted no echa a mi novio porque ésta es la casa de mi padre y usted no es mi padre —le repliqué.

No respondió. Agarró del bléiser a Tato y, delgadito como era, lo mandó volando de un empellón al piso. La dis-

166

cusión fue subiendo de tono hasta que congregó a media vecindad. Mi madre gritaba como si la estuvieran matando mientras mi novio plantaba cara al raso. Finalmente, Tato me sacó de allí cogiéndome por detrás, amarrada por el estómago, para impedir que le fuera encima al haragán. Nos fuimos esa misma tarde a la capital y no volví más, hasta que alumbré a Rubén.

Cuando llegó el momento de que Tato hiciera su pasantía, optamos por solicitarla lo más lejos posible de la capital porque, cuanto más se alejaban los estudiantes de Santo Domingo, más puntos obtenían para conseguir después un trabajo en la red de hospitales públicos. Se marchó a la frontera con Haití. Le compré ropa, la maleta. Se la hice. La noche víspera de su marcha fuimos a una discoteca de la avenida Independencia que solíamos frecuentar, cuando los pesos lo permitían, y bailamos hasta el amanecer. Apretaditos. Tanto que yo llegué a tener un orgasmo musical con un bolero –*Toda una vida*– que no puedo dejar de oír sin que me nazca un dulce estremecimiento en las entrañas y una humedad nostálgica me riegue los pantis.

Cuando apuramos la noche, me acompañó a mi residencia. Parados ante la cancela, nos despedimos treinta veces. Echábamos a andar –yo para dentro, él para su bohío–, pero alguno de los dos viraba la cabeza para echar una última mirada al otro y los pies volvían obstinados sobre sus pasos para juntarnos en una nueva despedida. Así una vez y otra y otra. Cada vez que intentaba separarme de él me invadía un dolor indescriptible que me obligaba a girarme y desandar el camino en busca de sus labios, de sus manos, de su olor, del sudor que le calaba la camisa aquella noche tórrida.

–No me llores, mi amor.

–Lo siento, no quería...

–¿Te casarás conmigo cuando vuelva?

Me dejó una promesa de boda y se fue. Y yo no volví a saber nada de él. Nada. Ni una carta. Ni una llamada. Ni un aviso. Como si se lo hubiera tragado la frontera. O el olvido.

¿Por qué? ¿Qué fue lo que pasó? No lo sé. Llevo diez años preguntándomelo. Sólo sé que, si Tato no me hubiera abandonado, habría sido una esposa feliz, madre de un montón de niños de los que nada, ni un huracán, me hubiera separado. El general no habría entrado en mi vida y no me la habría destrozado y yo estaría con mis hijos. Nunca habría pisado Madrid ni un cortijo remoto en una provincia sin mar –mi mar– llamada Jaén.

Don Pericles decía que los chismes son como sartén de fogón. Si no te golpean, te tiznan. Creo que el abandono de Tato tuvo su origen en un embuste que una intrigante le contó porque le gustaba y pensó que, yéndole con cuentos sobre mí, interesaría a mi novio. Quizá le dijo que yo le había engañado. Si fue así, y Tato lo creyó, no tiene perdón porque sabe que mi trabajo como maestra no me dejaba más tiempo libre que el fin de semana y ése lo pasaba con él. Ayudándole a estudiar anatomía, gastroenterología, neurología y toda esa mierda.

He guardado la duda durante diez años. Nunca he querido pedirle cuentas. Sólo necesito entender qué pasó porque no soporto tener nada pendiente. Las cosas las hago, las termino y se acabó. Quizá por eso su desaparición me ha perseguido siempre. Los abandonos, cuando son inexplicados, te marcan para toda la vida. Te dejan hueca, llena de un vacío sin nombre al que sólo podría llamar soledad. Por eso detesto estar sola. Quedarme sola. Sin nadie salvo yo misma para afrontarme.

La depresión por la ruptura con mi madre y la incomprensible deserción de mi novio me asoló por dentro como un cáncer voraz que me situó un poco más allá de esa delgada línea fronteriza que separa la razón de la sinrazón. Todos creemos que nunca saltaremos al otro lado, que somos seres juiciosos y cabales y nada cambiará nuestra esencia. Pero no es así. Un acontecimiento cualquiera, un accidente, un suceso inesperado pueden empujarnos al confín donde acaba la cordura y comienza la locura. Y así me sucedió a mí.

Conocí al papá de Rubén dos meses después de que Tato me abandonara. Un domingo por la mañana fui con una maestra, compañera mía del internado, a comprar lotería a un puesto callejero, de esos que ponen los números en el piso para venderlos. Mi amiga estaba buscando uno que acabara en siete, como su fecha de nacimiento, cuando se nos acercó un señor igual a cualquier otro, sin nada especial, gris hasta en su vestuario:

–Yo a ti te conozco –me dijo con una sonrisa desvaída de galán sombrío.

–Yo también a ti –«pero ¿de qué?», pensé sin ubicarle.

–Yo soy Omar.

–¿Qué Omar?

–El de la librería Perdomo.

Era cierto. Había visitado su tienda para comprar libros para la universidad. Nos saludó educadamente y nos invitó a tomar algo en un restorán cercano. Recuerdo que hacía muchísimo calor. Tomamos una Presidente helada, cobijados bajo la sombra que proyectaba un generoso paraguas hecho de palma cana.

Después de este encuentro nos citamos. Yo me encontraba tan sola que acepté. Quedamos. Y volvimos a quedar. Y pasó. Tuvimos una relación sexual. Sólo una. Y me quedé embarazada. Cuando me di cuenta no podía creérmelo. «Esto es una pesadilla. No puede ser. Yo voy a despertar», me decía. Pero, aparte de negármelo, no hice nada. Sólo dejé de ver a Omar. Y me callé mi embarazo.

En esos momentos daba clase mañana y tarde en el internado. Vivía allí mismo, en una casita dividida en dos piezas separadas tan sólo por una pared de cartón prensado: el dormitorio de las niñas –no más de una docena– y una habitación reservada para las profesoras –en este caso, yo– a la que llamábamos chabola. ¿Y si las monjas se enteraban? Reveladores vómitos expulsaban con violencia cuanto comía apenas ingería los alimentos. Fuera lo que fuera: habichuelas, café, carne guisada... Daba igual. Más de una vez tuve que interrumpir las clases para salir corriendo al aseo. Pero las monjas parecían no darse cuenta de lo que me estaba ocurriendo. Ni yo tampoco. Me cerré ante los hechos. Me lo negué. Yo, señorita, profesora, trabajando en un colegio de interna, con un novio que estaba de pasantía, ¿cómo iba a estar embarazada de un hombre que no era nada mío, con el que sólo me había acostado una vez y que ni siquiera sabía que estuviera preñada? Mes tras mes me dije que aquello no era real. En mi locura, llegué a creer que se trataba de un sueño y que despertaría. Sólo tenía que esperar y todo pasaría.

Hasta que no pude más y se lo confesé a un cura que iba al colegio a dar misa. Me recomendó un médico y, cuando salí de la consulta, enfrentada por fin a la realidad, me decidí a llamar a Omar. Tenía que decírselo:

–Estoy embarazada.

–¿Qué?

–Que estoy embarazada.

–¿Cuánto tiempo tienes? Porque hace mucho que tú y yo no nos vemos...

–El médico me ha dicho que quinto mes para sexto.

–¡Pero bueno! ¡Tendrás que hacerte un aborto o algo!

Lo intenté. Quise abortar, pero el médico me dijo que era imposible. Tenía el niño hecho. ¿Qué diría mi madre cuando se enterara?

Finalmente le conté a Omar que no había marcha atrás. Él lo encajó mejor de lo que esperaba:

–No hay ningún problema, Flaca. Tranquila. Lo asumo. ¿Necesitas dinero?

Silencio.

–Yo te lo doy. Compra todo lo que necesite el bebé. ¿Dónde te vas a ir?

Silencio.

–Vamos, muchacha. Dime: ¿qué vas a hacer? ¿Vuelves a casa con tu madre?

Silencio.

–¿Te vienes a vivir conmigo?

No pensé que fuera a ofrecérmelo. Podría haber dicho:

«Ahí te quedas», como hacen tantos hombres, que corren como diablos cuando se enteran de que embarazaron a una mujer. Yo no tenía otra opción:

–Sí.

–OK, dame una semana para buscar casa y te vienes conmigo.

Hice caso a Omar. Compré ropa para el bebé y la oculté bajo mi colchón, en la chabola del internado. Luego esperé su llamada para confirmarme que ya tenía la casa. Apenas la recibí, me fui a ver a la directora, una mujerona asturiana prematuramente ajada, a la que comuniqué mi intención de abandonar el colegio.

–¿Por qué te vas? –preguntó.

–Porque me quiero ir. Me han ofrecido otro trabajo en el norte...

–Estás embarazada. Lo sé. No me mientas.

La directora no era adivina. Era una entrometida. Las niñas la habían visto hurgando entre mis cosas y supongo que encontró la ropa de bebé.

Tres días después me fui a vivir con Omar. Pero nunca le dejé que volviera a tocarme, aunque el médico me recomendó sexo porque, según dijo, me ayudaría en el parto. No le hice caso. Me limité a instalarme en el vacío. Hacía sólo unos meses era una muchacha con la vida por delante y de repente me sentía como una anciana sin esperanzas ni metas, sin más consuelo que unos recuerdos que, sin embargo, me laceraban por dentro porque parecían formar parte de una vida que ya no era la mía, sino la de una extraña que no era yo.

La depresión arrasó mi alma y amenazó mi cuerpo que, de repente, en el séptimo mes de embarazo, comenzó a rechazar, como mi cabeza, el bebé que llevaba dentro, como si fuera un elemento extraño a mí. Una mañana amanecí sangrando.

–Amenaza de aborto –dijo mi ginecólogo.

A raíz de aquello pasaba más tiempo en la clínica que en la casa. Estuve a punto de perder a mi niño muchas veces.

Me recomendaron que guardara cama y me pusieron tratamientos, pero continué con problemas. Una vecina, que siempre se mostró cariñosa conmigo, se prestó a llevarme a ver a una comadrona jubilada, afamada por sus dotes para llevar a término los embarazos más complicados.

Fui. Sin decírselo a Omar, que recelaba de este tipo de soluciones. Su casa estaba situada en la periferia de Santo Domingo. Era grande. Limpia. La partera tenía un aspecto de abuela bonachona que me calmó. Me agasajó con palabras tranquilizadoras, me pidió que me subiera a una cama de hierro parecida a la de mi madre y que le contara qué me ocurría:

–Verá, doña, es que tengo como contracciones de parto, con ganas de empujar y todo.

–Lo primero que tienes que hacer es confiar en mí –me ordenó desnudándome de cintura para abajo. Luego me hizo un tacto vaginal–. ¡Huy, este muchacho se quiere salir! Mira, tienes que venir a hacerte unos masajes.

–Sí, pero ¿usted qué me va a cobrar?

–De momento no sé, pero no te preocupes por eso, mi niña.

Fui toda una semana para que la comadrona me hiciera los masajes. Me untaba el vientre de aceite y me empujaba el bebé hacia arriba. Pero no funcionó. Seguí con contracciones. Al octavo día me dijo:

–Mira, voy a hacerte una cosa que no se hace, pero yo te la voy a hacer porque creo que es la única manera de subirte ese muchacho que se quiere salir.

Creo que la doña pinchó al bebé con algo. No sé con qué, pero el niño salió disparado hacia arriba y así pude tener a Rubén. Omar decidió su nombre sin consultarme. Típico de los hombres dominicanos, pero al menos éste había declarado al niño. Cualquier otro se habría desentendido de una paternidad fortuita y una madre a la que no le unía más que una noche de sexo más bien vulgar que, para mi fortuna, no puso especial interés en reeditar. Nunca fue un marido para mí y, a decir verdad, tampoco un padre para su hijo. Omar sólo ha sido un banco, siempre generoso con los pesos y cicatero con los cariños.

Noté una mano en mi frente. Un dedo subía, una y otra vez, desde mi entrecejo hasta el nacimiento del pelo, acariciándome dulcemente. La curiosidad me abrió los ojos. Luz. Moteada de chispazos multicolores, como las bolas de un billar golpeadas por el impacto de la bola blanca cuando el jugador abre la partida. Luego, una nebulosa que comenzó a aclararse al tercer o cuarto parpadeo. Hasta que logré enfocar la imagen de un fluorescente.

–Gracias, virgencita.

La voz me llegó por la derecha. Giré la cabeza buscándola. Una imagen difusa chisporroteó con destellos irisados. Mareada, cerré los ojos para apagarlos. Cuando volví a abrirlos, vi el contorno de lo que parecía ser una cabeza que se acercaba poco a poco a la mía hasta depositar un beso en mi mejilla.

–¿Lucecita?

–Sí, mi niña. Estoy aquí.

–Hola.

–Hola, Flaquita. ¿Cómo tú estás?

–Bien.

Intenté incorporarme, pero todo bailó. Noté una presión disuasoria sobre el pecho. La mano de mi prima.

–¡Quieta, muchacha! Hasta que no se te pase el yeyo tú no te me mueves.

–Tengo que irme de aquí –protesté.

–Nos iremos. Tranquila. Nos iremos. Ahorita mismo busco a un médico.

Apenas retiró la mano eché de menos su calidez, como si su ausencia me hubiera abierto un agujero helado en el pecho. Abrí los ojos. La visión del fluorescente era ya nítida. Me acodé. Una mujer con bata blanca pasó a mi lado, pero no me miró. Una silla de ruedas desocupada avanzó, empujada por un joven vestido con una especie de piyama verde, por el pasillo salpicado de camillas, pegadas a la pared, con dolientes que se quejaban a intervalos. Recordé la catedral. El olor a Palmolive. El abanico.

—¿Cómo se encuentra?

La voz masculina atronó a mi lado.

—¿Qué hago aquí?

—Se mareó en la catedral. ¿Se encuentra mejor?

—Sí —dije sentándome con dificultad sobre la camilla. Me miré. Llevaba puesta mi ropa.

—Está muy delgada. ¿Sabe cuánto pesa?

—Unas ciento cinco libras.

—¿Y eso cuánto es?

—Perdón, yo... —iba a explicarme, pero el cansancio me pudo—. Creo que unos cincuenta kilos más o menos.

El médico me miró de arriba abajo y sentenció:

—Yo diría que menos, pero ahora la peso para comprobarlo. Vamos a ver señora, ¿dónde vive usted?

—En un cortijo, fuera de la ciudad.

—Y ¿qué hace usted en esa casa?

—Yo trabajo y vivo allí con una familia.

—A usted no le dan de comer en ese cortijo —aventuró con gesto preocupado.

—Sí que me dan, doctor.

—Pero usted no come.

El estómago me rugía a veces por el hambre, pero una garra en la garganta me impedía tragar. Lo cierto es que había perdido mucho peso.

—No mucho...

—Miré, usted tiene anemia y si la familia para quien trabaja no le da de comer, hablaré con ella porque necesita alimentarse como es debido.

Los análisis que me hicieron confirmaron el diagnóstico del médico. Tenía una anemia tremenda. Me recetaron vitaminas, hierro, estimulantes del apetito. Y me dieron el alta.

Paca se indignó cuando Lucecita relató, apenas llegamos al cortijo, las sospechas del doctor:

—¡Pero si te pongo de comer gloria bendita y nunca quieres nada!

–Ya se lo dije, Paca... La culpa es mía, no suya.

Estábamos en el patio. Anochecía. Los grillos se habían empeñado en regalarnos un concierto no programado que me estaba levantando dolor de cabeza. O quizá fuera el chaschás de la mecedora en la que Manolo balanceaba a Paula, sentada en sus rodillas:

–Papi, me duele la barriga.

–¡Si no comieras tantas chucherías! –regañó implacable Paca.

Lucecita sacó algo del bolso y avanzó hacia la niña entronizada sobre su padre que, curioso ante el propósito de mi prima, detuvo el vaivén. Lucecita le subió la camiseta a Paula y le puso una curita sobre el estómago.

–¡Ya está! ¿A que no te duele?

La niña miró a mi prima con reparo:

–¿Las tiritas curan el dolor de barriga?

Reímos. Paca también. Paula pensó que nos reíamos de ella, se arrancó la curita, la tiró al suelo y buscó refugio en el cuerpo de su padre, como si intentara desaparecer dentro de él.

Antonio miró su reloj y se levantó. Lucecita lo imitó. Debían emprender viaje de regreso a Madrid. Ambos trabajaban al día siguiente. Manolo había decidido permanecer en Jaén hasta el martes para apurar su reencuentro con Paula y custodiarme en las gestiones que yo pensaba realizar el lunes. Los acompañamos al coche.

La despedida de Antonio fue breve. Fría. Le guardaba resentimiento por haberles traído al cortijo, por no haberme acompañado a la catedral, por la invitación a la siesta... La de Lucecita, en cambio, fue cálida, sin reservas. Manolo y Antonio secretearon a nuestras espaldas mientras intercambiábamos besos y abrazos:

–Si me encuentro con ese hombre, le caigo a golpes con el bolso –bromeó con ojos chispeantes.

–Ten cuidado, prima...

–Las ánimas le den camino y la guasábara vereda –maldijo Lucecita a Reinaldo santiguándose.

Sonreí con tristeza. Durante un segundo vi a las dos flaquitas corriendo. Huyendo de la furia inocua de mi abuelo violinista cuando le interrumpíamos los ensayos. Evitando con cuidado la cerca de guasábaras, diseñada para contener a los animales y disuadir a los intrusos. Un cactus peligroso porque segrega una leche que, si te cae encima, te quema como si te hubieran echado fuego. Y sus púas, largas y negras, son peores. En julio y agosto, cuando hace mucho, pero que mucho calor, y el sol cae como una brasa sobre la tierra, la guasábara escupe sus espinas y, si te aciertan, te provocan una quemazón del diablo. Por eso todo el mundo evita pasarle cerca en las horas calientes.

Estaba pensando que Reinaldo era como ese cactus traicionero cuando Antonio arrancó.

–Tío, como me jodas el coche te mato –le advirtió medio en serio medio en broma Manolo.

–No le hagas caso, hijo. Y no te preocupes por Adela, que nosotros te la cuidamos –replicó Anselmo rodeándome el hombro con su brazo descarnado.

La boca de Antonio dibujó ese garabato que me resultaba tan molesto y, sin mirarme, avanzó despacio hacia la pista calcárea:

–¡Nuestra Señora de Altagracia te ayudará! –gritó Lucecita asomando la cabeza por la ventanilla.

–¡Llámame al celular cuando llegues! –respondí chillando a la nube de polvo que rodeaba el coche.

Si Antonio creía que era el único que podía ignorar al otro, estaba listo. Luego no vi más que las luces rojas del freno parpadeando a cada paso. Estaba intentando esquivar los baches.

–Aquí hay una señorita que ya debería estar en la cama –advirtió Manolo con una voz seria que contrastaba con su rostro bien agestado.

Dócil, Paula levantó la mano para tomar la de su padre y se encaminó con él hacia la casa. Paca y Anselmo los siguieron. Me quedé sola, mirando el camino hasta que el auto dobló la curva por la que se accedía a la carretera y desapareció.

Noté un peso plomizo en los pies. Miré al cielo, moteado por las primeras estrellas. Había sido un día difícil. Mejor irse a la cama. Mañana tenía muchas cosas que hacer. Y no debía olvidarme de encender el móvil antes de dormir. Lo había tenido apagado todo el fin de semana, pero esperaba que Lucecita me hubiera escuchado y telefoneara para comunicarme que habían llegado sin novedad.

Iba a girarme para entrar también en la casa cuando vi algo inesperado que me ancló los pies a la tierra: dos luces asomaron por el recodo por el que acababa de desaparecer el carro que manejaba Antonio. Superada la curva, los faros serpentearon por la pista, cabeceando pesadamente con cada bache. Parecían ojos que parpadeaban. Ojos blancos.

Anselmo y Manolo aguardaron, plantados ante la entrada, la llegada del coche. Yo me oculté tras la puerta entreabierta, por cuya rendija alcanzaba a divisar la espalda de los dos hombres. La de Anselmo, erguida. Diría que tensa. La de Manolo, inclinada por el peso de los hombros. Con las manos en los bolsillos. Parecía relajado.

El relampagueo de los faros interrumpió mi observación. Aparté los ojos del resquicio. Escuché que el coche redujo la marcha. Frenó. El motor se apagó. El canto de los grillos, sofocado hasta entonces por el ruido del vehículo, volvió a invadir la noche. Luego oí unos pasos amortiguados por la grava del estrecho camino que conducía, a través del patio, hasta la puerta de la casa. Anselmo se enderezó, ganando varios centímetros de altura. Manolo desenfundó las manos.

–Buenas noches. Perdonen la molestia a estas horas.

Las espaldas de Anselmo y su hijo me impedían divisar al desconocido, pero advertí que tenía acento andaluz. No podía ser el detective contratado en Madrid por Reinaldo. Comencé a suspirar aliviada, pero me interrumpí cuando el hombre volvió a hablar. No quería perderme ni una palabra.

–Soy el inspector Armenteros.

–¿Policía?

–Sí, señor. Disculpen que aparezca así, en plena noche, pero me llamaron de Madrid...

–¿Me enseña su documentación, si es tan amable? –le interrumpió Anselmo.

Noté en su voz un timbre de alerta. También él estaba tenso. Me dio pena haber roto con mis problemas su apacible vida de jubilado. Los tres hombres guardaron silencio unos segundos. Luego volvió a hablar Anselmo:

–Disculpe usted, pero tenemos motivos...

–Lo sé, lo sé. No se preocupe. ¿Está la señora Guzmán?

Los dos hombres separaron sus espaldas, que hasta entonces habían mantenido juntas, formando barrera. Retrocedí un par de pasos. Me dio vergüenza que el policía me descubriera tras la puerta. Me disponía a abrirla, cuando el desconocido la empujó.

–¡Ah! ¿Señora Guzmán?

–Sí.

–Vengo de parte del inspector García Morales... Somos amigos y me ha pedido que viniera a verla.

–Tome asiento –lo invitó Anselmo.

Una arruga honda, imperceptible cuando estaba relajado, le atravesaba el entrecejo como una cuchillada breve pero profunda. Me pregunté si, permaneciendo en su casa, comprometía su seguridad, la de Paca y la de la niña. Aunque Manolo también estaba allí ahora. Lo miré. Observaba al policía con expectación.

–Gracias. Verá, el inspector ha intentado contactar con usted por teléfono pero no le ha sido posible, así que me ha pedido que me acerque a verla.

Sentí la cabeza pesada. Intenté concentrarme, pensar, pero no era capaz de hacerlo. Una maraña de ideas y fogonazos de sensaciones inconexas me impedían reflexionar con claridad. Sólo logré esbozar una pregunta. ¿Qué era tan urgente para que Eduardo me enviara a un policía, de noche, a un cortijo perdido, para avisarme? Y luego otra: ¿Cómo había dado conmigo? Yo nunca le dije al inspector dónde me encontraba exactamente.

–¿Cómo me localizó?

–Usted dio esta dirección cuando tramitó el permiso de trabajo en la delegación.

–Cierto, disculpe, es que estoy un poco nerviosa...

Una mano comprensiva se apoyó en mi hombro. Me volteé apenas. Lo suficiente para descubrir que era Anselmo. Sin advertirlo, se había colocado detrás de mí. Manolo se había sentado junto al policía. Nos miraba con ojos enlutados mientras hablábamos.

–¿Y por qué me ha telefoneado el inspector García?

–Verá, señora, un hombre llamado Reinaldo Unzueta se registró ayer en un hotel de Jaén capital... Lo averiguamos esta tarde y conforme a sus indicaciones, se lo comunicamos al inspector... Él la llamó, pero...

–Viene a matarme...

Creí que sólo lo había pensado: «Viene a matarme». Pero lo susurré. Me sorprendió oírlo. Me miré el vestido. Me extrañó que no fuera amarillo. Miré hacia la puerta. Imaginé que Reinaldo la abría y pensé que, si lo hiciera, no me movería. ¿Para qué resistirse? Mejor acabar con todo de una vez. Dejé caer el cuerpo sobre el respaldo de la silla mientras el policía avanzaba el torso hacia mí. Por primera vez desde que entró me fijé en él. No tenía cara de policía. Al menos, no la cara que una espera que tenga un policía. Era más joven que el inspector de Barajas, con el pelo cortado a cepillo y las facciones imprecisas, como si estuvieran a medio hornear. Pero tenía un brillo en sus ojos que sugería perspicacia.

–Tranquilícese, señora. No le va a pasar nada, ¿de acuerdo?

Avanzó una mano, como si fuera a coger las mías, pero la dejó en el aire y luego la replegó sobre su rodilla. Era muy blanca. Y muy fina. Pequeña. De articulaciones delicadas, como la de los pianistas. Ideal, pensé, para recomponer relojes dañados o montar puzles de cinco mil piezas o esas maquetas de galeones, de fragmentos diminutos, que una vez vi armar en televisión a un coleccionista obsesionado que había convertido su salón en un océano cuajado de navíos de época varados en estantes, librerías, mesas, cómodas. Intenté imaginármela sosteniendo una pistola o dando una cachetada, pero me resultó imposible. Reinaldo, en cambio, las tenía fuertes. Grandes. Poderosas. Con una sola mano podría rodear las dos muñecas del inspector Armenteros. Contener en la palma una de sus manos de juguete y quebrarla sin esfuerzo como una pequeña nuez.

–Tranquila, Adela. Te habrán puesto vigilancia, ¿no es así? –preguntó Anselmo. Desde el día de la tormenta las noches eran más frescas. Sin embargo, la frente le brillaba por el sudor.

–Tengo a dos hombres en un coche apostado a la entrada del cortijo –explicó el inspector con manos de pianista–, pero siento decirle que ésa no es la solución.

–¡Pues deténganle! –propuso Manolo con vehemencia.

–No podemos hacerlo.

–¿Qué vaina es ésa de que no pueden detenerlo? –pregunté enojada.

Él se alzó de hombros antes de responder:

–Por ahora sólo se ha registrado en un hotel. No ha hecho nada por lo que podamos detenerle. Pero si usted nos ayuda –volvió a adelantarse en la silla–, podemos atraparlo.

–¿Quieren que Adela haga de cebo? –preguntó Anselmo con incredulidad.

Manolo se agitó en torno a nosotros, pasándose las manos por el pelo, caminando a la derecha. Deteniéndose. Girando luego hacia la izquierda. Hasta que finalmente preguntó:

–¿Se han vuelto locos?

La debilidad que me había noqueado en la catedral me golpeó de nuevo, dejándome las piernas desmadejadas, como hebras de lana. Dije lo único que podía decir:

–No.

–Estaría bajo vigilancia e intervendríamos a la menor señal de alarma –insistió el policía intentando que sus palabras sonaran seguras.

–No.

–La decisión es suya, señora. En cualquier caso sólo

podemos brindarle protección durante veinticuatro horas. Luego, si no ocurre nada, tendré que retirar a mis hombres. ¿Lo comprende?

–No.

Anselmo acompañó al policía a la puerta. Al abrirla, no me alcanzó el aroma de los jazmines que inundaba el cortijo cada noche, sino el olor imposible de las adelfas.

Estaba en la cama. Tenía frío. Tiritaba. Abrí los ojos y entonces lo vi. Una sombra de contornos humanos respiraba junto a la puerta. Inmóvil. Como un animal al acecho. Me estremecí. Intenté incorporarme, pero no pude, como si me hubieran administrado una de esas drogas paralizantes que te permiten ver y oír, pero no moverte. Apreté los ojos y volví a abrirlos, rezando para que, al hacerlo, la silueta espectral se desvaneciera como un mal sueño. Pero seguía ahí. Observándome. Respirando de forma sincopada. Quieto.

No me di cuenta de que fumaba hasta que dio un copazo al cigarro y la brasa se inflamó, iluminando brevemente su rostro de ojos vacíos. Abrí la boca para gritar, pero no pude. La cerré. También los ojos. Mejor no verlo. Pero lo oí. Debía de llevar botas con suela de goma, porque al caminar rechinaban de forma siniestra. Una vez, dos veces, tres... Debía de estar muy cerca. Abrí los ojos. Lo estaba. Dio otro copazo lento, arrojó el cigarro al piso y escupió el humo sobre mi cara, mirándome con un desprecio sombrío. Luego me preguntó entre dientes:

–¿Qué hay, Flaca?

Quise levantar las manos para arañarle. Quería hundirle las uñas en su cara arrogante, arrancarle los ojos y esa sonrisa perversa, pero sólo alcancé a estirar y contraer débilmente los dedos reposados sobre el cubrecama. Abrí la boca de nuevo para gritar, pero sólo fui capaz de exhalar una queja sorda. Reinaldo rió quedo.

–¿Vas a cantarme? Pero si cantas malísimo, mi amor...

Se llevó el dedo a los labios para pedirme silencio aunque

era innecesario. Me había quedado muda. Luego bajó la mano con lentitud hasta mi sien y me acarició suavemente. Su contacto me electrizó, como si me hubieran dado una descarga, proyectando mi cuerpo hacia delante y cayendo luego a peso sobre el colchón. Noté que una lágrima descendía por mi mejilla. No me había dado cuenta de que estuviera llorando. Reinaldo la barrió con el pulgar y negó con la cabeza:

–Podíamos haber sido tan felices los dos...

Abrí la boca, no ya para gritar, sino para llevar un poco de aire a mis pulmones. Apenas podía respirar. Me ahogaba.

–... pero me abandonaste, Flaca. Me dejaste tirado, carajo.

Lo miré a los ojos, perdidos, y luego su mano, tan próxima a mi cara... Volví a sentir sus caricias. Sus firmes dedos enredados en mi pelo, bajándome por el cuello, adentrándose en el escote del camisón en busca de mis senos, rozándome los pezones mustios, emergiendo de nuevo para descender hasta mi vientre tenso:

–¡No!

Esta vez sí grité. Me oí gritar, pero él ahogó mi grito con su mano. Me tapó la boca y la nariz impidiéndome respirar. Aire. Necesitaba aire. Traté de zafarme de él, pero se colocó sobre mi cuerpo y me inmovilizó con su peso. Luego me miró a bocajarro, cerró sus manos enormes alrededor de mi cuello y apretó. Sus ojos, cargados de plomo líquido, me miraron desde muy lejos mientras oprimía mi garganta.

Cuando comenzaba a ahogarme sonó el celular y me sacó de la pesadilla. La pantalla me anunció que era Lucecita. Bendita sea.

–No quería despertarte, muchacha, pero como me pediste que te telefoneara...

–No te preocupes. Te lo agradezco –alcancé a responder boqueando como un pez recién sacado del mar.

–¿Te pasa algo?

–Nada, una pesadilla.

Cuando colgué me di cuenta de que estaba empapada en sudor y en lágrimas. Me senté en la cama, aturdida aún por el mal sueño, intentando apaciguar los jadeos. ¿Había gritado? ¿Y si había despertado a la casa? Me concentré para detectar si se oía algún sonido, pero no. Todo estaba en silencio. Aparentemente tranquilo.

A tientas, busqué el interruptor de la luz para exorcizar unas tinieblas en las que aún me parecía seguir intuyendo la presencia de Reinaldo. Miré la habitación, la puerta, el piso... No había ninguna colilla.

Caminé hacia el baño y me lavé la cara con agua fría. Sumergí la nuca bajo el grifo y me quedé así un buen rato. Cuando me erguí, una mujer de ojos delirantes, con profundas ojeras cenicientas me miró desde el espejo. No suelo observarme en ellos. Mirarme sí –cuando me peino o me pinto–, pero sin verme. Siempre he rehuido mi imagen. Supongo que será porque nunca me gusté por mis complejos de flaquita. De hecho, hasta que no me separé del general, no fui capaz de contemplarme de cuerpo entero. Fue cuando mantenía aquella relación sexual con mi muchachote, el aprendiz de dentista. Un día, cuando se marchó de casa, me duché y salí a la habitación envuelta con una toalla. De repente, cuando me estaba secando, se me cayó. Estaba frente a una cómoda que tenía un gran espejo. La toalla se deslizó y miré mi cuerpo desnudo. Por primera vez en treinta y cinco años, me miré. Por delante, por detrás, de costado:

–¡Eeepa! ¡Pero qué buena estoy! –dije en voz alta recreándome en la imagen que me devolvía el espejo–. ¡Oh, mamita! ¡Pero si soy una maravilla de mujer!

Me gusté. Por primera vez me gusté y me acepté.

Pero esa noche no. La mujer que me miraba estaba demacrada, asustada, triste. Me rebelé. La mujer del espejo me devolvió una mirada cuaresmal en la que poco a poco se fue apagando la derrota y ese extraño brillo, propio de quien bordea la locura. Lentamente, en sus ojos asomó un chispazo de razón y de lucha. Pasé la noche frente a ella, observándola, platicando con ella, planeando estrategias. Sin pegar los ojos, más despierta que nunca.

# VI

Cerca de La Loma hay un pueblecito caficultor en el que siempre es primavera. Es un lugar especial, algunos dicen que mágico, no por su microclima privilegiado, sino porque en sus proximidades acontece un fenómeno que ha generado una peregrinación sinfín de científicos –sobre todo gringos– interesados en su indagación. Sucede que, en la parte más alta de la carretera por la que se llega al pueblo, hay una zona en donde, si pones el carro en neutro y lo apagas, en lugar de bajar, como mandaría la ley de la gravedad y de la razón, el coche sube solo, como si lo atrajera un imán.

No hay dominicano ni turista avisado que pase cerca y no se detenga a probar con su auto el prodigio de la colina magnética y pontificar sobre su origen. Hay quien atribuye la rareza a un efecto óptico; otros, a los minerales que la montaña almacena en sus entrañas, que imantarían los carros provocando su paradójico ascenso; e incluso los hay que ven el fenómeno con ojos paranormales. Yo no sé qué lo origina, pero cuando amaneció y la luz recién nacida comenzó a barrer las brumas de esa noche de espanto y pesadillas que pasé platicando conmigo misma, me acordé de la historia de los coches que trepan la loma sin motor, impelidos por una fuerza –que no es la suya– misteriosamente telúrica.

La casa estaba todavía en silencio cuando comencé a vestirme. Pantalón *jeans* y una vistosa camiseta verde. Me calcé las sandalias, me detuve un segundo en la cocina para tomar mis medicinas y eché a andar con sigilo. Primero hasta el recibidor de entrada a la casa. Luego salvé la puerta. Después avancé deprisa por el camino de tierra que conducía hasta la carretera. Allí estaba el coche de la policía. Fui hacia él. Cuando la puerta del chofer se abrió estaba sólo a unos pasos del vehículo.

–Llévenme a Jaén.

El hombre que se había apeado del auto parpadeó varias veces, quién sabe si sorprendido por mi súbita aparición o por mi tono imperativo. Tenía los ojos enrojecidos. Parecía que acababa de despertarse.

–Tenemos órdenes de vigilarla, no de servirle de taxi –replicó malhumorado.

Eché a andar por el arcén impulsada por un brío ajeno sin pensar en la distancia que me separaba de la ciudad: unas dos horas y media si caminaba a buen ritmo.

–¡Mierda!

Ignoré el exabrupto que restalló a mis espaldas y continué avanzando hasta que otra voz, distinta a la del chofer –más cortés– me detuvo:

–Un momento, señora.

Me volví. Era un muchacho de apenas treinta años. Tenía el pelo revuelto, como si se lo hubiera alborotado el viento. Rubio, salvo la barba que comenzaba a nacerle sobre la mandíbula, coronada por una sonrisa conciliadora. Me dieron ganas de recomponerle el cabello y plantarle dos alas de algodón en las espaldas.

–Suba al coche –dijo señalándolo con el brazo extendido–. La acercaremos a Jaén.

Apenas me monté, el policía angelical cogió su móvil y marcó un número.

–¿Señor? Soy Ortega. Nos dirigimos a Jaén porque...

Dejó la explicación en suspenso. Me pareció que su interlocutor lo había interrumpido.

–Verá, señor. Ella bajó de la casa y nos pidió que la lleváramos.

El conductor me regañó con la mirada. A lo mejor son aprensiones mías, pero me pareció que no le era simpática. O quizá no tenía buen despertar. A mi abuela convenía no contrariarla con charlas insustanciales antes de que se arrimara el primer café de la mañana.

–Sí, señor. Le paso con ella –añadió el rubiecito antes de voltearse y tenderme el teléfono–. El inspector Armenteros quiere hablar con usted.

–¿Diga?

–¿Se ha vuelto loca? ¿Qué pretende, si puede saberse? –atronó.

–Voy a ver a Reinaldo.

El policía guardó silencio unos instantes, supongo que por la sorpresa. Cuando recuperó el habla parecía menos enojado, aunque no lo conocía lo suficiente como para determinar, sólo por la voz, su estado de ánimo. Tampoco me importaba.

–Ayer le propuse que hiciera de anzuelo y se negó. ¿Se puede saber por qué ahora...?

–Quiero que esto acabe –le corté.

–Señora Guzmán, si se presenta usted sola en el hotel puede que, efectivamente, todo acabe pero no como nos gustaría. ¿No cree?

–Me da igual todo.

–Escúcheme. Mis hombres la traerán a comisaría y hablaremos. Le explicaré nuestro plan y decidiremos. Media hora. Nos veremos sólo dentro de media hora ¿De acuerdo? Ahora páseme de nuevo con Ortega.

Los dos policías charlaron apenas un minuto. Cuando concluyeron, divisábamos ya el cerro sobre el que se yergue, formidable, el castillo de Santa Catalina, y en cuya falda se acuesta rendida la ciudad. ¿Dormiría a esas horas el general? ¿Qué estaría haciendo? Miré a través del vidrio, pensativa: «Espérame. Aunque no quiera, voy en tu busca».

Llegamos al hotel en el que se alojaba Reinaldo a las once de la mañana. Nuestro carro siguió de largo, pero vi cómo la furgoneta que nos había acompañado desde que salimos de la comisaría parqueó en un lateral. Un hombre, vestido con un mono de trabajo azul, bajó de ella y se encaminó hacia la entrada del hotel.

–Baja hasta la estación y vuelve a subir –ordenó el inspector Armenteros al chofer de nuestro vehículo. Luego me lanzó una de sus miradas ratonas–. Adela, ¿lo tiene todo claro?

–Sí –respondí palpándome inconscientemente el transmisor que me habían alojado en el pecho.

–Por favor, no lo toque. Podría interferir la señal.

Asentí. Miré las calles. Hombres que corrían a hacer gestiones. Mujeres con niños. Una abuela renqueaba trepando la cuesta con una barra de pan en la mano. Un perro orinaba la goma de una motocicleta aparcada en la acera. Dos novios caminaban entrelazados por la cintura.

–¿Sí? –preguntó el inspector.

Pensé que me hablaba a mí, pero no. Se había llevado la mano al pequeño auricular que portaba en su oído.

–De acuerdo, vamos para allá. Sube ya para el hotel –ordenó al chofer. Luego se dirigió a mí–: Sigue en su habitación. Mis hombres están preparados.

Temblé. Estábamos apurando el verano, pero el calor se negaba a batirse en retirada ante el otoño incipiente. Aun así, sentí frío. Como en la pesadilla. La resolución que me había animado en aquella madrugada terrible me abandonó unos segundos, reemplazada por un instinto primario que me aconsejaba emprender de nuevo la huida para ser una más entre los ciudadanos que recorren, un día cualquiera, las calles de cualquier ciudad. Pero recordé la mirada acorralada de la mujer del espejo y me sobrepuse. La decisión estaba tomada. Ya no podía dar marcha atrás.

De nuevo en las puertas del hotel, observé que la furgoneta –blanca, serigrafiada con un letrero en el que se leía «Reparaciones Domingo Gómez»– había cambiado su ubicación.

–Adela, diga cualquier cosa para comprobar que el micrófono funciona –me ordenó con suavidad el inspector.

–No sé qué decir.

–Sólo hable un poco más.

–No me gusta esta ciudad. Creo que no volveré jamás a ella –dije sin pensar.

El chofer malencarado que se había negado a servirme de taxista cuando salí del cortijo me miró con reproche. Armenteros escuchó por su auricular y asintió.

–Los chicos la reciben alto y claro.

Luego volvió a dirigirse al conductor:

–Déjanos aquí y espera –le indicó mientras abría la portezuela para bajar del carro–. Ortega, tú sube conmigo –ordenó después al copiloto.

De repente, el inspector me pareció más viejo que cuando se presentó en el cortijo. El mando le dibujaba diminutas arrugas en el entrecejo, los ojos, las comisuras de los labios, que le hacían parecer mayor de lo que, sin duda, era en realidad. Sin embargo, sus manos seguían teniendo, pese a la firmeza de su voz y su actitud decidida, la misma blandura inquietante que me llamó la atención la primera vez que lo vi. Y yo estaba en sus manos y en las de su subordinado, el querubín despeinado, para enfrentarme a las manos de troglodita de Reinaldo.

–Adela, baje y camine hacia los ascensores sin pasar por la recepción. Ya están avisados. Están a la derecha, pasado el *hall*. Nosotros subiremos con usted. Le seguiremos los pasos, pero no debe hablarnos hasta que lleguemos al ascensor.

Seguí las instrucciones del inspector como si quien lo hiciera fuera otra. Caminé como una de esas muñecas a pilas, con pasitos cortos y mecánicos, hasta la recepción. Dos hombres, situados tras un mostrador, me miraron preocupados. Los rebasé y continué hasta los ascensores. Oí que unos tacos me seguían, pero no me volví para chequear que se trataba de mis policías. El ascensor timbró cuando llegó a la planta baja. El inspector Armenteros y Ortega ya estaban a mi lado cuando las dos puertas metálicas se deslizaron, franqueándonos la entrada. Pasamos sin mirarnos.

–Recuerde. Si la cosa se pone mal, diga Martos y entraremos de inmediato.

–¿Qué es Martos?

El policía relojero sonrió.

–Mi pueblo. Está sólo a veinte minutos de Jaén. La llevaremos cuando todo esto acabe.

–Y también a Torredonjimeno, que es el mío... –propuso su serafín para aliviar la tensión.

–Mire, yo no me voy a acordar de esa palabra –repliqué–. ¿Y si dijera calor? Será más natural...

–¿Calor? Está bien.

El ascensor se detuvo en la segunda planta. Salí a un rellano enmoquetado azul mar que se bifurcaba, a izquierda y derecha, en dos pasillos. Todo estaba en silencio. Me detuve dudosa. No sabía qué habitación debía buscar. El inspector Armenteros señaló a la derecha y me enseñó una tarjeta plástica con un número labrado en negro:

–213 –susurró.

Eché a andar resuelta, pero a medida que me acercaba a la habitación las piernas comenzaron a flojerarme. Cuando llegué caminaba a cámara lenta, ralentizada por el miedo. El corazón me latía enloquecido. Recé porque las palpitaciones no interfirieran la señal del micrófono. Miré atrás. Los dos hombres asintieron al unísono, animándome a tocar la puerta. Cerré el puño con fuerza, como si fuera a derribarla a golpes, lo alcé y llamé dos veces. Tan suave que temí, deseándolo al mismo tiempo, que Reinaldo no lo escuchara. Nada. No percibí ningún movimiento en la habitación. Volví a llamar, esta vez con fuerza. Quizá demasiada.

Y abrió.

Durante un segundo me miró como a una aparecida. Sus ojos, redondos por la sorpresa, se clavaron dolorosamente en los míos, que huyeron como soldados cobardes. Había intentado prepararme para ese momento, pero fui incapaz de afrontarlo con la tranquilidad que había ensayado en mi imaginación. Con el miedo sucede así. Una cree que reaccionará de una forma y lo hace de la contraria. Nunca se sabe.

–¿Qué tú haces aquí?

Tragué los últimos restos de saliva que conservaba en la boca. Mi paladar se había convertido en un arco de hormigón reseco. La lengua se había adherido a él, como untada por la resina amarillo oro del guayacán, cuyo bálsamo empleábamos Lucecita y yo de niñas para pegar las tapas de nuestros libros deslomados. Aun así, con la boca desértica de los difuntos, logré hablar:

–¿Es que me vas a dejar en la puerta?

Reinaldo sonrió goloso. Pero, al contrario que su boca, sus ojos no sonrieron. Me miraron circunspectos, acorralados por una maraña de finas arrugas desconocidas. Eran nuevas. Habían surgido después de abril, cuando tuvimos nuestra última entrevista antes de que yo partiera hacia España. Además, noté que las mejillas, ligeramente desfondadas, ablandaban su cara, de consistencia antes granítica. Y había ganado peso, aunque conservaba su apostura característica y, como siempre, vestía impecable: chacabana crema y pantalones tostados con el filo apuntando directo a mis piernas.

–Adelante, Flaca –me invitó acompañando la venia con una reverencia irónica–. Asiento.

Miré alrededor. La piernas me flaquearon y me hubiera gustado sentarme, pero decidí quedarme de pie: así podría defenderme mejor llegado el caso. Me volteé y quedé frente a él. A poco más de un metro. Lo miré: se había dejado crecer el pelo un poco más de lo habitual. Licencias de retirado que nunca se habría permitido estando activo. Él me escaneó con esa mirada suya reservada sólo para las hembras. Todos los hombres que he conocido, salvo Reinaldo, me han mirado como mujer, compañera, amiga o amante. Sólo él me ha hecho sentirme, al observarme de esa forma, como una hembra. Como si no tuviera razón, ni sentimientos, ni instintos, ni recuerdos. Cuando me ponía la vista encima de aquella manera, dejaba de ser Adela Guzmán, maestra, lectora voraz, dominicana, pronosticadora onírica de desgracias por venir, insegura y dependiente, amante de sones y boleros, huérfana de una madre viva y madre de tres niños huérfanos... Dejaba de ser todo aquello y sólo era tetas, nalgas, caderas, culo y piernas. Nada más que tetas, nalgas, caderas, culo y piernas. Supongo que a las esclavas africanas que subastaban en los mercados tras la conquista para trabajar los campos y dejarse embestir por los patronos las mirarían así.

—No me quedaré mucho tiempo. Sólo he venido para que me digas qué tú haces en Jaén. ¿Quieres acabarme, como a Hilma?

Reinaldo soltó una risa que le dobló la cabeza hacia atrás y le convulsionó los hombros como a un poseso.

—¿Te has enterado?

Dobló el anular y el meñique de su mano derecha, dibujando una pistola, entrecerró un ojo como si me apuntara con ella y disparó con la boca:

—Pam, pam.

Sin darme cuenta, me dejé caer en una silla situada junto a un pequeño escritorio y apoyé el antebrazo sobre su fría cubierta de vidrio para sostenerme. Como si reaccionara con su contacto, el vello se me encabritó como a los hombres se les para el sexo. Cuando lo retiré, mi calor dejó un rastro vaporoso que se volatizó mientras mi cerebro coagulaba una imagen nítida: la de Hilma tirada en el piso con el hombro reventado por el balazo y una mancha roja en el estómago. Primero chiquita, pero creciente a medida que la sangre manaba de su vientre hasta dibujar un gran lunar carmesí sobre su falda. Inconscientemente me estiré los bajos de la mía y apreté las rodillas como dientes.

—¿Qué quieres? La pillé pegándome los cuernos con ese capitancito. Pero el cuerazo se me escapó con vida, aunque creo que aprendió la lección —dijo dejándose caer sobre la cama deshecha.

Horrorizada, contemplé cómo se acodaba. Y cómo alcanzó la almohada, la dobló y se la colocó bajo la nuca para poder observarme mejor. Estaba donde estuve. En mi casa de Coa, cuando me lo encontré en calzoncillos sobre mi cama, en los inicios del asedio. «La vida es un círculo. Acaba donde empezó», pensé.

–¿A qué viniste, negrita? –preguntó de nuevo sonriente con las manos entrelazadas bajo la cabeza; luego irguió un chin la pelvis, como si quisiera estimular una erección incipiente o atraer mi mirada a su sexo. Consiguió ambas cosas–. ¿Recuerdas el motel de los chinos? –suspiró–. Daría lo que fuera por una sopa de queso de las suyas... La comida de acá es una mierda, ¿no crees? Pero dime, Flaca: ¿has venido para recordar nuestros viejos tiempos en los moteles?

–No, general. He venido a que me mates o me dejes en paz de una buena vez.

Mi respuesta apagó su sonrisa y borró de su cara toda la socarronería que había desplegado desde que entré en la habitación. Lentamente, se irguió. Apoyó un codo en la pierna y luego aterrizó la mano en la mejilla, tapándose la boca con ella. Pensaba qué responderme:

–¿Por qué me dejaste? –la pregunta estalló en la habitación silenciosa y más dentro, en mi cuerpo, como un eco de derrumbe.

Sentí que su decisión dependía de mi respuesta. Mi cerebro dijo: «Porque nunca te quise».

Mi boca dijo:

–Yo nunca fui tu vida. Tu vida era tu cuartel y tus mujeres. Yo sólo era un culo, entre tantos, al que echar un chin cuando se te antojaba.

Negó con la cabeza, contrariado con mi respuesta:

–No, Flaca. Eras mi vida y me dejaste en el peor momento. Te lo di todo y te fuiste cuando ya no podía seguir haciéndolo.

Intenté replicarle, pero me silenció con un gesto.

–Cuando me pusieron en retiro, caí y caí. Como si me hundiera en un pozo muy profundo. Levanté las manos para que tú me ayudaras, pero te limitaste a mirarme mientras me hundía.

–¿Y por eso me violaste?

–No te quejes. Esa noche te sacaste la lotería porque iba decidido a matarte. Pero al verte con aquella faldita a cuadros amarilla... Lo recuerdo bien, ¿cierto? Sí, era un conjuntico amarillo a cuadros el que me encendió el deseo de tenerte otra vez entre mis piernas. Como antes...

–Y como a Hilma y a tantas otras. Te perdió el huevo, general.

–Me perdiste tú, Adela...

–¿Y por eso vas a matarme?

–Por eso mismo.

Reinaldo se incorporó como si fuera a hacerlo en ese momento. Estaba a punto de gritar «calor» cuando vi que, en lugar de dirigirse hacia mí, se encaminaba al minibar. Imaginé al inspector Armenteros pegado a la puerta, con la tarjeta en la mano, listo para irrumpir en la habitación. Pensé que debía decir algo para evitar su intervención. Todavía no había llegado el momento.

–¿Dejaste los batidos para pasarte al trago?

–Ya tú ves. Los hombres cambian, sobre todo cuando tropiezan con cueros como tú, como Hilma, como todas, y le mandan la vida al carajo a uno –dijo con amargura, liquidando de un trago media botellita de *whisky*. Luego, como si se hubiera acordado de repente de ello, me preguntó–: ¿Por qué me pediste que fuera a ver a los niños si luego no me los dejaste ver?

–¿Cómo así? –repliqué haciéndome la sorprendida, aunque sabía perfectamente de qué hablaba. Cuando mami me contó que el general había tiroteado a Hilma, dijo que no le había dejado verlos.

–Desde que viniste a España no he podido verlos ni una sola vez. Tu madre y ese marido suyo los encierran con llave cada vez que me presento en su casa buscándolos. Hasta un machete me sacó el soldadito un día que me empeciné, ¿tú te imaginas? A mí, que le gané la pensión por invalidez, me saca un machete el muy pendejo.

–Yo no sabía...

–¿Ah, no? –bramó súbitamente enfurecido–. ¿Y tampoco

sabías que tu madre y ese Cuchito de mierda me pedían cuartos por ver a los niños?

El general aproximó su cara a la mía, tan cerca que olí su *aftershave* y su aliento a sepulcro.

—Como no me dejaban ver a mis hijos, mis hijos, carajo, me iba a esperarles a la salida de la escuela. Pero en cuanto reconocían el carro o me veían, salían corriendo. Se escondían como si me tuvieran miedo. Dime, ¿qué les has contado tú para que mis hijos no quieran verme?

—Nada, te juro. Nada —me defendí poniéndome de pie para eludir su cercanía. Mi madre. ¿Qué habría contado mi madre a los niños? Sólo Dios podía saberlo.

—Mientes.

Me lo escupió a la cara con el rostro congestionado por una ira que, sin embargo, logró controlar. Respiraba de forma entrecortada, como si el odio le hubiera cerrado los bronquios. Sudaba, aunque tenía el aire acondicionado prendido. Cuando se agachó para abrir la gaveta del escritorio, descubrí una media luna de humedad bajo el sobaco. Es curioso pero, pese a la situación, no creí que fuera buscando una pistola o un cuchillo. Aunque casi lo hubiera preferido porque sacó un paquete de Lucky Strike, extrajo un cigarrillo y lo prendió.

—¿Sabes, Flaca? Yo te he querido como a ninguna. Para mí no ha habido más mujer que tú —afirmó retrocediendo hacia la puerta mientras me contemplaba como a ganado. La brasa del cigarro flameó con un copazo lento, como los pasitos que iban acercándolo a mí—. Cuando pasó lo de Hilma, los amigos me rogaron que pusiera tierra de por medio. El bueno de Pepito Abréu me ofreció su finca en España: hasta que se calmen las cosas, me dijo. Les hice caso y me vine para acá.

Miré sus pies esperando descubrir que calzaba botas con suela de goma, pero llevaba zapatos negros de cordón, tan perfectamente lustrados que brillaban acharolados. Y se movían en mi dirección. Retrocedí hasta que mis piernas toparon con la cama, frenando mi huida. Reinaldo sonrió.

Sus ojos no. Dio otra calada al cigarro y lo estrelló contra el cenicero situado en el escritorio. Cuando volvió a mirarme, vi la muerte en ellos. Parecía como si en sus pupilas hubiera desaguado de repente un odio añejo, recalentado, un rencor que le quemara por dentro y que no se apagaría hasta que yo no ardiera con él. Y fue entonces cuando sus manos volaron hacia mi cuello y grité sólo una palabra, «calor», sin esperar a que me alcanzaran.

Hay ciertas cosas en la vida que sólo concluye la muerte. El barrunto me rondó ese día, al ver sus enormes manos ceñidas por las esposas cuando lo sacaron de la habitación. Manos de matarife, hechas –pensé– para golpear y triturar. No para estrechar otras manos o acariciar, sino para aplastar y moler. No para resignarse a la inmovilidad obligada por los grilletes, sino para estrujar, romper y martillar.

Y también lo presentí antes, cuando Reinaldo yacía tendido boca abajo sobre la cama, mientras el inspector Armenteros le aplastaba la mejilla contra el colchón y Ortega le aherrojaba. Forzado por esa postura humillante que le impedía verme, me lo dijo: «Te mataré aunque sea lo último que haga». Y yo caí en la cuenta de que en ningún momento desde que entré en la habitación, durante toda la conversación, ni una sola vez, había gagueado, como solía hacer presa de la inseguridad o los nervios; como si la determinación le hubiera regalado esa fluidez verbal impropia en él. Y supe que lo haría.

Lo sospeché por su expresión cuando lo incorporaron halándole de los brazos. Cuando sus ojos volaron para buscar los míos, encendidos por una ferocidad de animal acorralado pero no rendido, como delataba ese chispeo de decisión aplazada que iluminó sus pupilas sombrías. Lo percibí cuando me acorraló con la mirada en el rincón donde me había refugiado para eludir su forcejeo con los policías hasta que consiguieron reducirlo.

«Puta», silabeó una vez. «Puta», repitió en la puerta de la habitación. «Puta», repitió como un mantra mientras los dos policías lo condujeron por el pasillo hasta el ascensor. Y yo lo supe con certeza. La partida no había terminado. La detención era sólo un punto y seguido. Sólo la muerte le pondría fin.

No sé quién me sacó de la habitación del hotel, ni cómo llegué a la comisaría donde presté declaración. Todo ocurrió muy rápido y a otra mujer que no era yo –quizá, la loquita del espejo–, aunque conservo imágenes, palabras, retazos. Y una conversación, ésta sí, nítida.

El policía maleducado y su compañero angelical estaban en una habitación contigua. Hablaron con despreocupación, creyendo que yo permanecía aún en la sala anexa prestando declaración. Pero les oí:

–Mira, Ortega. Si yo fuera esa tía, me iría de aquí echando leches.

–Espérate a ver lo que dice el juez, ¿no?

–Ya, claro. El juez. No alucines, tío. Ese negro no tiene antecedentes y ni siquiera la ha tocado.

–La ha amenazado de muerte.

–Ya, como el caso de Málaga. El que amenazó a su mujer en noviembre y le condenaron en enero, cuando ya la había dejado más tiesa que la mojama.

–No conozco ese caso...

–Pues yo te lo cuento: lo detuvieron en noviembre del año pasado por amenazar de muerte a su mujer, como a nuestra dominicana... Por cierto, esa mulata está rebuena, ¿te has fijado?

–Tú siempre con tus chorradas. ¿Me cuentas lo que pasó o me voy a tomar café? Con tanto follón ni siquiera he desayunado...

–Calla y espera, que la cosa tiene huevos. Resulta que al tío lo condenaron por las amenazas, pero cuando llegó la sentencia había matado ya a su mujer de no sé cuántas puñaladas.

–¡Joder!

–Así son las cosas. Y, mientras, nosotros jodidos. Montar este dispositivo de la hostia para que ese cabrón salga a la calle en horas. Te juro, tío, que cada día estoy más harto...

–Pero en la grabación está claro que la violó antes y que disparó contra otra mujer en su país... Espérate a que pase a disposición judicial. Quizá el juez...

–Aterriza, Ortega. Te digo yo que ese tío termina en la calle, pendiente de juicio, antes de mañana a estas horas.

Había escuchado lo suficiente. Me puse en pie y salí de la comisaría, sin atender a las voces que me llamaban, sin volverme.

Tenía que actuar rápido.

Primero cogí un taxi y fui a recoger mi permiso de trabajo y residencia. Lo tenían listo. Apenas tuve que esperar. Luego me dirigí al despacho de abogados del amigo de Anselmo para solicitarle que iniciara los trámites de la reagrupación familiar. Desde allí mismo llamé a Manolo, que me había dejado mensajes desesperados en el celular, alarmado por mi súbita desaparición del cortijo. A esas horas desconocía mi paradero y cuanto había sucedido en aquella mañana de infarto. El abogado, que escuchó mi conversación con Manolo, no puso objeción alguna a mi decisión expresa de huir rápidamente de Jaén, de forma que la incertidumbre sobre la veracidad del pronóstico de aquel policía se me convirtió en certeza. Tenía razón: Reinaldo podía quedar en libertad en horas.

Quedé con Manolo en un locutorio próximo al despacho, donde me atrincheré para efectuar varias llamadas más. Comencé con las más fáciles: concerté la entrevista de trabajo con la mexicana y solicité a Lucecita que me hiciera una reservación para el día siguiente en la pensión La Nube. La más difícil la dejé para el final:

–Es que ya tú sabes lo carísimo que es mandar cualquier cosa a España... –objetó doña mami cuando le solicité que me buscara y remitiera urgente la documentación que necesitaba para gestionar la venida a España de mis hijos.

–Usted busque los papeles que le he dicho, que yo le

mandaré dinero para los envíos. Son importantes. Sin ellos no puedo cursar la solicitud para traer a los niños.

–No te preocupes, *m'hija*. Los buscaré y te los mando en un chin. Pero óyeme. Los negocios no van muy bien...

Supe lo que quería decirme. No lo dijo, pero lo supe. Sin embargo, no quise ponérselo fácil. No es que quisiera que me suplicara, pero quería oírle decir que me necesitaba. Aunque sólo fuera por mi dinero.

–... yo no sé cómo voy a poder comprarme mis medicinas. Recién ayer tuve una crisis...

–¿Una crisis, madre?

¿Era verdad? Ese corazón suyo siempre le andaba importunando. A veces, cuando compartías habitación con ella, alcanzabas a escuchar sus latidos de lo fuerte que le palpitaba. Pero demasiado a menudo utilizaba su corazón para ablandar el mío y saquearme el bolso. No la creí.

–Se me puso ese dolor, pero ya pasó... Si no me envías los chelitos como hasta ahora...

Su lamento confirmó mis suposiciones. Doña mami temía, con razón, que si me traía los niños a España dejaría de enviarle dinero. A menudo, cuando hablaba con ella, me sentía como si disputara una partida de ajedrez. En esta ocasión esperaba que mi demanda desencadenara ese movimiento defensivo, pero tenía que conseguir que se confiara para alcanzar mi meta:

–No se preocupe, mami, que yo le seguiré enviando dinero –mentí–. ¿Cómo se le ha ocurrido que dejaría de ayudarla? Los niños son los niños, pero usted es mi madre. Y está enferma. ¿Qué le dijeron en la clínica?

Doña mami se quedó callada, como si sopesara lo que acababa de decirle. Sé que no me creyó. Nos conocíamos demasiado bien. Muchas veces no hacía falta, siquiera, que habláramos para entendernos. Bastaba una mirada, un gesto nimio que pasaba desapercibido para cualquiera que no fuéramos nosotras. Cuchito se soliviantaba con esa compenetración silenciosa que existía entre las dos. Creo que se sentía excluido, fuera de juego, y eso le enardecía. No le gustaban nuestras complicidades explícitas y cuando se trataba de sobrentendidos excluyentes, se molestaba de verdad. Pero en esos momentos para mí resultaba fundamental que mi madre no desconfiara. Si no, me quedaría sin los papeles y sin mis hijos. Pasé al ataque:

—Pero, mami, ¿por qué no me dice nada? ¿Es que no me cree? Parece mentira. ¿De verdad piensa que yo la dejaría abandonada, sin sus medicinas? —argumenté en tono enfadado—. Pues déjeme decirle una cosa: si usted piensa que yo soy capaz de algo así es que usted no me conoce.

—No, *m'hija*. Yo no he pensado tal cosa —se excusó en voz baja, inusual en ella cuando hablaba por teléfono.

—Así lo espero, mami, porque me estaba usted ofendiendo de verdad —insistí.

—Pues no te ofendas, muchacha.

—Envíelos a la dirección de Lucecita. Ella me los hará llegar. ¡Ah! Recuerde por favor mi título, que todavía no lo he recibido. Y llámese al papá de Rubén si tiene algún problema.

—No necesito que Omar me ayude. Para eso está Cuchito —replicó molesta.

Decidí no propiciar más desencuentros. Aferré el teléfono con fuerza y le pedí que me pusiera con Rubén en un tono que no admitía negociación con la intención de evitar las evasivas que otras veces había empleado para no dejarme hablar con mis hijos. La línea crepitó un segundo y luego quedó en silencio. Hasta que mi niño habló:

—¿Aló, mami?

—¡Hola, mi amor! ¿Cómo tú estás? —le pregunté con un mordisco de nostalgia ahogándome la garganta.

—Bien, mami.

—¿Y tus hermanos?

—Marcia...

¿Le había ocurrido algo a Marcia? ¿Por qué se había callado de repente?

—¿Qué le pasó?

Mi hijo tardó demasiado en responder.

–Nada, mami. Es que se está bebiendo un jugo y la abuela no quiere que tomemos nada antes de almorzar.

Suspiré. Tenía los nervios crispados por los acontecimientos y la debilidad. Tomé asiento en el pequeño escaño que había en la cabina y respiré hondo para tranquilizarme. Había hecho todo lo que había planificado desde que abandoné la comisaría. ¿Me olvidaba de algo? Sí. Debía pedir a Anselmo una carta de recomendación para presentársela a la mexicana. ¿Algo más? Me pasé la mano por la frente intentando recordar. Manolo se inquietó y tocó el cristal de la mampara. Leí en sus labios la pregunta: «¿Estás bien?». Asentí. Todo parecía estar bien.

–¿Cuándo vendrás? –me preguntó Rubén con timidez, como si no quisiera presionarme.

–La abuela te contará ahora, pero estoy tramitando los papeles para traeros conmigo.

–¿A España?

–Sí, mi amor. Escúchame, he pedido a la abuela que me mande vuestros papeles, pero ya tú sabes cómo es y a lo mejor se lía. Si no los encuentra o lo que sea, avisa a tu papá. Él sabrá qué hacer. ¿Vale?

Rubén rió y su risa, no sé por qué, me inundó los ojos.

– ¿Vale? Ya hablas como española, mami.

Reí también yo. Era cierto. Sin darme cuenta comenzaba a utilizar algunas expresiones extrañas.

–Ya verás cuando tú vengas aquí, *m'hijo*.

–¿Cuándo será?

–No lo sé. Lo que se demoren los papeles.

–¿Estaremos juntos para mi cumpleaños?

La garganta se me cerró. La respuesta me salió trabada por una emoción que contuve a duras penas para no entristecerle:

–Eso espero, mi amor. Óyeme, cuida a tus hermanos. ¿De verdad que están todos bien?

Un segundo de silencio.

–Sí, mami.

–OK. Pronto estaremos todos juntos. Cuídense.

—Bendición, mami.

—Dios te bendiga, cariño.

Esa noche me obligué a terminar los tres filetes de cinta de lomo y las patatas que Paca me había frito en ese aceite de oliva de digestión imposible para un estómago criollo que no terminaba de congeniar con la gastronomía jiennense por falta de costumbre. Tenedor a tenedor, con desgana pero disciplinada, apuré el plato como una buena niña. Necesitaba reponer fuerzas para afrontar lo que estuviera por venir.

—¿Te tomaste las medicinas? —me preguntó Paca oficiando de madre adoptiva.

Asentí.

—Ya te escribí la carta de recomendación. Pero ¿estás segura de que quieres irte? —preguntó Anselmo.

Tras las explicaciones iniciales de cuanto había acontecido durante el día, todos habían intentado no pronunciar el nombre de Reinaldo ni aludir directamente a mi delicada situación por sutileza conmigo y por no inquietar a la pequeña Paula, que se había unido a nosotros cuando empezamos a cenar.

—No tengo más remedio —respondí—. Yo les agradezco todo lo que han hecho por mí, pero creo que ese policía tenía razón. Mejor vuelvo con Manolo a Madrid mañana a ver si tengo suerte con la mexicana y me puedo marchar de este país.

—Yo no quiero que os vayáis —se quejó la niña esbozando un mohín de enfado.

Me sorprendió su interrupción. Mi madre me enseñó a cachetadas que no debía hablar mientras los mayores platicaban si no me daban permiso para ello. No acababa de acostumbrarme a tan evidentes diferencias sobre la crianza de los niños, aunque Lucecita me lo advirtió apenas llegué a España:

—Muchacha, éste es un país raro. Acá tratan a los perros como a niños, a los niños como a adultos y a los viejos como a niños. ¿Quién los entiende?

–Exageras...

–Ni un chin. Mi señora recién llevó a Nana al psiquiatra.

–¿Y quién es Nana?

–Su perra, Flaca. Su perrita.

En aquel momento le reí la gracia. Me la imaginé sobre un diván, ladrándole al doctorcito sus cuitas y desventuras de perra consentida, pero con el tiempo comprobé que llevaba razón. Los niños son acá soldados sin mando. Con sus computadoras para ellos solitos, su obsesión por las prendas de marca y sus pagas semanales, que alimentarían a una familia en República Dominicana. Recuerdo que un día escuché a un muchachito, de no más de ocho años, que le dijo a su madre en el metro: «Cállate, gilipollas». Si le digo yo eso a la mía, me pone la cabeza en órbita de una cachetada. Pero el surfero Manolo no se parecía en nada a mami:

–Cariño, debemos irnos. Pero te prometo que vuelvo el fin de semana próximo –consoló a su niña.

–¿Y los papeles para la reagrupación familiar? –se interesó Anselmo.

–Mi madre quedó en mandárselos a Lucecita apenas los tenga y mi prima ya sabe que debe enviarlos al abogado en cuanto los reciba.

En ese momento dudé. ¿Me los enviaría de verdad? Hay personas, como don Pericles, que sacan de ti lo mejor que tú tienes. Otras, en cambio, te remueven los lodos hasta que te brota todo lo peor, enfangando tu vida y la de quienes te rodean. Eso es lo que hizo Cuchito con mi madre. Matarle lo bueno y abonarle lo malo. De a poquito. Hasta que dejó de ser quien era cuando papi –¿qué diría ahora si la viera?– se enamoró de ella. ¿Permitiría Cuchito que mi madre renunciara a la gallina de los huevos de oro?

–Mira, Paula, ahí está tu salamanquesa –dijo Manolo señalando la pared del porche.

–¿Y cómo se llama? –le pregunté a la niña.

–No sé. No tiene nombre.

–Mi abuela tenía una lagartica que se llamaba Juliana y

todos los días le ponía de comer. Arroz con carne o cualquier cosa suave majadita. Cuando Juliana no venía, mi abuela la llamaba: Juliana, Juliana, y la lagartica acudía como si fuera un perrillo –le conté a Paula.

Me callé el final de la historia para no inquietarla, pero un día el lagarto no se presentó al llamado de mi abuela y nunca más apareció, aunque removimos cielo y tierra para encontrarla levantando uno a uno los troncos apilados, en forma de pirámide, detrás del hotel, donde Juliana vivía como una emperatriz egipcia, sin que nadie se atreviera a importunarla. A ninguno de los primos se nos habría ocurrido tocarla, por ser de quien era –la lagartica de mi abuela–, aunque éramos ciertamente aficionados a la experimentación animal. Pasábamos tardes enteras persiguiendo a los caballitos del diablo que osaban posarse en cualquier ramita próxima. Avanzábamos hasta ellos con movimientos felinos, aguantando hasta la respiración, porque las libélulas son muy sensibles y se espantan a la mínima, y, si conseguíamos agarrarlas, les colgábamos un hilo del cuello y nos peleábamos por volarlas como chichiguas. También picábamos con un palito las telarañas que crecían entre las paredes del hotelito de mi abuela y, cuando el bicho aparecía en busca de su presa, lo espachurrábamos contra la pared. Ganaba quien pasaportara al cielo de las arañas al ejemplar más grande o de entresijos más repugnantes. Pero esto tampoco se lo conté a Paula.

–¿Y cómo era de grande Juliana? ¿Como mi salamanquesa? –quiso saber la niña.

–Más grande, cariño. Medía palmo y medio de largo. Pero, dime, ¿cómo le ponemos a la tuya?

–¿Adela?

Reímos.

–Malena, como el lagarto de Jaén –propuso Manolo.

–¿Qué lagarto? –pregunté extrañada.

Anselmo me contó la leyenda más famosa de la ciudad. Dicen que en el siglo XVII apareció en una cueva, junto a la fuente de la Magdalena, un gran lagarto que se comía a quien fuera a buscar agua. Un condenado a muerte se ofreció a matarlo a cambio de su libertad. Una vez concedida, el preso pidió panes y con ellos tentó el apetito del lagarto. Así logró que saliera a la boca de la cueva y que luego le siguiera los pasos en busca del alimento, hasta que el condenado cambió los panes por un saco de pólvora. El animal se lo comió y explotó.

Adela. Malena. A lo mejor fue una asociación de ideas descabellada, pero pensé que mi nombre se parecía al del peculiar lagarto.

Por la mañana dejamos el cortijo antes de que Paula despertara para evitar que sufriera con la despedida de su padre. Anselmo nos prestó su carro, un viejo Peugeot, sobrio, limpio y perfectamente ordenado, como las gavetas de los roperos de Paca. Cada cosa en su sitio y un sitio para cada cosa. Al menos hasta que Manolo comenzó a redecorarlo, con los envoltorios de los chicles que comía sin descanso –«a mi padre no le gusta que fume en su coche», se disculpó cuando desenvolvió el tercero en menos de dos horas–; una botella de agua consumida y cajas de casete vacías, porque nunca reponía las cintas una vez escuchadas.

Cerré los ojos para escapar de su obligada compañía haciéndome la dormida. No los abrí hasta Despeñaperros. Sólo pestañeé para ubicarme y saber cuánto quedaba hasta Madrid. Y me cazó:

–¿Te apetece que paremos a tomar un café?

–La verdad es que preferiría llegar a Madrid cuanto antes. Mi entrevista con la mexicana es a las cuatro y no quiero demorarme. Por lo visto pagan bien.

–¿Y de qué es el trabajo?

–Tendría que cuidar a un bebé que tiene la señora. Prefiero eso a trabajar de sirvienta, la verdad.

–¿En Madrid?

–En principio, sí, pero me dijeron que también debería viajar a México. Por lo visto la señora quiere pasar un par de meses allí.

En ese momento lo sorprendí mirándome las piernas de reojo. Reconozco que su insolencia me incomodó. No pude callarme:

—A Lucecita no va a gustarle cuando se lo diga.

Manolo reaccionó como si le hubiera picado una avispa:

—¡Desde luego, cómo sois las tías! ¿Te vas a chivar por una miradita?

—Mira, Manolo, a mí no me gustan estos juegos y ahora menos que nunca.

Creo que advirtió que hablaba en serio, porque se precipitó en mil disculpas para garantizar mi silencio:

—Oye, yo quiero a Lucecita ¿vale? Lo que pasa es que uno es un tío y los tíos somos así. ¿Qué quieres? Se nos van los ojos. Pero nada más. ¡Pero si me voy a casar con tu prima!

Debí poner una cara muy rara, porque reinició su monólogo exculpatorio:

—Todavía no se lo he dicho. Espero una ocasión para... ya sabes. Una cenita romántica. Velas. Todo ese rollo que os encanta a las mujeres. Pero no se lo digas, ¿vale? Tiene que ser una sorpresa...

—OK. Si es así, no le diré nada. Ni lo de la boda, ni lo de las piernas. Pero creo que la noticia no le va a hacer feliz a tu madre.

Le conté mis intuiciones y constancias sobre las reticencias que Paca albergaba hacia Lucecita. Quizá, al fin y al cabo, fuera por lealtad a su nuera, con quien Paca parecía haberse encariñado de verdad durante sus años de matrimonio con Manolo. Sin embargo, algo me decía que sus reparos hacia mi prima eran más raciales y culturales que otra cosa. Lucecita no tiene el negro detrás de la oreja, como se dice en mi país para explicar que todos los dominicanos, incluidos los que parecen más blancos, tienen, a fuerza de mestizaje, siquiera una gota de sangre negra corriendo por sus venas. Flaca morena no tiene, como digo, el negro detrás de la oreja, sino en la mismísima frente y creo que eso a Paca, le causaba un franco malestar. Pero, ¿cómo iba alguien como Manolo a preocuparse por semejante cosa? Celebró mi monólogo explotando una pompa de chicle y zanjó el asunto con una sola frase:

–Quien se va a casar con ella soy yo, no mi madre. Y ahora, confidencia por confidencia. ¿Qué pasa con Antonio y contigo?

«Eso me gustaría saber a mí», pensé. A veces, pero sólo a veces, sentía ternura por él. Incluso algo parecido al amor. Otras, en cambio, me había tentado la idea de concluir nuestra historia, aunque algo impreciso me detenía. Lucecita era, sin duda, el más sólido de mis apoyos, pero la presencia de Antonio, pegado a mí como una sombra desde que Reinaldo aterrizó en Barajas, era una muleta de la que me resultaba difícil desembarazarme. Necesitaba su aprobación, su respaldo, su lealtad. Aunque fuera el pendejo que había sembrado de migas el camino que trajo al general hasta Jaén.

–Lo que pasa es que toda esta historia del general os ha jodido, pero te aseguro que Antonio está loco por tus huesos.

–¿Y por los de mis hijos?

–¿Cuántos tienes?

–Tres. Dos hembras y un varón.

–¿Del general ése?

–Dos del general y uno... –Manolo me miró esperando que terminara la frase–. Uno de otro hombre.

–¿Qué hombre?

Al mes y pocos días de haber parido a Rubén tocaron a mi puerta. Estaba con una vecina. Miré para ver quién era. Descubrí a mami y me quise morir. Dudé si abrirle o no. Agarré el pomo y lo giré sin saber muy bien lo que hacía. Estaba muerta de miedo. Mi madre siempre me ha dado miedo.

–¿Dónde está el niño?

Su mirada me taladró. Retrocedí hasta la mesa y me apoyé para no caerme al piso redonda. Ni siquiera me había dado un beso.

–¿Qué niño? –tartamudeé.

–El que tú tienes.

–Yo no tengo niños.

–Yo sé que estás parida.

–Yo no estoy parida.

–¿Y de quién es ese niño? –preguntó señalando a Rubén quien, ajeno a todo, dormitaba en los brazos de mi vecina.

–De ella.

Mi madre miró al bebé y negó, sonriendo, con la cabeza, como hacía cuando de pequeña me sorprendía en alguna de mis mentiras.

–Yo sé que es tuyo. Éste es mi nieto –dijo cogiendo al niño en brazos. Se lo acercó al pecho, lo abrazó, lo besó y me miró–. Una amiga tuya regó por todo Coa que te vio en la capital embarazada. Averigüé y averigüé, pero no sabía dónde encontrarte hasta que me escribiste.

Era cierto. Cuando di a luz me sentí tan sola que le escribí. Por supuesto, no le conté nada sobre mi embarazo. Ni del parto. Sólo necesitaba hacerle saber que seguía viva. Quizá así yo también llegara a creerlo.

–¿De quién es este niño, *m'hija*? ¿De Tato? –preguntó tras indagar su carita en busca de parecidos.

–No, mami.

–Pues su familia cree que es hijo suyo.

Yo nunca dije que lo fuera, pero tampoco lo contrario, de forma que los allegados de Tato, que conocían la intensidad de nuestra relación, pensaron que era suyo. Ésa fue mi venganza por haber desaparecido. No me sentía orgullosa de haber propiciado el equívoco, pero tampoco lo lamentaba. De hecho, alimenté la confusión, con silencios y sobrentendidos que no negué, durante años.

–Tato y su familia pueden creer lo que les venga en gana –dije alzándome de hombros.

Mami no volvió sobre el tema nunca más y yo tampoco.

Ese día se quedó prendada de Rubén. Omar hizo algunas fotos que atestiguan los cariños, los besos, el amor –ese amor que yo apenas recordaba– con que lo trató. Y comenzó a insistir para que volviera a su casa, a Coa. No le costó demasiado esfuerzo conseguirlo. Yo tenía miedo a enfrentarme sola a la crianza de mi hijo. Sabía que tenía serios problemas emocionales y dudaba de que fuera capaz de cuidarlo sin ayuda. Así que regresé a la casa de mi madre. Al infierno en la tierra.

Al principio todo fue bien. En mi presencia, mami siempre se mostraba cariñosa con Rubén. Pero un día presencié algo que me sobrecogió. Llegué a casa y fui hacia la cocina, donde ella se encontraba. Mami no me oyó, así que no se percató de mi presencia. Y entonces vi que Cuchito se disponía a entrar en la casa por la puerta del patio. Mi madre se dio cuenta y tiró al niño al piso:

–¿Qué haces, mujer? –le dijo él–. ¿No te he dicho que no quiero que toques a ese mocoso?

Mi madre, tan peleadora y combativa conmigo, no levantó siquiera la vista hacia su marido. No le replicó. Se sometió. Cuando él bebió la jarra de agua que fue a buscar y se marchó, entré yo. Sin mediar más palabras o explicaciones, me limité a enunciarle mi propósito:

–En cuanto encuentre una casa, me mudo.

Aun a mi pesar, demoré el cumplimiento de mi anuncio. Al regresar a Coa había encontrado empleo como maestra en mi vieja escuela, la del hermoso don Toñito, pero mi sueldo no alcanzaba para alquileres. Así que me limité a estrechar la vigilancia sobre mi hijo. Procuraba estar con él siempre que me era posible. Durante dos meses fui su sombra. Pero una noche, decidí salir. Yo era muy joven. Quería recobrar los deseos de vivir, necesitaba celebrar con mis amigos reencontrados.

Cuando volví estaban esperándome mami, Cuchito y mi abuela. Me montaron un escándalo de muerte. Sólo por salir al cine. Me insultaron, me empujaron y me echaron de la casa:

–Ustedes no me pueden echar de esta casa, porque es mía –les enfrenté–. Mi padre me la dio a mí. La hizo para mí.

Era cierto. Don Pericles había puesto las escrituras a mi nombre. Pero mis artimañas de *leyita* no me sirvieron.

–Vete. Tú no tienes casa. Tu culo todavía no se ha ganado una casa –replicó mi abuela, empujándome fuera.

Me dejaron en la calle. Con mi hijo en brazos y descalza. Nunca he podido olvidar la sonrisa de hiena que me regaló Cuchito desde la puerta esa noche. Por fin se quedaba de nuevo solo con mi madre. Así podría saquearla a su antojo y maltratarla sin testigos. Rubén y yo no le molestaríamos más.

Caminé con mi niño en brazos sin rumbo hasta que fui a parar a la casa de tía Euduvigis, de quien Lucecita ha heredado, sin duda, su generosidad ilimitada. Nos acogió hasta que acepté irme a trabajar a La Loma como maestra. No tuve opción. En mi colegio averiguaron que yo no estaba casada con Omar. En aquel entonces –no sé si ahora también– para ser profesora en mi país tienes que estar casada si tienes hijos. Otras profesoras, amigas mías en la escuela, me recomendaron que contrajera matrimonio:

–Tienes que casarte o vas a perder tu trabajo –me advirtieron.

–No pienso casarme con Omar.

–Pues con alguien.

Reconozco que llegué a barajar la posibilidad de matrimoniar por conveniencia con un pescador al que daba clases de alfabetización a cambio de pescado y marisco. Pero era una estupidez: si la boda era posterior al nacimiento del niño, el colegio no me aceptaría el certificado de matrimonio. Recurrí al director provincial de Educación, papá de una de mis compañeras de escuela, pero no sirvió de nada:

–Adela, yo no puedo hacer nada por ti. Creo que has cometido un error. Tenías que haberte casado. Pero, desde que se me presente una oportunidad, te vuelvo a dar trabajo.

Y así ocurrió algunas semanas después:

–¿Quieres volver a trabajar de maestra?

–Sí, señor.

–Mira, en un pueblo que se llama La Loma había dos profesores que han tenido problemas. Trabajaban juntos en la escuela, pero han peleado. Incluso han intentado agredirse con cuchillos. Así que la escuela está sola y tengo que mandar a alguien. Si te interesa, irás un mes prestada.

La Loma era un puesto perdido que nadie, en su sano juicio, querría para sí. Ni el más loco de los profesores. Excepto yo. Llevaba dos meses sin empleo y tenía que mantener a mi niño. Así que cogí a Rubén, los biberones y cuatro tereques y nos fuimos a la montaña donde, tiempo después, me siguió Reinaldo con el ejército.

Fui para un mes y me quedé tres años en los que, poco a poco, las diferencias con mi madre fueron aquietándose. Uno de los fines de semana que bajé a Coa coincidimos en casa de tía Euduvigis; al siguiente me invitó a almorzar; y otro pidió que le llevara a Rubén para verlo... Entre madres e hijas las riñas no suelen ser para siempre, por muy graves que sean los motivos que las originaron. Poquito a poquito nos fuimos reencontrando y, cuando el huracán asoló La Loma, volví a dejar a mi niño a su cuidado, creyendo, erróneamente, que los fenómenos naturales eran más peligrosos para Rubén que mami.

# VII

La señora mexicana no me contrató. Ni siquiera llegué a hablar con ella. Me entrevisté con un hombre de mediana edad, con tres dientes enchapados en oro y una mirada bajo cero, cuyo hielo se adivinaba tras los vidrios verdes de sus espejuelos tipo Ray-Ban, a lo Ramfis Trujillo. Quizá me adivinó los nervios, originados por la persecución y el encuentro con Reinaldo. Puede que se diera cuenta de ese brillo nuevo, de animal en fuga, que yo misma advertí en mis ojos cuando ultimaba mi arreglo, frente al espejo de mi habitación en la pensión La Nube. No puedo saberlo. Lo único cierto es que puse todas mis esperanzas en la posibilidad de dejar el país, rumbo a México, y que me quedé sin vía de escape. Varada en Madrid. Como un condenado en el corredor de la muerte.

Pasé dos días hundida, de nuevo, en el colchón cóncavo de la pensión gris. Al tercero me llamó Antonio:

–¿No te han cogido?

–No.

–¿Y por qué no me has avisado? No debes estar sola –me dijo con ansiedad cuando escuchó mi relato.

–Escúchame, he estado pensando...

–¿Pensando qué? ¿Sigues enfadada conmigo?

–No seas zonzo, no es eso.

–Y entonces ¿qué es?

–Me regreso a mi país.

–¿Estás loca? ¿Y Reinaldo?

–Reinaldo está aquí. Cuando lo detuvieron pensé que lo meterían preso, que las cosas no serían como en mi país, pero ya tú ves. Lo más seguro es que esté libre. Además, me muero por ver a mis hijos. Llevo meses sin verlos y no puedo más, así que mejor me saco un boleto y me vuelvo.

–Pero Adela, yo quería proponerte algo. Había pensado que... Bueno, yo podría...

–Acaba de una buena vez, muchacho –me quejé con acritud. Nunca he tenido un carácter atrabiliario, pero la blandura dubitativa de Antonio siempre me exasperó. Tras mi interrupción le oí tomar aire antes de lanzarse, heroico, al abordaje:

–Podríamos alquilar un piso y vivir juntos.

Reconozco que sopesé con más cabeza que corazón la repentina propuesta: «Si me voy a vivir con él, estaré más protegida. Tendré una casa para mis hijos. Y no tendría que trabajar como interna. Podría cuidar a los niños. Pero no quiero volver a depender de ningún hombre. Eso se acabó. Y, además, seguro que Antonio ni siquiera ha pensado en mis hijos».

–Yo no estoy sola. Tengo tres niños, ¿recuerdas? –esta vez fue mi voz la que sonó vacilante. No estaba segura de querer vivir con él, pero tampoco lo estaba de lo contrario. ¿Y si la idea de asumir a mis hijos le echaba para atrás?

–Ya lo sé, ya lo sé... Mira, yo hasta ahora nunca me había planteado la idea de irme a vivir con una mujer, pero contigo es distinto. Podríamos probar. Sin ningún tipo de compromiso. No perdemos nada...

–¿Y qué pasa con mis niños? Porque yo no quiero imponértelos. No son tus hijos. Ni siquiera los conoces. En cualquier caso, no creo que sea el momento de hablar de estas cosas.

–Vale, entonces podemos hacer una cosa. Me cojo una semana de vacaciones y me voy contigo para conocerlos. Además, así no estarás sola si reaparece Reinaldo.

Me enterneció su predisposición a cuidarme, aunque la

idea de que alguien como Antonio pudiera oponerse a Reinaldo me pareció un desatino.

–Mira, yo no sé. Haz lo que mejor te parezca, pero yo no puedo tomar una decisión ahora. Mejor lo hablamos más adelante, ¿sí?

–Como quieras... Es que yo... –titubeó de nuevo–. ¿Sabes que Manolo y Lucecita van a casarse?

–Manolo me contó algo en el viaje de Jaén acá.

–La boda será dentro de un par de meses. Harán el banquete en el cortijo. Tendrías que ver cómo está Paca...

–Me imagino. Óyeme, tengo que dejarte. Me voy ahorita mismo a buscar el pasaje.

–Vale, pero confírmame cuándo sales para Santo Domingo. Y si necesitas dinero, me llamas.

–OK. Nos hablamos. Un beso.

Antonio recibió el cariño con una pausa. Luego sólo dijo:

–Te quiero.

Y colgó. Yo me quedé con el teléfono en la mano, como una estúpida, escuchando las señales de la comunicación interrumpida. Era la primera vez que Antonio me decía te quiero. Yo no se lo había dicho a él nunca.

Despegué el domingo en un vuelo con escala en San Juan de Puerto Rico. Durante el viaje soñé que don Pericles estaba sentado en el butacón de mi cuarto. Parecía consternado, como si llorara, pero no alcancé a verle el rostro porque se cubría la cara con las manos.

–¿Qué le sucede, papi? –le pregunté tocándole el hombro, pero no pareció darse cuenta de mi presencia. Continuó restregándose los ojos, como si yo no estuviera a su lado hablándole.

El sueño me desasosegó, pero estaba demasiado ilusionada con la idea de reencontrarme con mis hijos para dedicarle esfuerzos a su interpretación. Al aterrizar en San Juan, aproveché las largas horas que mediaron entre mi llegada y la salida hacia Santo Domingo visitando las tiendas del aeropuerto donde compré regalos para mis hijos.

Nada de ropa, porque fui incapaz de imaginar cuánto y cómo habrían crecido. A Rubén le compré un bate de béisbol. A Marcia, una muñeca gringa de pelo oxigenado similar a la de la nieta de Paca y Anselmo; y a Victoria, un gran oso de peluche que cantaba en inglés cuando le apretabas la barriga.

Tan contenta me sentí durante esas horas de pasajera en tránsito que a punto estuve de adquirir también una falda negra para mi madre quien, si bien había usado un luto mínimo por don Pericles, había descartado el color desde la muerte de mi abuela, un año atrás. Sin embargo, reconozco que la tentación fue breve y me sobrepuse a ella sin apenas esfuerzo.

A medida que me acercaba a mi destino mis nervios crecieron. Me preocupaba la posibilidad de que Reinaldo hubiera regresado a República Dominicana, pero pensaba, sobre todo, en cómo encontraría a mis hijos. No había avisado a mami de mi viaje con la deliberada intención de sorprenderla. Quería comprobar cómo los había acomodado en su casa sin darle tiempo para componendas. Además, no quería que nadie pusiera sobre aviso al general, si es que estaba en el país. Si debía enterarse de mi regreso, cuanto más tarde, mejor.

Llegué a Santo Domingo a mediodía. Cuatro horas más tarde, estaba en Coa con mi pequeña maleta y un pellizco enorme en las entrañas. Crucé la acera donde me había dejado la guagua con dificultades por el cargamento de regalos y abrí la puerta de la casa de mi madre sin tocar. El recibidor estaba desierto.

—¿Hola?

Nadie respondió a mi saludo.

—¿Dónde están mis niños? —grité un poco contrariada. Había imaginado mil veces ese momento. El recibimiento que me brindarían cuando llegara a casa: carreras, abrazos, besos, risas... Pero nada de eso ocurrió.

Extrañada, senté al oso de Victoria sobre el sillón de mami. Sin pensar, presioné su barriga para que entonara su alegre melodía gringa. Su canto, que me pareció tan divertido en el aeropuerto, sonó siniestro en la estancia vacía.

«Deben de estar cenando y por eso no me oyen», pensé encaminándome hacia la cocina, situada al fondo de la casa. Dejé la maleta en el pasillo. Seguí avanzando. Apoyé el bate en un rincón y continué andando con paso cada vez más incierto por la misteriosa quietud que transpiraba la casa.

–¿No hay nadie?

Sólo me respondió el silencio.

Ya en la cocina observé que un puchero reposaba sobre la cocina apagada. Toqué la cacerola. Estaba tibia. Y la mesa estaba dispuesta aunque en los platos no había ningún resto de comida. Dejé la muñeca de Marcia sobre ella. Al hacerlo, entornó sus ojos azules como si se adormeciera.

Estaba claro que algo había ocurrido.

Corrí a las habitaciones, pero allí no había nadie. ¿Qué había pasado? Nerviosa, agarré el teléfono y marqué el número de tía Euduvigis:

–¿Aló?

–Tía, acabo de llegar a...

–¡Adela! –me interrumpió–. ¡Gracias a Dios que llamas! ¿Te enteraste?

La pregunta de mi tía me detuvo el pulso. Rubén. No sé por qué, pero pensé que a Rubén le había pasado algo terrible.

–¿De qué tía? –pregunté presa del pánico–. Recién llegué a casa de mami y no hay nadie. ¿Le pasó algo a Rubén?

–A Rubén no, *m'hija*.

Mi corazón volvió a latir, pero a un ritmo enloquecido.

–Ingresaron a tu madre. ¡Ay, Dios mío!

Reconozco que la noticia no me impresionó como se supone que algo así debe conmover a una hija.

–Pero ¿y los niños?

–Tus hijos están bien. En casa, conmigo. Pero ¿entonces no estás en España?

–No, tía Euduvigis. He vuelto. Pero, dígame, ¿mis hijos están bien de verdad?

–Que sí, muchacha. Pero tu mamá tuvo un infarto y está en la clínica. Cuchito se quedó con ella, aunque la tienen en la uci y allí no se la puede ver. Y yo no sé... ¡Qué desgracia!

–Escúcheme, tía. Voy a acercarme a ver a los niños un momento y luego me voy para la clínica. Pregúntele a tío Negrito si me podría llevar, ¿sí?

–Recuerde. Sólo cinco minutos. Su mamá necesita descansar.

La enfermera liliputiense me dedicó una mirada trágica antes de franquearme el paso, como si quisiera prepararme para lo que iba a ver. Mi madre yacía boca arriba sobre la cama del hospital. Su vientre emergía como una gran pompa blanca, arropado por una sábana limpia, pero ajada por el uso. Tenía la cara cerosa, los ojos cerrados y un vago gesto de dolor dibujado en el rostro repentinamente envejecido como su pelo, hasta hace unos meses veteado apenas por algunas canas dispersas y blanqueado ahora por espesos mechones sobre los que destacaba, solitario, algún cabello negro. Me costó reconocerla tras la máscara de la enfermedad hasta que desplegó los párpados y su mirada, primero distraída, luego sorprendida, me enfocó. Su mirada era lo único que no había cambiado en ella.

Me acerqué hasta la cama, impresionada por los goteros que resbalaban un líquido amarillento hasta el antebrazo de mami y por la pantalla que parecía medir su frecuencia cardiaca. Y entonces ocurrió algo mágico. Me sonrió. Y esa sonrisa breve disipó todo mi resentimiento como si me hubiera embrujado y lo sustituyó por una ternura que me quebró la voz:

–Hola, mami. ¿Cómo está?

Sin fuerzas para hablar, se limitó a asentir débilmente. Entendí que se encontraba mejor.

–Acabo de llegar y me encuentro con esto. ¿No le da vergüenza recibirme así? –bromeé. Quería que volviera a sonreír, pero no lo hizo. Cerró los ojos, como si estuviera cansada. Muy cansada. Y así se quedó durante un largo rato.

No sabía qué hacer: hablarle, para infundirle ánimos, o callar, para no interrumpir su reposo. Me limité a acariciar con suavidad su mano izquierda. Recorrí con el pulgar la leve cresta cenicienta que dibujaban las venas en dirección a sus dedos, torcidos por la artrosis. Bajo mi presión, el relieve venoso desaparecía brevemente hasta que mi dedo avanzaba hasta sus nudillos y entonces la sangre retomaba su camino bajo su piel reseca, llenándose de nuevo. Repetí el movimiento una y otra vez, incapaz de pensar en nada que no fuera el misterioso flujo y reflujo sanguíneo. Hasta que reabrió los ojos y supe que quería decirme algo:

–¿Qué necesita, mami?

–Esto vale muy caro... –musitó con la lengua pastosa, supongo que por la medicación.

–No se preocupe por eso ahora. Descanse. Yo asumo lo que cueste...

Creo que mi disposición a pagar el coste del ingreso hospitalario la tranquilizó. Me pareció que comenzó a respirar de manera más sosegada. Entonces volvió a mirarme y preguntó:

–¿Y Cuchito?

Cuchito. Nuestro reencuentro, media hora antes, se había limitado a un breve intercambio de frases obligadas por las circunstancias en una sala de espera atestada de personas cariacontecidas que aguardaban, como nosotros, noticias sobre sus familiares:

–Los médicos dicen que está muy mal –me informó, sucinto.

–Pero se pondrá bien, ¿no?

–No saben. Sólo me han dicho que está muy mal y que hay que ver cuánto se le dañó el corazón. Si quieres verla, habla con esa enfermera. Sólo dejan pasar de uno en uno y yo ya la vi.

Aunque Cuchito me lo había advertido, no esperaba encontrármela así. Nunca la había visto de aquella forma. Mi madre siempre fue una mujer hiperactiva. Siempre anduvo a tres dobles y un repique, inventando faena cuando no tenía qué hacer. Ahora era sólo un vientre blanco que ascendía y descendía a intervalos irregulares. Y un pecho agitado por una respiración discontinua en el que palpitaba un corazón enfermo. Y un alma infranqueable para mí, de la que sólo su miserable marido parecía tener la llave:

–Cuchito está fuera, mami.

–Dile que pase –dijo en un susurro reseco.

Cuando escuché su petición, toda la ternura que había sentido por ella durante aquellos breves minutos se me secó. Como el dentista cuando te mata el nervio de una muela. La pieza sigue ahí, pero sólo en apariencia. En realidad está desvitalizada. Muerta. Como mi mano, posada aún sobre la suya, cuyo contacto –mortalmente frío– me traspasó, ascendiéndome por el brazo hasta helarme el corazón.

En verdad, mi regreso estaba siendo muy distinto a como lo había imaginado. Marcia y Victoria estallaron, literalmente, de júbilo cuando nos reencontramos en casa de tía Euduvigis. ¡Habían crecido tanto! Espigadas y flaquitas. Con esos ojos tremendos, encendidos de puro contento. Permanecimos poco tiempo juntas, porque enseguida salí para la clínica en el carro de tío Negrito, pero en lo que duró el reencuentro no se separaron de mí. Se sentaron a mi lado. Me tocaron como si quisieran cerciorarse de que era yo y no un fantasma. Me miraron con embeleso. Me besaron hasta desgastarme.

Pero con Rubén fue distinto.

Cuando entré se dejó abrazar, pero apenas correspondió a mis efusiones. Él sí que había crecido de verdad. Su cuerpo, antes blando e infantil, se había cuajado, apuntando ya maneras de muchachito. No llevaba camiseta, así que entreví su pecho consistente, su espalda fibrosa, los músculos incipientes que empezaban a dibujársele en los brazos... Mientras las dos niñas se apretaban contra mis piernas y mi cintura, Rubén me dirigió una mirada lejana y respondió a mis cariños y preguntas con afectos y respuestas forzadas.

–¿Qué tal están todos? –grité intentando abarcar a los tres con mis brazos.

–Bien, mami –respondió él desde esos confines que me recordaron tanto a los que yo había frecuentado para marcar distancias respecto a mi madre. No dijo más, ni sonrió, pero me pareció ver algo fuera de lugar.

–A ver la boca –le pedí. Esbozó algo parecido a una sonrisa y confirmé mis sospechas. No llevaba puesto su aparato dental.

–¿Por qué no llevas el *brackets*?

Rubén desvió la mirada y se desprendió tímidamente de mi abrazo. Victoria respondió en su lugar:

–El dentista se lo quitó.

–Pero ¿por qué hizo tal cosa?

–La abuela decía que era muy caro y que Rubén no será artista –explicó mi niña.

Un fuego poderoso me quemó las mejillas, pero me esforcé por controlarlo. No estaba dispuesta a que doña mami echara a perder ese momento tan deseado. Ni a mí, ni a mis hijos.

–Escúchenme todos. Les he comprado regalos en San Juan. Están en casa de su abuela. Yo ahora tengo que ir a la clínica para verla, pero pueden ir a recogerlos con tía Eudu-vigis. ¿Usted los acompaña, tía?

–Claro, *m'hija*.

–¿Qué es? ¿Qué es, mami? –preguntó excitada Marcia mientras pegaba saltitos de impaciencia.

–¡Ah, no! Es sorpresa. Corran y los verán. Sólo les digo que el más grande es el de Victoria, el más duro el de Rubén y el que tiene cara de gringa el de Marcia.

Las niñas tironearon de los brazos a mi tía para que se apurara, mientras Rubén contemplaba su bullicioso afán con una seriedad impropia en un muchachito de su edad que recién se reencontró con su madre después de tantos meses de ausencia. En esos momentos pensé algo que no se me había ocurrido hasta entonces: Victoria y Marcia –ambas niñas y de edades similares– se habían tenido la una a la otra para apoyarse mutuamente. Pero ¿y Rubén?

–Todas las tardes se quedaba sentado en la puerta de la casa de tu madre esperando a que regresaras. Día tras día

—me susurró tía Euduvigis mientras entrábamos en la casa para buscar a su marido.

La confidencia me provocó ese tipo de dolor, acerado y profundo, que sólo sienten las madres por los hijos. Localizado en el vientre, donde los alojaste durante el embarazo. Como si te hubieran clavado un machete y lo removieran a izquierda y derecha, arriba y abajo. «Cuando regrese tengo que hablar con él», me prometí mientras me subía en el carro de tío Negrito, quien me reveló otra información sorprendente durante nuestro trayecto en dirección a la clínica:

—¿El general? No se le ha visto por Coa desde hace tiempo. Lucecita nos contó que anduvo por España buscándote —respondió cuando le pregunté por Reinaldo. Luego añadió algo que me desconcertó—: Me dijeron que, después de tirotearla, volvió con su mujer.

—¿Qué mujer?

—Aquella a la que pegó dos tiros.

—Pero ven acá. ¿Cómo va a vivir con Hilma? Seguro que usted se confunde.

—Nada de confusiones. La cosa es tal y como te la cuento —replicó enojado tío Negrito, cuyo carácter peleón hacía que tocara a rebato a la mínima. Su violenta respuesta hizo que me girara para mirarlo. Descubrí que, durante mi ausencia, había sumado una nueva cicatriz a la colección, ya de por sí variada, que exhibía su cuerpo. La tenía en el cuello. De unos tres centímetros y con un reborde rojizo que indicaba que se trataba de una herida reciente. No obstante, preferí no preguntarle por ella. Volví a considerar la noticia que me acababa de comunicar. ¿Sería cierta? Si lo era, quizá Reinaldo se olvidara finalmente de mí.

—No lo dudo, tío —dije para apaciguarlo—, pero es que me extraña. ¿Cómo puede dormir a su lado con lo que le hizo?

—Yo, por si acaso, lo haría con un ojo cerrado y otro abierto.

Por la noche llegué exhausta a la casa de tía Euduvigis. Casi agradecí que los niños estuvieran durmiendo ya, aunque el cansancio acumulado por el largo viaje, la inicua entrevista con mi madre y la preocupación que me causó la extraña actitud de Rubén no consiguieron que renunciara a un gesto cotidiano cuando vivía con mis hijos. Me asomé a sus habitaciones para comprobar que todo estaba en orden, como hacía cada noche antes de que emprendiera mi alocada huida. Una fuga que, no sabría explicar bien por qué, intuía que estaba tocando a su fin.

Marcia descansaba en la cama de Leo. Recuerdo que, de pequeña, odiaba dormir con mi prima porque me espantaba el sueño con chaladuras de médium. Me despertaba en plena noche y la oía hablar con personas invisibles: niños, según decía, que le contaban sus aflicciones de almas en pena. A veces llamaba a gritos a tía Euduvigis para librarse de ellos:

—Mami, dígales que se vayan de mi cama, que no me dejan dormir.

Mi tía regañaba, sañuda, a las importunas ánimas como si las viera y entonces Leo se dormía como una bendita, mientras que yo me recocía de calor bajo la sábana con la que me tapaba, de la cabeza a los pies, para esconderme de su pavorosa presencia. Hasta que no podía más y despertaba a mi prima de un codazo:

—¿Se han ido ya?

Ella levantaba la cabeza y, sin mirar apenas, me respondía siempre lo mismo:

—Sí, duérmete.

Entonces aprovechaba para salir corriendo a la cama de Lucecita, más segura y cálida que la de mi prima mayor, porque, que yo sepa, nunca recibió visitas de ultratumba en horas de descanso.

Justo allí, en la cama de Flaca morena, estaba esa noche mi hija Victoria, sumida en un plácido sueño, con una sonrisa pintada en la cara y su manita reposada sobre la cabezota del oso que había acostado a su lado.

Cuando comprobé que todo estaba en orden en la habitación de las niñas fui a la de Rubén. Dormía boca abajo, desplegado como las aspas de un ventilador sobre el colchón. El bate descansaba, olvidado, en una esquina. Ni siquiera le había quitado el precinto de plástico que lo recubría.

Suspiré y salí del cuarto.

–Están bien. No te preocupes por ellos ahora. Se pasaron la tarde jugando con sus primos y enseñándoles tus regalos. ¿Quieres comer algo, *Fifty-Fifty*? –me preguntó mi tía.

–No, gracias. Estoy muy fatigada.

–Pues ándate derecha a la cama.

Pese a la sugerencia, tía Euduvigis me siguió los pasos preguntándome por el estado de salud de doña mami, por sus hijas y sus trabajos en España y sobre todo por su futuro yerno, Manolo, el prometido de Lucecita. Le daba pena perderse la boda pero para ella, que no había salido de Coa en toda su vida, la perspectiva de viajar a Europa se le antojaba aventura espacial. Hasta que no me vio metida en la cama no aflojó el interrogatorio. Respiré aliviada cuando la vi encaminarse, remolona, hacia la puerta, pero cuando estaba a punto de salir volvió a entrar y se sentó de nuevo en el borde de mi cama para satisfacer una última curiosidad:

–¿Te contó Negrito que Reinaldo volvió con Hilma?

–Sí, tía. Me lo dijo.

–Para mí que estos militares son todos locos. Como el rufián de Cuchito. Ya se sabe: el que con veneno se cría, veneno es su comida.

–¿Qué pasa con Cuchito?

Tía Euduvigis se levantó de un salto, como si se arrepintiera de haber hablado demasiado y quisiera zanjar la conversación de inmediato:

–Nada, muchacha. Es muy tarde ya y tú necesitas descansar.

Su actitud me inquietó, y me despejó el cansancio de golpe.

–De eso nada, tía. Venga acá y cuénteme.

–Hablaremos mañana, no te preocupes.

—Si me dice que no me preocupe, me preocupo, así que dígame ya cómo es la cosa.

Tía Euduvigis negó con la cabeza, arrepentida de haberme inquietado. Cuando habló, se estrujaba las manos mirándolas como si buscara en ellas las palabras:

—Rubén impacienta a Cuchito. No sé por qué le quiere mal, pero le molesta cualquier cosa que hace o que no hace, porque tu muchachito ya no sabe qué hacer para no enfurecerlo... Muchos días viene a casa sólo para rehuir problemas... Y un día...

—¿Qué? ¿Qué fue?

—Apareció con el cocote abierto.

—¿Lo pegó?

—Por lo visto lo estrelló contra la pared y se le abrió una herida en la cabeza. No fue nada, no te apures. Lo curé con un poquitico de alcohol y sanó enseguida.

—¿Que no fue nada? ¿Y qué hizo mi madre?

—Ay, *m'hija*. Yo no sé. No debería habértelo contado.

—Déjeme sola, tía.

Tía Euduvigis salió corriendo del cuarto, cerrando la puerta tras de sí. Llorosa, me ovillé en la cama como si quisiera meterme dentro de mí misma. Desaparecer. Me recriminé por haber permitido que mami se quedara con los niños en aquella casa horrible. ¿Cómo pude consentirlo? Ahora entendía esa mirada fronteriza de Rubén, su desapego... ¿Me odiaría?

Acorralada por los recuerdos, el cansancio me hundía a veces en un sueño breve y desapacible del que despertaba a intervalos por pesadillas inspiradas en sucesos acaecidos años atrás. Como cuando mi madre me dio la paliza que me determinó a marcharme a estudiar a la capital con las Carmelitas. Yo tenía dieciocho o diecinueve años. Un muchacho al que yo le gustaba me mandó una nota para quedar. Mi madre me vio leyéndola y me reclamó el papel:

—Dámelo.

—No, mami.

—Que me des ese papel.

—No se lo doy. ¿Para qué lo quiere?

—Quiero saber lo que dice.

Sin pensar, me lo eché a la boca dispuesta a tragármelo si era necesario. No porque el muchacho me hubiera escrito groserías, sino porque sentí que la notita me pertenecía. ¿Con qué derecho quería leerla mi madre? Ella intentó sacármela pero, como no pudo, comenzó a darme cachetadas hasta que, medio ahogada, la escupí al piso. Satisfecha, la recogió y salió del cuarto con andares de general victorioso. De nuevo, había conseguido doblegarme.

Cuando me repuse del disgusto, me vestí y me fui al cine con una amiga con la que había quedado. Pero, una vez concluida la película, no pudimos salir. Yo tenía la cara hinchada por los golpes. Tanto, que los párpados inflamados me cerraban los ojos casi por completo. Me dio vergüenza que la gente me viera así, por lo que me quedé en la butaca. Llorando. Y entonces decidí marcharme de su lado.

Yo sabía cómo era ella. Siendo así, ¿cómo había sido capaz de dejar a mis hijos a su cuidado? La pregunta me atormentó toda la noche como un ahogo hasta que un sentimiento muy parecido al odio prevaleció sobre el remordimiento. Y pude respirar. Como si me hubiera liberado de ese cordón umbilical que casi me mata al nacer y que me mantuvo unida a mi madre durante toda la vida como una soga.

Me libré de ella. Por fin esa noche me libré de ella.

Y, con ella, se me apagó el miedo.

Sólo me quedó una ira tranquila, premeditada, que se me alojó en la boca del estómago como si alguien me lo hubiera golpeado y se me hubiera quedado dentro. Luego, al despuntar el día, la furia se convirtió en fuerza. Me sentí fuerte. Invencible. Era una sensación extraña, tan poderosa que parecía trascenderme. Tía Euduvigis la percibió. Cuando me vio salir de la habitación en dirección a la calle, se apartó a un lado, sin hablarme, para dejarme pasar.

De repente, sabía qué tenía que hacer con una certidumbre serena que jamás había sentido. Y supe que estaba donde debía estar y que mi huida había acabado. Por fin.

Fui a mi casa, alquilada por doña mami durante mi ausencia para quedarse con el dinero de la renta. Los inquilinos eran una pareja joven sin hijos. Les di un plazo de veinticuatro horas para abandonarla. No rechistaron. Supongo que los disuadió esa energía recién adquirida, esa resolución inaudita en mí que acompañaba, ahora, cada uno de mis gestos, mi voz, mi mirada.

Luego me dirigí a la casa de mi madre en busca de Cuchito. No estaba. Debió quedarse en el hospital. Me fui para la calle por donde pasan las guaguas que hacen la ruta en dirección a la clínica. Me senté en la acera a esperar. Algunos vecinos me saludaron, pero yo apenas les respondí. Pensaba en mis cosas. Me encerré en mis cavilaciones y me quedé dentro de ellas durante el trayecto hasta el hospital. Como si fuera de mí no existiera nada. Hasta que, de repente, cuando la guagua se disponía a detenerse junto a la clínica, sonó mi móvil y me devolvió a la realidad:

—¿Aló?

—¡Hola! ¿Me invitas a un café?

Aturdida, tardé unos segundos en ubicar a mi interlocutor.

—¿Antonio?

—¡Acabo de llegar! Estoy esperando a que salgan las maletas.

—¿Llegar? ¿Adónde?

Mi voz debía sonar desconcertada, porque me preguntó:

—¿Te he despertado?

—No, no. ¿Dónde estás?

—Acabamos de aterrizar en Santo Domingo. Estoy en el aeropuerto. Si vienes a buscarme, te invito a desayunar. Oye, ¿aquí se puede fumar? Estoy loco por echar un cigarrito, pero no veo a nadie que fume...

Todavía confusa, le dije que tardaría media hora en llegar al aeropuerto, pero me arrepentí de inmediato. Recordé que aún debía pasar por la clínica para buscar a Cuchito:

—Escucha. Estaba llegando al hospital. Mi madre tuvo un infarto y está ingresada.

—Joder, Adela... Lo siento. Dime dónde está y voy para allá.

–No. Prefiero pasarme por la clínica y que nos veamos luego. Podemos quedar a las doce en un restaurantico que se llama Tío Pepe.

–¿Y dónde queda?

–Está en la esquina de la calle El Conde, frente al parque Independencia. ¿Por qué has venido sin avisarme?

Esa mañana llegué tarde a mi cita con Antonio. De hecho, la olvidé durante horas porque, cuando llegué al hospital, tuve un encuentro inesperado. Apenas traspasé la puerta que daba acceso al *hall*, vi a un hombre chiquitico, muy parecido a mí, que se dirigía hacia la salida acompañado por una mujer anodina. Desde lejos, su forma de caminar me resultó familiar así que, inconscientemente, me fijé más y lo reconocí.

Era Tato.

Él tardó más en darse cuenta de mi presencia. Hablaba de forma desenfadada con la mujer. Sonreían. Hasta que su mirada se cruzó con la mía. Y dejó de hablar. Y de sonreír. La mujer se dio cuenta de su cambio de actitud y rastreó la dirección hacia la que apuntaban sus ojos. Hacia mí. Cuando se volteó a mirarle, le dijo algo. Quizá:

–¿Qué pasa?

Él no dijo nada. Siguieron avanzando en mi dirección. Él, como hipnotizado. Ella, a cada paso más suspicaz. Yo me había quedado plantada en mitad del vestíbulo, interrumpiendo el paso de las personas que entraban y salían del edificio. Diez años sin vernos y, de repente, allí estaba. Caminando hacia mí. Apenas podía creerlo.

Lo estudié sin disimulo. No había cambiado mucho. Se le veía un poco más mayor, pero tenía la misma cara, los mismos ojos de siempre... Cuando llegó a mi altura, libramos un pequeño duelo visual. Él retiró primero la mirada y también fue el primero en hablar:

–Hola, Adela.

–Hola.

–¿Cómo estás?

–Muy bien, gracias.

La mujer le hizo una señal: rozó su codo contra el de Tato para que la presentara. Me miraba como a una enemiga.

–Mira, ella es mi señora. Corina, te presento a mi amiga Adela.

Corina era una mujer menuda, de aspecto taciturno, huesuda y, de acuerdo con el repaso visual que me hizo, celosa. Me alegré de haberme puesto el vestido blanco de lino, de haberme soltado el pelo, de haberme maquillado para esconder las señales del insomnio.

–Ya nos conocemos –dijo la mujer.

Y en ese momento la reconocí. Era la chismosa. Sí. Era ella: la chica sobre la que sospeché. La que, según he creído siempre, le contó mi supuesta infidelidad a Tato. De buena gana le hubiera ido encima para arañarle la cara y borrarle esa sonrisa de suficiencia que me dirigió, ufana, mientras se colgaba del brazo de su marido para evidenciar su pertenencia. Pero me contuve. Sólo cerré los puños. Tan fuerte que las uñas se me clavaron en las palmas de la mano.

–Pero dime, ¿cómo tú por aquí? –preguntó Tato con una fingida desenvoltura que apenas lograba enmascarar su inquietud.

–Mi madre ha sufrido un infarto. Está ingresada en este hospital. ¿Y tú?

–Trabajo aquí. Pero ¿por qué no me llamaste? Tú sabes que cuentas conmigo... Ahora mismo averiguo sobre tu madre.

–No te molestes. Mi madre está en cuidados intensivos y ya...

–No es molestia –me cortó. Luego se dirigió a su esposa–: ¿Te importa si nos encontramos en el restorán?

–No, claro. Pero no tardes –respondió ella ocultando apenas su contrariedad.

–No tardaré, mi amor.

Mi amor. Aunque hasta ese momento había conservado una calma relativa ante un encuentro que había ensoñado mil veces, esas dos palabras me estallaron en los oídos y me quemaron el corazón. La esposa de Tato no parecía mucho más contenta que yo. Me echó una mirada despectiva y se dirigió a la puerta sin despedirse. Cuando salió, me giré hacia él, esbocé la mejor de mis sonrisas y le dije:

–Mala elección. Soy más guapa yo.

A Tato se le escapó una risa nerviosa, pero no respondió nada. Le noté agitado. Más turbado que yo. Me pidió que le disculpara un segundo y se acercó a un mostrador atendido por una señorita de bata blanca. Habló por teléfono y regresó con el gesto apenado.

–No traigo buenas noticias, Adela. Tu mamá sufrió un infarto agudo de miocardio. Le administraron fibrinolíticos para disolver los coágulos. Los cardiólogos están evaluando si se puede someter a tu mamá a una angioplastia, pero su edad... y además han pasado muchas horas desde que tuvo el infarto y habría que trasladarla a otro centro donde practiquen esas intervenciones.

–Tato, dime algo que entienda. ¿Se va a poner bien sí o no?

–No quiero mentirte. Está muy grave. Su edad y otros problemas, como su hipertensión, no ayudan...

–Entiendo.

Por su gesto intuí que le sorprendía mi entereza.

–Adela, quizá no sea el momento, pero creo que deberíamos hablar de nosotros. Ahora tu madre está enferma y mi esposa me está esperando para almorzar, pero...

–Hablemos ahora.

Mi propuesta volvió a descolocarlo. Apretó los labios, como si no supiera cómo empezar. Nervioso. Finalmente dijo lo que yo esperaba:

–Está bien, como quieras. Llevo mucho tiempo queriendo preguntarte esto: ¿Rubén es hijo mío?

Aunque pensé que ya no había motivo para mantener la incertudumbre, decidí prolongar un poco más su espera.

–Te he dicho que hablemos ahora, pero no aquí. ¿No puedes llevarme a algún sitio donde podamos charlar tranquilos?

Tato suspiró en silencio. No sé si fue esa ira o esa fuerza que me nació con el día, pero en ese momento no vi en él más que un hombre como cualquier otro. Sin nada especial. Después de años recreándolo, soñando con sus manos y con su piel, me descubrí pensando que Tato no era nadie. Al menos, nadie importante.

Él no lo sabe. No puede saberlo, pero en el breve trayecto que recorrimos en dirección a la cafetería del hospital, su fantasma se apagó. Dejó de ser. Tato ya no era el amor que fue, ni el misterio de un desamor inexplicado. Era sólo un médico que caminaba a mi lado para tomar un café. En ese momento, recordé que Antonio me aguardaba ya en Tío Pepe. ¿Era alguien Antonio?

—Toda mi familia cree que Rubén es hijo mío —dijo apenas nos sentamos en la mesa que eligió: discreta, alejada de oídos y miradas curiosas. Luego, sin más transiciones, volvió a preguntarme lo único que parecía interesado en saber—. ¿Lo es?

Me miré las palmas de las manos. En la derecha tenía cuatro medias lunas. Observé mis uñas. Estaban demasiado largas. Siempre me han gustado más bien cortas. Luego le miré y se lo dije:

—No. No es hijo tuyo.

Percibí su alivio. Dio un largo sorbo a su café, pero se interrumpió al oír lo que yo tenía que preguntarle:

—¿Eres feliz?

Pestañeó desconcertado antes de responder:

—Lo intento, como todos. ¿Y tú?

—No me has respondido, Tato. ¿Eres feliz?

Se puso muy serio. Me dedicó una mirada infinitesimal en la que leí algo parecido a una súplica y luego la sumergió en el café.

—Óyeme, no es que quiera reprocharte nada —continué—, pero necesito saberlo. Lo pasado, pasado está. No quiero reclamarte nada, pero necesito saberlo. ¿Qué pasó? ¿Por qué desapareciste?

Tato volvió a mirarme con una tristeza honda que le avejentó como si en aquellos breves minutos de conversación se hubiera echado diez años encima.

—Me contaron que te vieron con otro...

—¿Te lo dijo Corina?

Noté que dudaba antes de responder:

—Sí...

—¿Hace falta que te explique por qué te fue con ese cuento?

Me miró derecho a los ojos. Dijo:

—No...

Estaba a punto de levantarme, pero me pudo la curiosidad:

—¿Tuviste hijos?

—No. Sé que tú tienes dos más, aparte de Rubén. Dos niñas ¿no?

—Sí. Marcia y Victoria. Te gustarían...

—Seguro que sí...

Me puse de pie. No tenía más que decir. Pero él me detuvo con una última pregunta:

—¿Y tú, Adela? ¿Has sido feliz?

Respiré tan profundo como pude y le regalé una sonrisa sincera.

—Hoy, sí.


Llegué a Tío Pepe muy tarde. Recuerdo que el aire olía a lluvia, aunque el sol se obstinaba por disputarle el cielo a las nubes barrigonas, aparentemente listas para soltar su lastre de agua sobre la ciudad y apagar, con ella, esa luz brillante, multicolor, que irradiaban las calles y las gentes que se afanaban, como laboriosos hematíes, trasladando vida por las arterias urbanas.

Antonio se había acomodado en una mesa próxima a la calle, desde la que observaba, con gesto aburrido, a un vendedor de guineos que despachaba su mercancía a una mujer, vestida de verde, con un niño de azul apoyado en la cadera.

Tenía entre manos una botella Presidente y un plato de verdura asada casi ultimado, en el que languidecía solitario un trozo de berenjena. Precavido, había apartado una de las sillas para hacer hueco a su maleta, orientada hacia el interior del local. Una barba incipiente le pespunteaba la cara. Pensé que me pincharía con ella al besarle. Y me pregunté si quería besarle. Justo entonces me vio, se levantó y acercó sus labios a los míos. Y sólo entonces supe que no quería. Pero ya era demasiado tarde. Respondí a su beso apasionado con un beso congelado y me senté, esquivando sus ojos para no ver su mirada turbia por la duda.

Me disculpé por el retraso por educación, no porque en realidad lo sintiera. Tras mi entrevista con Tato, había subido en busca de Cuchito, pero no estaba en la sala de espera. Pensé que se encontraría dentro, en la uci, pero no salió y tampoco llegó. Así que no pude enfrentarle. Tampoco entré a ver a mi madre.

Tras mi glacial saludo, noté que Antonio me observaba intentando sopesar cada uno de mis gestos y palabras. Me preguntó por la salud de mamá, por mis hijos, por Reinaldo, me dio noticias de Lucecita y Manolo... Intentó solapar con su cháchara mis respuestas concisas, seguidas de silencios evidentes.

Como tantas otras veces, sentí por él algo parecido a la compasión. Parecía tan fuera de lugar en aquel restaurante, rodeado del bullicio de mi ciudad, como yo me sentí, aquel lejano día de verano madrileño, en la heladería Bruin. ¿Cuánto tiempo había pasado? ¿Qué hacía él aquí? Su presencia me resultaba incómoda, embarazosa, como si me obligara a algo, no sé a qué. Y eso me disgustaba. Sin embargo, mi sentido práctico no había descartado todavía la posibilidad de aceptar su propuesta de irme a vivir con él. Lucecita dice que hay hombres con los que una está por amor y otros por almorzar. Antonio pertenecía, sin duda, a la segunda categoría.

Mientras él se enredaba en un monólogo nervioso sobre los preparativos de la boda de mi prima, que yo acompañaba con alguna sonrisa y, de vez en cuando, un breve gesto asertivo para indicarle que seguía su conversación, sopesé de nuevo la proposición. Si aceptaba, mis hijos accederían a una educación que aquí, sólo con mi sueldo, difícilmente podría brindarles. Y además estaba el asunto del trabajo. Para mí era realmente importante no tener que emplearme nunca más como interna.

—¿Qué te parece? —preguntó de repente Antonio. Me cogió por sorpresa. No tenía la menor idea de qué estaba hablando. Salí como pude del apuro:

—Pues no sé. ¿Y a ti?

Una gota enorme rebotó contra el pavimento y se elevó de nuevo, disgregada en minúsculas partículas de agua. Antonio siguió hablando, ajeno al aguacero que se nos venía encima:

—Creo que Paca terminará por tragar. Lo que tiene de burra lo tiene de buena persona. Imagínate. Para ella tiene que haber sido un palo. Todas las madres sufren cuando sus hijos se separan... y, además, resulta que Manolo va y cambia a Concha por una extranjera. Probablemente, la primera extranjera que conoce Paca. Pero Lucecita es un cielo y terminará por quererla, ya verás.

—Y tus padres. ¿Qué dicen tus padres de lo nuestro?

Antonio se volteó hacia la calle, atraído por el sonido de la lluvia que comenzó a descargar con violencia. El vendedor de guineos empujó su carro, cargado de fruta, en busca de refugio. Los vehículos pasaron a cámara lenta ante el restaurante, con los limpiaparabrisas batiendo enloquecidos los vidrios. El agua brincó sobre las aceras.

—Mira cómo rebotan las gotas. Llueve hacia arriba —dijo Antonio.

Mi bolso, que había colocado junto al plato de la berenjena solitaria, emitió un zumbido débil. Lo abrí y saqué el celular. Era tío Negrito.

Un rayo partió el cielo en dos. Iluminó la calle, agrisada por la lluvia. El estrépito del aguacero ahogó la voz de mi tío, pero alcancé a entender lo sustancial.

Colgué sin decir palabra.

# VIII

Anacaona tiene un oficio singular. Se dedica a lavar y vestir a todos los muertos de Coa. A veces, incluso, trabaja en otros pueblos de la comarca, reclamada por su fama. Y es que Anacaona es una virtuosa de la muerte. Lava, empolva y perfuma a los difuntos como nadie. Pero lo que realmente la ha convertido en una artista del oficio es su habilidad para maquillarlos.

Hay quien atribuye el milagro a los afeites que guarda, celosa de su secreto, en un estuche negro heredado de su abuela que nadie, salvo ella, ha visto jamás abierto. No se sabe qué cremas, coloretes o cosméticos contiene, pero su resultado es siempre inaudito. Anacaona es capaz de convertir al feo en guapo, al adusto en afable, al viejo en joven. Tapa verrugas, achata narices infinitas, encarna los labios finos, plancha arrugas e incluso cauteriza con sus potingues mágicos las cicatrices de los acuchillados. No hay imperfección, peca o rugosidad que se le resista. Y lo que es más inaudito: todos los muerticos que engalana Anacaona lucen, en su despedida, una sonrisa beatífica. Da igual qué fueran en vida –campesino, puta, comerciante o cura– y la causa de su muerte –fiebres, bala, tumor o accidente de carro–. Todos sonríen como santos una vez difuntos.

Recuerdo que, de pequeñas, Lucecita y yo la seguíamos cuando la veíamos pasar por la calle, con su vestido negro y su estuche de lavar y maquillar muertos en la mano, para saber en qué casa había un finado y correr para dar la noticia a mami y la abuela, diligentes cumplidoras con los duelos ajenos en previsión del propio, que siempre desearon multitudinario.

Tras tantos años visitando difuntos en velorios de amigos, vecinos, familiares y hasta desconocidos, mi madre tuvo la despedida que anhelaba.

Todo Coa acudió a su sepelio.

Centenares de personas desfilaron ante su ataúd, sostenido sobre cuatro sillas, en mitad del salón de la casa. Un cortejo sin fin se asomó a la caja destapada para despedirse de la difunta –engalanada con un traje blanco largo hasta los pies para la ocasión– y, de paso, comprobar la calidad del trabajo realizado por la infalible Anacaona.

–Pobre doña Melania. Sonríe como una santa –decían unos.

–Mira qué joven se la llevó la *pelá* –susurraban, persignándose, otros.

–¿Por qué, Dios mío? –gritaban algunas vecinas hincándose de hinojos frente al ataúd, arrastrándose por el piso como poseídas por el dolor, manoteando para eludir las manos que intentaban izarlas.

Tía Euduvigis, especialista en afrontar tan singulares alardes, se hacía entonces cargo de la situación:

–Vayan a buscar guanábana –ordenaba a los niños, tradicionalmente comisionados para conseguir las hojas de este árbol y estrujarlas sobre trapos blancos que luego mi tía daba a oler a la doliente para calmarle el ataque y la llantina–. Necesita aire. Sáquenla al patio –mandaba a los familiares de la conmocionada, que se apuraban para levantarla, sujetarla por las axilas para orientar su paso incierto y sentarla junto a las fogatas encendidas en el exterior, siempre a punto para hervir el café o hacer el chocolate caliente que se brindaba a la concurrencia.

A veces era tal el gentío que los convecinos tenían que cumplimentar a la difunta en segundos y apurar el pésame a los dolientes, reunidos en la habitación contigua al salón, para dejar su lugar a los que aguardaban su turno en el patio.

Hombres y mujeres vestidos de negro y gris se acercaban a mí –enlutada por fuera como convenía a la ocasión gracias a un vestido prestado por tía Euduvigis– para trasladarme su pésame. Mil veces oí las mismas palabras:

–Te acompaño en tu sentimiento.

Y mil veces respondí:

–Gracias.

Aunque en realidad quería decir:

–No estoy afligida, así que no necesito que me acompañe a ningún lado.

A diferencia de mí, Cuchito cumplió a la perfección su papel de viudo desconsolado. Recibió las condolencias con los hombros vencidos, como si no pudiera sobrellevar el peso de la trágica pérdida de doña mami. Se resistió a comer la sopa de pollo que nos ofrecieron y sucumbió a un dolor aparente que, de rato en rato, le ensombrecía el gesto y parecía nublarle los ojos, que inmediatamente barría con un pañuelo mugriento mostrando así a la concurrencia su supuesta aflicción. Esto, cuando estábamos acompañados. Pero en el momento en que el resto de los dolientes salía de la habitación asignada a los deudos, Cuchito se recomponía como por ensalmo y nos enzarzábamos en silenciosos duelos visuales. Él me mordía con los ojos y yo respondía a dentelladas. El combate cesaba cuando reaparecía algún allegado pero, apenas salía, retomábamos la lucha con ahínco renovado.

La violencia latente entre nosotros estalló al final cuando, aprovechando uno de los escasos recesos que nos dejaron entre pésame y pésame, cogí la Biblia de doña mami. Mi intención era abrirla al azar y leer la página que quedara a la vista, para buscar mensajes ocultos en el texto sobre el que recayeran, casualmente, mis ojos. Pero al hacerlo tropecé, no con los versículos fortuitos que esperaba, sino con un suculento fajo de pesos. Pasmada, revisé el libro sagrado y comprobé que, si San Juan había sido generoso, los Evangelios según San Mateo y San Marcos eran un prodigio de dadivosidad.

Cuchito sorprendió mi milagrosa cosecha y a punto estaba de levantarse y venírseme encima con la manifiesta intención de arrebatármela, cuando entró tía Euduvigis para ofrecernos un café. El rufián cambió la cara feroz por la atribulada en un segundo y tomó la taza, aplazando la embestida, momento que aproveché para devolver con disimulo el dinero a la Biblia.

—¿Me la guarda en su casa, tía? Era de mami y me gustaría conservarla... —le supliqué con gesto compungido.

Los ojos de Cuchito desprendieron fuego, pero tía Euduvigis no lo vio.

—Claro, *m'hija*. Ahora le digo a Rubén que la lleve para tu cuarto.

El raso se levantó, creo que dispuesto a seguir los pasos de mi tía e interceptar el libro, de forma que decidí anticiparme. No me importaba el dinero. Me importaba que Cuchito se quedara sin él:

—Aguarde un chin, tía. ¿Antonio está fuera?

—Sí. La verdad es que se le ve perdido al pobre... No conoce a nadie y no sabe qué hacer. Yo estoy intentando que se sienta bien, pero no es fácil en un día como hoy...

—Pues espere, que tengo que decirle algo y de camino le doy la Biblia a él para que me la guarde.

Me precipité hacia la puerta sin esperar la reacción de Cuchito, pero mi tía, que estaba más cerca de ella, se me anticipó. Libre de testigos, el marido de doña mami me agarró del brazo.

—Suéltala aquí ahora mismo. No es tuya y lo sabes.

—La Biblia puede que no, pero el dinero que tiene dentro, claro que sí. Yo se lo envié desde España, así que déjeme ahora mismo —respondí zafándome de un tirón.

—Siempre fuiste mezquina con tu mamá y ahora lo eres conmigo —atacó Cuchito—. ¿Sabes qué decía cuando hablabais por teléfono? Pues que otras mujeres que marcharon para España han hecho chalets y han comprado carros para sus padres acá, mientras que ella te tenía que rogar hasta los cheles de sus medicinas.

—Le mandé tanto dinero que podría haberse comprado una farmacia. ¿Y sabe usted cómo se ganaron los pesos las mujeres de las que habla? Como putas. No, Cuchito, yo no tengo cuartos para chalets ni para autos. El servicio doméstico no da para eso. Pero tengo algo que ni ellas ni usted tienen: dignidad. Así que, cuando se acabe el velorio, se me va de esta casa. Es mía. Mi padre me la dejó. Así que coja sus gallos y los cuatro tereques que son suyos y se va de aquí.

La ira le inflamó la yugular. Iba a replicarme, pero le atajé el intento:

—Y una cosa más voy a decirle, ahora que nos hemos decidido a hablar: si vuelve a acercarse a cualquiera de mis hijos, le mando con mi madre.

Cuchito esbozó una sonrisa chusca que me crispó y se adelantó unos pasos, hasta situarse frente a mí. Me sacaba tres cabezas, pero no me arredró. Me apoyé las manos en las caderas —fue el gesto más amenazante que se me ocurrió esbozar—, le miré de frente y se lo repetí, ya que no parecía haberme creído la primera vez:

—Si se acerca a mis hijos, lo mato.

No sé si fue mi entonación o la mirada que le eché encima, pero sus ojos me dijeron que esa vez sí me había entendido.

Tras la preceptiva noche de vigilia, la comitiva fúnebre partió a mediodía bajo un sol que quemaba como el infierno. Seis hombres se echaron la caja al hombro camino del cementerio, seguidos por un torrente de mujeres que convirtieron la calle en un río negro, por sus vestidos de duelo, salpicado a intervalos de brochazos rojos y fucsias por las flores que portaban en las manos como póstuma ofrenda a la difunta.

Me asomé a la ventana para ver partir el sepelio, sin más sentimiento que el que tendría por el entierro de un extraño. Apoyada en el alféizar descascarillado, alcancé a contemplar cómo los vecinos de las casas colindantes arrojaban agua al suelo al paso de la caja, tal como suele hacerse siempre en Coa aunque nunca he entendido el origen de tan singular práctica funeraria.

Como manda la tradición, los dolientes más cercanos permanecimos en la casa. Se supone que el dolor impide que acompañen a los difuntos en su último viaje, el breve camino que separa su hogar del cementerio. Estaba agradeciendo a Dios y a las costumbres que me libraran de la inhumación, cuando tía Euduvigis apareció por detrás y me enlazó la cintura. Estaba llorando.

–No llore, tía.

Mi petición sólo sirvió para que arreciara su llanto.

–Sólo me quedaba esa hermana, *m'hija*. Ni padres, ni hermanos. Ya no me queda nadie por encima ni los de mi lado.

La aferré por el hombro y la estreché contra mi costado.

–Tiene diez hijos, a Negrito y a mí, que soy como otra hija suya –la consolé.

Tía Euduvigis siempre me profesó un amor de madre. Más de una vez se interpuso para evitar que doña mami la emprendiera a golpes conmigo. «Mi cosa bonita», me llamaba de pequeña, enternecida, creo, por mi naturaleza flaquita y debilucha. Cierro los ojos y la veo aplicándome vaselina en el pelo antes de pasarme el peine de hierro, calentado sobre ascuas, para alisármelo; recitándome los poemas que me gustaban; guisándome un locrio con guandules para hacerme comer... Siempre he adorado a tía Euduvigis que, a diferencia de doña mami, nunca se dejó contaminar por las violencias de su marido, manteniendo su esencia bondadosa pese a la nefasta influencia de tío Negrito.

Salimos al patio. Cuchito estaba a escasos metros de nosotras. Vestía un traje gris oscuro mal planchado y extrañamente holgado, como si perteneciera a otro hombre, más alto y corpulento que él. En una de las mangas lucía un brazalete negro, como la mirada maligna que me lanzó. Paré la ojeada y se la devolví, debidamente corregida y aumentada, a su emisor. Más le valía empezar a empacar sus cosas porque tenía las horas contadas en esa casa. Apenas concluyeran los nueve días del velorio, le obligaría a marcharse.

El cortejo dobló calle abajo y, poco a poco, desapareció. Por el lado opuesto surgió, justo entonces, Antonio. Traía de una mano a Victoria y de la otra a Marcia. Rubén caminaba delante, con las manos en los bolsillos, repeinado como cuando asistía a misa, serio como la ropa enlutada con la que se había disfrazado. Miró hacia la casa y descubrió a Cuchito, plantado en el patio. Mi hijo, que hasta entonces caminaba resuelto, aminoró el paso. Encogido como un mango pasado, se parapetó tras Antonio y las niñas para quitarse de su vista.

Iracunda, me fui para Cuchito:

—No se atreva ni a mirarlo —le grité mientras tía Euduvigis me agarraba por los hombros.

—Ahora no, *Fifty-Fifty* —me disuadió, sin dejar de sujetarme.

Cuchito me crucificó con la mirada y me dio la espalda, caminando de regreso a la casa. Las perneras del pantalón se bambolearon descontroladas al compás de sus pasos y de una corriente repentina, como las velas que flamean enloquecidas cuando los barcos pierden el rumbo.

—¿Ya almorzaron? —preguntó mi tía a los niños cuando llegaron hasta nosotras.

—Les di de desayunar hace un rato, pero ya deben de tener hambre —dijo Antonio, acariciando la cabeza de Marcia. Fuera de lugar en el velorio y rodeado de extraños, curiosos por la insólita presencia de un español en el duelo, había optado por refugiarse en el cuidado de los niños.

—Mami, Antonio me leyó anoche un cuento —me confesó Marcia estrechándose contra mí.

—Y nos prometió que nos llevaría a la playa —chilló Victoria entusiasmada.

—¡Niñas! —las riñó con dulzura mi tía—. No es momento de saltos ni bromas.

En las casas donde recién se enterró un muerto no se pone ni la radio, si no es bajito, para que no te censuren los vecinos. El luto apaga las risas y toda manifestación de alegría o vida, como en Semana Santa. El Viernes Santo ni se habla, ni se barre, ni se pone la televisión, ni siquiera se ralla un coco ni, menos aún, se hace el amor. Salvo respirar, todo está prohibido.

Antonio mantuvo cogida de la mano a Victoria. Sentí compasión por él. Seguro que había imaginado que, cuando llegara a mi país, le mostraría playas de catálogo turístico. Desde luego, jamás pensó que se encontraría metido en un funeral cuyo protocolo no alcanzaba a entender y ejerciendo de niñera. Pero la muerte le quebró la suerte. El fallecimiento de mami había vuelto a ponerme la vida patas arriba, como cuando Reinaldo aterrizó en Madrid e interrumpió nuestro incipiente romance.

–Vengan con tía Euduvigis, que les tiene reservada carne de res y unos bollitos de yuca deliciosos como jamás probaron, ya verán –propuso a los niños, llevándolos hacia el interior de la casa.

Antonio y yo nos quedamos en el patio. Era la primera vez que estábamos solos desde que nos encontramos en Tío Pepe.

–¿Cómo estás? –me preguntó pasándome el brazo por los hombros.

–Bien. Ojalá todo esto pasara pronto, pero estoy bien, no tengas cuidado.

–¿Cuánto dura todo esto?

–Nueve días a contar desde el entierro.

–Yo no sé qué puedo hacer para ayudarte, pero ya sabes que me tienes para lo que quieras. He cogido una semana de vacaciones en el trabajo, pero puedo alargarlas algunos días más si es necesario.

Vi cariño en sus ojos. Retiré los míos.

–Te estás ocupando de mis hijos para que no tengan que presenciar esta pesadilla. Para mí –dije– es más que suficiente. Tampoco es necesario que te busques problemas en el trabajo...

Eché a andar por el patio para desprenderme de su brazo

afectuoso, de su mirada amorosa. Él caminó a mi lado. Mientras avanzábamos, rozó mi mano. No sé si a propósito o no, pero noté su contacto. Me detuve junto a la mata de adelfas inodoras, de flores intensamente rojas, que mi madre había trasplantado hacía años de la mata gigante que mi abuela tenía en su hotelito.

–Tus niños son un encanto –dijo–. He estado jugando al béisbol con Rubén en... ¿cómo le llamáis al campo de juego?

–El play. ¿Jugó con el bate nuevo?

–Eso, en el play que hay al lado de su colegio. Estrenó tu bate y es muy bueno, ¿sabes? Yo, en cambio, no he conseguido darle a la pelota ni una sola vez. Soy un auténtico manta –sonrió.

Adiviné que quería besarme. Luego hizo algo inesperado. Arrancó una flor y me la ofreció. La miré. Luego a él. Y después se lo dije:

–Nunca me regales adelfas.

Cuando entramos en la casa, tía Euduvigis me ofreció un pañuelo blanco para cubrirme la cabeza en señal de luto. Ella ya se lo había puesto. También había comenzado a vestir el altar en honor a doña mami. La mesa grande de la cocina estaba en mitad del salón, justo en el lugar que antes ocupaba el ataúd. La habían cubierto con una sábana blanca, la más nueva que debía tener mi madre, quién sabe si preservada de todo uso para esta ocasión. Tía Euduvigis se puso a sujetarla con hilo, para cuadrarla, ajustándola al contorno de la mesa. La ayudé. Luego me mandó buscar y decorar las botellas que usábamos a modo de palmatorias. Me instruyó para atarles faldoncitos de papel crepé mientras ella buscaba las estampas de los santicos que ornamentaban el altar que mi madre siempre tuvo en su habitación, a los que, como he dicho, profesaba una devoción supersticiosa, según creo más africana que cristiana.

Cuchito añadió al muestrario de santos un portarretratos de plata desde el que doña mami observaba a los deudos con gesto desconfiado. No veía esa foto desde hacía años. Papito

Rivera, el fotógrafo de Coa, se la hizo el día de su boda con el soldado, pero más que una novia feliz parece una mujer enfadada con la vida. Ceño marcado. Mirada precavida. Boca contraída como si hubiera dado un sorbo a una taza de leche dañada. Ceja izquierda proyectada ligeramente hacia arriba. Eso sí. Reconozco que lucía un espléndido maquillaje, cuya autoría adiviné. Tía Euduvigis siempre fue habilidosa para embellecer lo ajeno incluso a costa de lo propio y no hablo sólo de rostros, sino de vidas.

Cumplidos los preparativos del altar, nos sentamos en torno a él esperando la llegada de los vecinos, amigos y familiares que nos acompañarían en el sepelio, una vez finalizado el entierro. Ocupé una silla contigua a la de mi tía y, empujada por la quietud que respiraba la estancia, me sumergí en recuerdos espesos, más negros que mi traje, sobre la que un día fue mami y a quien ya –¿desde cuándo exactamente?– sólo podía llamar doña mami.

A veces, interrumpía las dolorosas remembranzas imaginando cómo estaría desarrollándose el entierro. El sonido de la tierra cayendo sobre el ataúd. El calor sofocante que estarían soportando las gentes arracimadas en torno a la tumba. Lo que diría el sacerdote en la ceremonia. ¿Se atrevería a ensalzar la vida de Melania Santana? «Ellos no la conocen. La tienen por madre devota y fiel esposa», me dije con un asomo de rabia. El rezo continuo de mi tía me rescató del recuerdo. Se había enzarzado en un rosario solitario. Sorda a sus oraciones, no le había dado la réplica oportuna en las plegarias, que entonaba con voz mecánica. Como si por sabidas, las palabras se hubieran desgastado hasta perder su sentido original y ya no transmitieran sentimiento alguno a quien las desgranaba.

Pero lo que más detenía mis tenebrosas introspecciones era el sonido de la vida. Pájaros piando. Una radio lejana entonando un son. El motor de un carro que pasaba junto a la casa. La charla alborotada de mis hijos comiendo en la cocina.

Sin darme cuenta, el salón se fue llenando de nuevo de allegados, que se unían a los rezos de tía Euduvigis. Una vez hecho acto de presencia, algunos salían al patio, donde varias primas lejanas seguían repartiendo a la concurrencia el café hervido sobre las fogatas y en el que, poco a poco, apareció alguna mesa y varias sillas para dar reposo a los parientes y al vecindario.

En un momento en el que me asomé para tomar aire y liberarme del soniquete de las plegarias, vi aparecer a tío Negrito. Cruzó el patio con paso inseguro, sin atender las condolencias que le ofrecía la gente. Parecía alterado. Se dirigió directo hacia mí y, sin hablar, me arrastró hasta un cuarto sin más gente que él y yo:

–¿Qué pasó? ¿Por qué me empuja así? –me quejé disgustada.

–Un amigo me ha dicho que ha visto a Reinaldo en el pueblo esta tarde. Iba en un carro, con otro hombre –respondió quemándome la cara con su aliento a ron.

–Usted ha bebido. ¿Le parece que es un día para andar festejando?

–Eso no es asunto tuyo, mujer –me gritó–. Ocúpate de Reinaldo, malagradecida, que es de quien te tienes que preocupar –añadió más bajo, en un tono etílico que le trastabilló la voz.

Sobresaltada por el bramido, tía Euduvigis asomó la cabeza por la puerta entreabierta. Un simple vistazo le bastó para hacerse cargo de la situación. Entró como una sombra a la salita, tomó dulcemente del brazo a su marido, ignoró sus rezongos, lo tendió en una cama y lo descalzó. Él se giró cara a la pared y gruñó algo que no entendí. Cuando cerramos la puerta ya estaba roncando.

–Maldita seas. ¿No fui yo quién te dio la vida? ¿Así me la pagas, echando a mi marido de mi casa?

Doña América –la vecina que había oficiado de alcahueta en mi primer encuentro con Reinaldo– espumó por la boca y se retorció sobre el piso como una electrocutada.

–Nunca me quisiste. Mi hija nunca me quiso –aulló con una voz cavernosa que me atiesó el vello–. Pero yo no consentiré esta infamia. No.

Un nuevo espasmo la levantó del suelo, contra el que empezó a golpearse la cabeza, los brazos, las piernas... Antonio, que se encontraba en el patio, entró corriendo, alarmado por los gritos. No puedo describir la cara que puso cuando descubrió lo que sucedía, pero pensé que, si hubiera tenido su maleta a mano, habría salido corriendo para España en ese preciso momento.

–Traigan alcanfor –ordenó tía Euduvigis, saliendo del grupo que rodeaba a la posesa, y, dirigiéndose hacia mí, me susurró–: No te asustes, que luego te cuento.

–Si echas a Cuchito de casa, te rompo el cocote –rugió la vieja. Tenía ojos de loca, el pelo disparado y las faldas subidas hasta los pantis por las convulsiones frenéticas que la sacudían a intervalos como a una epiléptica demoniaca.

Su admonición me estremeció. De niña me contaron que una difunta maldijo a su marido y lo amenazó con abrirle la cabeza si al día siguiente de su entierro marchaba a trabajar en lugar de guardar los nueve días de respeto. Por la mañana, el hombre cogió un saco de carbón y otro de guineos con el propósito de venderlos en la capital, pero nunca llegó. Apenas agarró la mercancía, se desplomó en el piso y con la caída se desnucó.

–Me he muerto por tu culpa, mala hija. Por no pagar mis medicinas sabiendo que yo no tenía cheles... –clamó doña América. Había incorporado el torso y me señalaba, acusadora, con el dedo. Luego se desplomó como si no tuviera vida, golpeándose con fuerza la cabeza. Una mujer gritó, asustada por el impacto. Yo intenté salir de allí, pero tía Euduvigis me detuvo.

–Tú te quedas –me reprendió en voz baja.

Alguien le alcanzó la botella de ron, en cuya base descansaban varias bolitas de alcanfor.

–Sujétenla –ordenó, colocándole la botella bajo la nariz oscilante por las sacudidas. Como no conseguía atinar porque los movimientos endemoniados de la mujer montada por el espíritu de doña mami excedían los esfuerzos de los tres hombres que intentaban sujetarla, se mojó la mano y buscó la cara de doña América, que empezó a mover la cabeza de un lado a otro, con violencia.

–No se te ocurra echarlo o te perseguiré toda la vida –gritó con voz de ultratumba a modo de despedida antes de que el alcanfor y los abaniqueos amortiguaran el trance. Poco a poco los espasmos se espaciaron, los espumarajos cesaron y, finalmente, doña América dejó de contorsionarse como un pescado recién sacado del mar. Dos hombres la sentaron en una silla y, así acomodada, la llevaron en volandas hasta su casa, seguidos por dos comadres que se ofrecieron a cuidarla.

Concluido el espectáculo, los dolientes se disgregaron, lanzándome miradas de sordo reproche. Tía Euduvigis me llevó a un aparte:

–No le eches cuenta. Estuvo hablando con Cuchito y tengo para mí que él organizó el yeyo para desprestigiarte y meterte el miedo en el cuerpo. Si a esa mujer la montó tu difunta madre, yo soy la reina de España.

El octavo día de velorio amaneció nublado. Agotada por la falta de sueño y las emociones, me había quedado dormida en el sillón de mi madre. Rubén me despertó con una taza de café humeante y una mirada de tregua:

–Gracias, mi amor –dije levantándome–. Venga conmigo para el patio que usted y yo tenemos que hablar.

Salimos. No había nadie. Nos sentamos. Mi hijo clavó la vista en el piso. Se metió las manos en los bolsillos y esperó a que yo hablara.

–Rubén, mírame. Así, eso es. Sé que estás enfadado conmigo.

Él apartó los ojos, pero le cogí de las mejillas y le volteé la cara para que volviera a mirarme. Al hacerlo, noté que la mandíbula, antes redonda, se le había cuadrado durante mi ausencia. Mi niño se estaba haciendo hombre.

–Necesito decirte algo y quiero que me mires, *m'hijo*. Escúchame, por favor. Sé por qué estás enfadado conmigo: porque me marché y os dejé con la abuela. Pero quiero que entiendas dos cosas. Primero, no me fui por mi gusto. Tuve que hacerlo.

–Pero ¿por qué? ¿Por la abuela? Tú te marchaste, pero nosotros nos tuvimos que quedar con ella... y con Cuchito –repuso con gesto inculpatorio.

–Algún día te explicaré por qué. Te prometo que te lo diré, pero ahora no es el momento. Creí que hacía lo mejor por mí y por ustedes. Os dejé en casa al cuidado de Angelita, Miguelina y Enérsida. Fue la abuela la que os llevó con ella sin mi permiso...

Rubén negó con la cabeza, rechazando mis explicaciones. Volteó la cara hacia otro lado, para que no lo viera. Supe que estaba llorando.

–*M'hijo*, perdóname por no haberme dado cuenta de que sufrías. Por no haber sabido protegerte.

El llanto convulsionó sus hombros.

–Ahora sé lo mal que lo pasaste...

–¡Usted no sabe nada! –me gritó furioso. Intentó ponerse de pie, pero lo retuve. Hubiera dado mi vida porque me dejara abrazarlo en ese momento, pero supe que no consentiría. Ni siquiera me permitiría rozarle. Contuve las ganas y seguí hablando, con la voz anegada por las lágrimas, que me tragué. Rubén se había cruzado de brazos, como si así quisiera poner distancia entre nosotros y defenderse de mis súplicas.

–Tienes razón. No sé todo por lo que has pasado tú y tus hermanas. Pero sé lo suficiente para saber que debo pedirte perdón por ello.

Rubén calló.

–Mi amor, me arrepiento de haberos dejado. Ojalá pudiera cambiar las cosas, pero una vez hechas no tienen remedio. Lo que sí tiene remedio es el futuro y te prometo que más nunca volveré a separarme de vosotros. Nos iremos todos juntos a vivir a España o nos quedaremos aquí, todavía no lo sé, pero estaremos los cuatro juntos. ¿Me escuchas, *m'hijo*?

Asintió. Su carita, hasta entonces contraída, se distendió como si se le hubiera soltado un muelle. Las mandíbulas se le desencajaron y los labios, antes fruncidos en una línea fina, se abrieron como pétalos. Entonces, me atreví a tocarlo. Le sequé con los dedos las lágrimas que se le habían quedado encalladas en las mejillas. Creo que el que ahora deseaba sujetarme la mano contra su cara era él, pero no se atrevió. Quizá pensó que era cosa de niños, algo inapropiado para un hombrecito como él. Lo que sí hizo fue mirarme con ojos reconciliados. Y luego, sin más transición, se puso de pie de un salto, como si le hubieran liberado de un peso terrible y, de repente, hubiera recuperado su vivacidad habitual.

—Me voy para casa de tía Euduvigis, mami. Antonio me pidió que volviera pronto porque él tiene que irse ya.

Rubén salió corriendo, atravesó el patio y a punto estaba de alcanzar la calle cuando lo detuve.

—¿Cómo que se marcha? —le grité.

—¿No se lo dijo? —respondió él—. Está haciendo la maleta. Se regresa a Madrid.

Agitó una mano a modo de despedida y reemprendió el trote.

Miré al cielo. Las nubes habían desaparecido, reemplazadas por un sol tímido. Allá arriba todo era ahora azul.

Antonio llegó poco antes de que desembarcaran las rezadoras. Bajó de un auto blanco. El chofer apagó el motor quejumbroso y miró con curiosidad al español, vestido con pantalones cortos color beis, camiseta blanca y chanclas. Oculto tras las gafas de sol, Antonio se dirigió hacia mí. No logré descifrar su expresión, disfrazada con su típica media sonrisa. Cuando habló, el chofer seguía observándolo:

—He venido a despedirme.

—Rubén me dijo que te marchas.

—Sí.

Se produjo un silencio incómodo, roto sólo por las conversaciones de los dolientes que charlaban en el patio. El chofer ya no miraba a Antonio. Se estaba inspeccionando las uñas.

–Antonio, no sé qué decirte.

–No hace falta que me digas nada.

La nuez navegó arriba y abajo por su garganta. Miré a la gente. Algunos vecinos se habían levantado para saludar a las rezadoras, que se aproximaban ya hacia la casa. Doña Santa me reconoció como familia de la finada, interrumpiendo nuestra lánguida charla:

–Le acompaño en su sentimiento.

Antonio retrocedió dos pasos.

–Gracias. Pasen ustedes y hablen con tía Euduvigis. Ya tenemos todo dispuesto.

Doña Santa entró en la casa, seguida por cuatro rezadoras más formadas en hilera. Todas ellas bajitas, regordetas y mayores. Eso sí, menos vestidas que doña Santa y más cargadas, porque, mientras la rezadora jefe caminaba libre de bultos, el resto portaba fundas negras con el instrumental necesario para su luctuoso oficio: crucifijos surtidos, biblias, agua bendita, albahaca... Antonio esperó a que la singular comitiva desapareciera antes de volver a acercarse.

–Me voy ya, que tengo el coche esperando.

–OK.

Se quitó las gafas. Sus ojos pardos brillaban. Me dio dos besos rápidos, humedeciéndome las mejillas con su sudor. Decenas de miradas curiosas se volvieron hacia nosotros.

–Adiós, Adela.

Respondí:

–Buen viaje.

Pensé: «Feliz viaje a Ítaca».

Requiem aeternam dona eis, Domine
et lux perpetua lucent eis.
Requiescant in pace.

Toda la sala concluyó al unísono con un amén desafinado la plegaria cantada por doña Santa, quien durante toda la tarde nos había maravillado entonando padrenuestros y avemarías encadenados con su aguda voz de soprano. Sus cuatro secuaces se levantaron entonces y comenzaron a agitar, ante los presentes, hojas de albahaca rociadas con agua bendita, cuyo verdor me refrescó los ojos, renegridos por tanto traje y vestido enlutado. Los salpicados por las santas goticas se santiguaron, uno tras otro, con gesto afligido. Ignoro cuál sería la expresión de mi cara. Creo que más bien neutra pero, a falta de espejo, no tengo seguridades sino sospechas.

Desde que murió doña mami había notado que el cuerpo se me dulcificaba, como si flotara en lugar de andar, ingrávida tras liberarme del peso que me había lastrado treinta y siete años de vida. Supongo que a mi rostro le pasó lo mismo y su relajación debía sorprender a quien me contemplara esperando ver desesperación y tristeza donde me temo que sólo había esperanza y alegría recobrada, por mucho que intentara disimular.

Echándose la mano al cuello para justificar su decisión, doña Santa anunció un receso que todos aprovechamos para salir al patio y respirar. La casa hedía. No digo que olía a muerto porque sonaría irrespetuoso y, además, sería injusto: hacía nueve días –diez, contando con el que estábamos– que doña mami descansaba bajo tierra. Sin embargo, la humedad había reconcentrado efluvios diversos generando un tufillo putrefacto compuesto, quizá, de sudor, perfumes baratos, posos de café añejo, exudaciones inguinales, pies cansados, habitaciones no ventiladas, comida caduca, cera quemada, duchas aplazadas e incienso.

Aliviados por el aire fresco, apiñados bajo los dos únicos árboles que crecían en el patio, nos lanzamos sobre los zumos que algún alma caritativa había llevado para aliviarnos la sed. El que probé era de guanábana, fresco y tranquilizante a la vez. El sabor de la fruta me despertó el paladar. Jugué un instante con el líquido, manteniéndolo en mi boca antes de tragarlo y entonces lo vi.

Estaba sentado en una de las mesas dispuestas en el patio.

Mirándome.

Creí que el corazón se me iba a desbocar pero, contra pronóstico, siguió latiendo tranquilo. Una vez y otra. Isócrono, como el segundero de un reloj suizo. Además, noté la boca perfectamente lubricada. No se me había deshidratado, como a los difuntos. En cuanto a las piernas, ligeramente entreabiertas antes de la visión, seguían plantadas con firmeza en el piso. No se habían cerrado.

Como él no se levantó, caminé hacia la mesa en la que estaba sentado. Un paso. Luego otro. Firmes ambos. Así que di un tercero y un cuarto. Y seguí, uno tras otro, hasta que lo tuve a tres metros y sus ojos me frenaron. Supuraban odio como si tuviera dos heridas infectadas en la cara.

Hasta ese momento siempre me había sometido a su mirada. Sin embargo, esta vez se la mantuve sin esfuerzo hasta que él la retiró. Simuló observar a las rezadoras y luego volvió sus ojos enfermos hacia los míos, envalentonados por un sentimiento nuevo, que soy incapaz de describir. Él se dio cuenta del cambio que se había operado en mí y noté que le disgustaba. Me acerqué más.

–¿Qué haces aquí?

–Venir a darte el pésame, negrita.

Tenía la cara abotargada. Roja. Como las adelfas del patio. El vientre, antes liso como el mar en día de calma, amenazaba ahora con derrumbarse sobre sus piernas.

–Ya lo has hecho. Ahora, vete. Todo ha terminado.

Sonrió, mostrándome los dientes. Como hacen los perros cuando quieren marcar distancias, amenazar o disuadir agresiones.

Por primera vez en mi vida pensé que sería capaz de matar. No a cualquier hombre. Sería capaz de matar a ese hombre sin que me temblaran las manos ni la conciencia. Como a las arañas que Lucecita y yo destripábamos de pequeñas.

–Terminará cuando yo diga que ha terminado –repuso desafiante.

–Te perdí el miedo, general. Ya no tienes nada que hacer aquí.

Reinaldo golpeó la mesa con los puños. Todos se volvieron para mirarlo, pero él no se dio cuenta. Fijé la vista en esas manos que había temido tanto. Nada. No sentí nada. Tampoco cuando las estiró, asentándolas sobre la superficie de la mesa. Él siempre había llevado las uñas cortas, pero ahora parecían navajas. Navajas enlutadas por una mugre inusual en él.

Cuando se dio cuenta de que observaba sus zarpas –me resultaba imposible imaginar que hubo un tiempo en que me dejé tocar por ellas–, las trenzó, como si estuviera rezando. Luego las separó y las hizo crujir con fuerza. El chasquido no me asustó. Más bien me crecí con él. Reinaldo se dio cuenta. Mi abuela decía que el burro sabe a quién tumba y el diablo a quién se lleva. Creo que el general supo, en ese instante, que ya no podía conmigo y, de resultas de mi crecimiento, por lo que parece evidente, él menguó en su silla. El hombrón altivo que me había aterrorizado durante años se convirtió en segundos en un enano. Puede que fuera un efecto óptico, porque yo seguía en pie y él sentado. Pero eso fue lo que me pareció. Un enano gordo y rojo.

Mi actitud aplacó su sonrisa hasta hacerla desaparecer y entonces, sólo entonces, me di cuenta.

Reinaldo no estaba sentado en una silla normal, sino en una silla de ruedas.

–¿Qué te pasó?

Guardó un minuto de silencio antes de responder gagueante:

–Hilma.

–Pues Adela acabará lo que Hilma empezó si no te vas de aquí ahora mismo. Para mí estás tan muerto como el huevo que tienes entre las piernas, general. Porque lo tienes muerto, ¿cierto?

Una furia transitoria le veló los ojos. Creí que iba a gritarme, pero me equivoqué. Gritó a otro:

–¡Enriquillo! –aulló.

Un muchacho rasurado como un militar apareció de la nada y empuñó el respaldo de la silla.

–¡Vámonos!

Hasta ese momento había sentido que mi vida era un farallón, rocoso y escarpado. Yo estaba al pie, condenada a escalarlo sin más ayuda que mis manos. Pero cuando Reinaldo se volteó y vi desaparecer su nuca tras la espalda cincelada del muchacho que le empujaba en dirección a la calle, me sentí en la cumbre del acantilado. Incluso me pareció percibir el aroma que desprende la mar al batir la roca. Y la sal. Y la brisa.

Mis convecinos se hicieron a un lado para dejar paso al general en retirada. Sin cuadrarse a su paso. Sin venias ni reverencias. Cariacontecidos, como se cede el paso a un tullido o a un finado camino del camposanto.

Madre mía, que estás en los infiernos. Maldito sea su nombre. Sé que no está bien que una hija maldiga a su madre. Si la gente me oyera, se escandalizaría y me condenaría sin remedio por ingrata. Se supone que no puedo blasfemar contra usted porque me engendró y las hijas no maldicen a sus madres. Porque usted me parió, ¿o no? A veces tengo dudas. Siento que no puedo ser hija suya, que alguien como usted no puede haber engendrado vida estando tan muerta. ¿Alguna vez estuvo viva, doña mami? En cualquier caso, aunque sea realmente su hija, reconozca que mi alumbramiento fue sólo un hecho fortuito. Nada que yo eligiera. Así que tengo derecho a renegar y a condenarla a los infiernos.

Yo, Adela Guzmán, la maldigo aquí y ahora, junto a su tumba, por cantarme estúpidas canciones de gallos blancos después de que Pinuco abusara de mí; por cada uno de los golpes que me dio con las ramitas de pino, ¿recuerda?; por olvidarse de papi y de mí y botarnos de su vida cuando necesitábamos su recuerdo y su amor; por echarme en brazos del general Reinaldo Unzueta, que maldito sea mil veces; por sus palizas y las palizas que permitió que Cuchito propinara a mis hijos; por no pagar su colegio durante mi ausencia; por quedarse con mi dinero; por su mezquindad... Por todo eso y mucho más, yo la maldigo, madre.

Maldito sea el nombre de Melania Santana. Maldita sea por siempre, madre.

Su reino sobre mí ha muerto con usted, ¿lo sabía? Ya no gobierna mis actos, ni mi voluntad, ni mis deseos. Su muerte me ha hecho libre. Si pudiera abrir los ojos y mirarme, lo vería. La mujer que tiene delante acaba de descubrir que tiene alas y que puede volar. Don Pericles me las regaló y usted me las quitó, pero las he recuperado. Ahora soy libre. Adiós, madre.

A partir de hoy ya no se hará su voluntad en esta tierra que se ha convertido en cielo porque ha dejado de ser la suya. En esta tierra que ahora ya es mi tierra y la de mis hijos. La tierra que será de los hijos de mis hijos, pero nunca más será su tierra, madre.

Ya no podrá escatimar a mis hijos el pan de cada día. ¿Creía que no me iba a enterar? Los niños no me han dicho nada. Aunque saben que está muerta y la han visto en el ataúd, con ese falso aspecto de viejita inofensiva y bondadosa que le dejaron, todavía no se atreven a hablarme de sus maldades. Aún le tienen miedo, como si su muerte fuera reversible. Como si en cualquier momento fuera a despertar y a salir de su tumba para perseguirlos hasta en sueños. Pero el miedo, doña mami, también morirá con su muerte.

Yo ya puedo respirar, ¿sabe? Y mis hijos lo harán pronto. Me ocuparé de ello. Me encargaré de que crezcan libres, sin miedo y con ese pan, madre, que usted les negó durante mi ausencia. ¿Le sorprende que lo sepa? Me lo contó tía Euduvigis. Por eso los encontré tan flaquitos, mis niños queridos. ¿Y los regalos que les envié desde España? ¿Qué hizo con su ropa, sus libros, sus juguetes? ¿Los vendió para alimentar a los insaciables duendes de Cuchito, sus perversiones y su juego de gallos? ¿Qué fue de sus camas y de sus colchones? ¿Los vendió también? ¿Vendió a mis hijos, madre?

No sé si con esto estoy ofendiendo a Dios y si me perdonará por ello.

Lo que sí sé, madre, es que yo no podré perdonar ni olvidar. Siempre la he absuelto de sus culpas, pero las ofensas que infligió a mis hijos nunca le serán perdonadas. Nunca. ¿Me oye? Sí, creo que me está oyendo. Desde el mismísimo infierno, sé que me escucha.

Pues oiga una cosa más. No me dejaré caer en la tentación del perdón y del olvido. Para usted no hay perdón ni olvido. Dejó demasiadas cuentas pendientes. Demasiado dolor. Demasiadas mentiras... Sé que dijo a los niños que yo no les enviaba dinero. Les dijo: «Está allá viviendo como una reina sin mandar ni un chele mientras yo me encargo de todo. Y ustedes aquí, jodiéndome, acabándome la vida». Eso les dijo. Que le jodían la vida. No, madre. Quien les jodió la vida a mis hijos, a mí, a todos, fue usted. Pero ahora, mírese. La que parece estar realmente jodida, madre, es usted. Ni siquiera puede espantar esa mosca que le está recorriendo el sepulcro. Ni para espantar a una mosca sirve ya, madre.

Ahora ya estamos libres de todo mal. Libres de la ruindad, de la maldad, de la ceguera, de la iniquidad, de las manipulaciones. De ti, madre. ¿Oíste? Ya ves que te perdí el respeto. Ya no eres usted, eres tú. Te tuteo madre. Soy libre. Por fin soy libre y así será, a partir de ahora, por los siglos de los siglos.

Amén.